# O ÓDIO QUE VOCÊ SEMEIA

**THE HATE U GIVE**

# ANGIE THOMAS

# O ÓDIO QUE VOCÊ SEMEIA

## THE HATE U GIVE

Tradução
Regiane Winarski

24ª edição

**Galera**

RIO DE JANEIRO

2025

CIP-BRASIL. CATALOGAÇÃO NA PUBLICAÇÃO
SINDICATO NACIONAL DOS EDITORES DE LIVROS, RJ

Thomas, Angie
T38o    O ódio que você semeia / Angie Thomas; tradução de
24ª ed.  Regiane Winarski. – 24ª ed. – Rio de Janeiro: Galera
Record, 2025.

Tradução de: The Hate U Give
ISBN: 978-85-01-11081-7

1. Ficção juvenil americana. I. Winarski, Regiane.
II. Título.

17-41617                                          CDD: 028.5
                                                  CDU: 087.5

Título original:
*The Hate U Give*

Copyright © 2017 by Angela Thomas

Publicado mediante acordo com Lennart Sane Agency AB.

Todos os direitos reservados.
Proibida a reprodução, no todo ou em parte, através de quaisquer meios.
Os direitos morais da autora foram assegurados.

Texto revisado segundo o novo Acordo Ortográfico da Língua Portuguesa.

Adaptação de capa original: Renata Vidal
Composição de miolo: Abreu's System

Direitos exclusivos de publicação em língua portuguesa somente para o Brasil
adquiridos pela
EDITORA RECORD LTDA.
Rua Argentina, 171 – Rio de Janeiro, RJ – 20921-380 – Tel.: (21) 2585-2000,
que se reserva a propriedade literária desta tradução.

Impresso no Brasil

ISBN 978-85-01-11081-7

Seja um leitor preferencial Record.
Cadastre-se e receba informações sobre nossos
lançamentos e nossas promoções.

Atendimento e venda direta ao leitor:
sac@record.com.br

*Para a minha avó, que me mostrou que pode haver luz na escuridão.*

**PARTE 1**

# QUANDO ACONTECE

# UM

Eu não devia ter vindo pra cá.

Nem sei se essa festa é *meu* lugar. Nem falando burguesa nem nada. É que tem alguns lugares onde não basta ser eu. Nenhuma versão minha. A festa de recesso de primavera de Big D é um desses lugares.

Eu me espremo em meio a corpos suados e sigo Kenya, os cachos balançando abaixo dos ombros. Tem uma névoa com cheiro de maconha no ar e a música faz o chão tremer. Um rapper grita para todo mundo cantar e dançar o Nae-Nae, seguido de um monte de "Heys" conforme as pessoas dão suas próprias versões. Kenya levanta o copo e dança enquanto anda em meio à multidão. Entre uma dor de cabeça por causa da música alta e a náusea pelo cheiro da maconha, vou ficar impressionada se atravessar a sala sem derramar minha bebida.

Nós abrimos caminho no mar de gente. A casa de Big D está lotada. Eu sempre ouvi falar que Deus e o mundo vão a essas festas de recesso de primavera (bom, todo o mundo menos eu), mas, caramba, eu não sabia que haveria tanta gente. As garotas têm cabelo pintado, cacheado, alisado e armado. Fiquei me sentindo básica demais de rabo de cavalo. Os caras de tênis novos e calças largas rebolam tão perto das garotas que praticamente precisam de camisinha. Minha avó gosta de dizer que com a primavera vem o amor. A primavera em Garden Heights nem sempre traz o amor, mas promete bebês no inverno. Eu não ficaria surpresa se muitos deles fossem concebidos na noite da festa de Big D. Ele sempre faz na sexta-feira da semana de recesso de primavera porque a gente precisa do sábado para se recuperar e do domingo para se arrepender.

— Para de me seguir e vai dançar, Starr — diz Kenya. — As pessoas já vivem dizendo que você se acha.

— Eu não sabia que tinha tantos leitores de pensamentos morando em Garden Heights. — Nem que as pessoas me conhecem como qualquer coisa além de "a filha de Big Mav que trabalha no mercado".

Tomo um gole de bebida e cuspo de volta no copo. Eu sabia que haveria mais do que só suco na bebida, mas está bem mais forte do que estou acostumada. Não deviam nem chamar de ponche. Só de álcool mesmo. Coloco o copo na mesinha de centro e digo:

— Essas pessoas me matam achando que sabem o que eu penso.

— Ei, eu só estou falando. Você age como se não conhecesse ninguém porque estuda naquela escola.

Estou ouvindo isso há seis anos, desde que meus pais me colocaram na Williamson Prep.

— Não tô nem aí — murmuro.

— E não faria mal nenhum você não se vestir... — Ela levanta o nariz enquanto olha dos meus tênis até meu casaco enorme de moletom. — *Assim*. Esse moletom não é do meu irmão?

Do *nosso* irmão. Kenya e eu temos um irmão mais velho em comum, Seven. Mas ela e eu não somos parentes. A mãe dela é mãe de Seven, e meu pai é pai de Seven. Maluquice, eu sei.

— É dele, sim.

— Imaginei. Você sabe o que mais as pessoas estão dizendo. Tem gente achando que você é minha namorada.

— E por acaso eu pareço estar ligando para o que as pessoas pensam?

— Não! E esse é o problema!

— Não tô nem aí.

Se eu soubesse que vir com ela para essa festa significaria ela querer inventar um *Extreme Makeover: Edição Starr*, teria ficado em casa vendo as reprises de *Um maluco no pedaço*. Meus tênis Jordan são confortáveis e, poxa, estão novinhos. Isso é mais do que algumas pessoas podem dizer. O moletom é grande demais, mas eu gosto assim. Além do mais, se eu deixar a gola em cima do nariz, não sinto o cheiro de maconha.

— Bom, não vou ficar de babá para você a noite toda, então é melhor ir fazer alguma coisa — diz Kenya, e observa a sala.

Kenya poderia ser modelo, de verdade. Ela tem pele marrom-escura perfeita (acho que nunca tem espinhas), olhos castanhos amendoados e cílios compridos que nem são artificiais. Tem a altura perfeita de modelo, mas é um pouco mais cheia de curvas do que aqueles palitos nas passarelas. Ela nunca usa a mesma roupa duas vezes. O pai dela, King, cuida disso.

Kenya é a única pessoa com quem eu ando em Garden Heights; é difícil fazer amizade quando você estuda em uma escola que fica a 45 minutos de distância, tem pais que não deixam você fazer nada e só é vista no mercado que pertence à família. É fácil andar com Kenya por causa da nossa ligação com Seven. Mas ela é muito complicada às vezes. Sempre arruma briga e vai logo dizendo que o pai vai dar uma surra em alguém. É verdade, mas eu queria que ela parasse de arrumar encrenca para poder usar seu trunfo. Eu também poderia usar o meu. Todo mundo sabe que ninguém se mete com meu pai, Big Mav, nem com os filhos dele. Mesmo assim, eu não saio por aí arrumando treta.

Tipo, na festa de Big D, Kenya está olhando de cara muito feia para Denasia Allen. Não me lembro de muita coisa sobre Denasia, mas lembro que ela e Kenya não se gostam desde o quarto ano. Esta noite, Denasia está dançando com um cara no meio da sala sem prestar atenção nenhuma em Kenya. Mas, onde quer que a gente vá, Kenya encontra Denasia e faz cara feia. E o problema da cara feia é que chega uma hora que a pessoa sente que aquilo é um convite para dar ou levar uma surra.

— Ah! Eu não suporto essa garota — diz Kenya, furiosa. — Outro dia, a gente estava na fila do refeitório, sabe? E ela atrás de mim, falando um monte de merda. Não falou meu nome, mas sei que estava falando de mim, dizendo que tentei ficar com DeVante.

— Sério? — Eu digo o que devo dizer.

— Aham. Eu não quero nada com ele.

— Eu sei. — Sinceramente? Nem sei quem é DeVante. — E o que você fez?

— O que você acha que eu fiz? Eu me virei e perguntei se ela tinha algum problema comigo. A vaca foi logo dizendo "Eu nem estava falando de você", mas eu sabia que estava! Você tem tanta sorte de estudar naquela escola de brancos e não ter que aguentar essas filhas da puta.

Não é muito louco? Menos de cinco minutos atrás eu era metida porque estudava na Williamson. Agora eu tenho sorte?

— Pode acreditar, minha escola também tem filhos da puta. A filhadaputice é universal.

— Fica de olho, a gente vai dar um jeito nela hoje. — A cara feia de Kenya chega ao nível máximo. Denasia sente a intensidade e olha diretamente para Kenya. — Aham — confirma Kenya, como se Denasia estivesse ouvindo. — Fica de olho.

— Espera aí. *A gente?* Foi por isso que você implorou pra eu vir a essa festa? Pra ter uma parceira de treta?

Ela tem coragem de parecer ofendida.

— Você não tinha nada pra fazer! Nem ninguém com quem sair. Estou te fazendo um favor.

— É sério, Kenya? Você sabe que eu tenho amigos, né?

Ela revira os olhos. Com força. Só a parte branca fica visível por alguns segundos.

— Aquelas burguesinhas da sua escola não contam.

— Elas não são burguesinhas e contam sim. — Eu acho. Maya e eu nos damos bem. Não sei bem o que anda rolando entre mim e Hailey nos últimos tempos. — Sinceramente? Se me puxar pra uma briga é seu jeito de ajudar minha vida social, pode me deixar sozinha. Que droga, sempre rola um drama com você perto.

— Por favor, Starr. — Ela alonga bem o *por favor*. Demais, até. — O que estou pensando é o seguinte. A gente espera ela se afastar do DeVante, certo? Depois...

Meu celular vibra na coxa, e olho para a tela. Como ignorei as ligações, Chris me manda mensagem.

Podemos conversar?
Eu não queria que fosse daquele jeito.

Claro que não queria. Ele queria que tivesse sido completamente diferente ontem e esse é o problema. Coloco o celular no bolso. Não sei bem o que quero dizer, então prefiro resolver as coisas com ele depois.

— Kenya! — grita alguém.

Uma garota grande de pele clara, com cabelo liso esticado, anda entre as pessoas e vem na nossa direção. Um cara alto com moicano afro preto e louro vem atrás. Os dois abraçam Kenya e dizem o quanto ela está linda. Eu nem estou ali.

— Por que você não disse que vinha? — pergunta a garota, e coloca o polegar na boca. Ela tem os dentes para a frente de tanto fazer isso. — Podia ter vindo com a gente.

— Que nada, garota. Eu tinha que ir buscar Starr — diz Kenya. — A gente veio andando juntas.

É nessa hora que eles reparam em mim, a uns 15 centímetros de Kenya.

O cara aperta os olhos enquanto rapidamente me avalia de cima a baixo. Franze a testa por um segundo, mas eu reparo.

— Você não é a filha de Big Mav que trabalha no mercado?

Está vendo? As pessoas agem como se esse fosse o nome na minha certidão de nascimento.

— É, sou eu.

— Ahhh! — diz a garota. — Eu sabia que você era familiar. Estudamos juntas no terceiro ano. Na turma da Sra. Bridges. Eu me sentava atrás de você.

— Ah. — Sei que é nesse momento que eu devia me lembrar dela, mas não me lembro. Acho que Kenya estava certa, eu não conheço ninguém de verdade. Os rostos são familiares, mas não se presta atenção em nomes e histórias de vida quando se está botando as compras de alguém numa sacola.

Mas posso mentir.

— É, eu me lembro de você.

— Garota, para de mentir — diz o cara. — Você sabe que não conhece ela.

— "Por que você está sempre mentindo?" — Kenya e a garota cantam juntas. O cara canta com elas, e todos caem na gargalhada.

— Bianca e Chance, sejam legais — diz Kenya. — É a primeira festa da Starr. Os pais dela não deixam ela ir a lugar nenhum.

Eu a encaro de canto de olho.

— Eu vou a festas, Kenya.

— Vocês já viram Starr em alguma festa daqui? — pergunta Kenya para eles.

— Não!

— Pronto. E, antes que você fale alguma coisa, festinhas de subúrbio de gente branca não contam.

Chance e Bianca dão risadinhas. Droga, eu queria que esse casaco de moletom pudesse me engolir.

— Aposto que tomam ecstasy e essas merdas, não é? — pergunta Chance. — Adolescentes brancos amam comprimidos.

— E ouvir Taylor Swift — acrescenta Bianca, falando com o polegar na boca.

Isso é mais ou menos verdade, mas eu não vou admitir.

— Que nada, as festinhas são bem iradas — digo. — Uma vez, J. Cole cantou na festa de aniversário de um garoto.

— Caramba. É sério? — pergunta Chance. — Meeerda. Porra, me convida da próxima vez. Eu danço com os brancos.

— Então — diz Kenya em voz alta. — A gente estava falando de ir pra cima da Denasia. A vaca está ali, dançando com DeVante.

— Aquela vaca — diz Bianca. — Você sabe que ela anda falando merda de você, né? Eu estava na aula do Sr. Donald na semana passada quando Aaliyah me contou...

Chance revira os olhos.

— Ugh! O Sr. Donald.

— Você só está com raiva porque ele expulsou você da sala — diz Kenya.

— Claro!

— Então, Aaliyah me contou... — começa Bianca.

Eu me perco de novo quando alunos e professores que não conheço são mencionados. Não posso dizer nada. Mas não importa. Sou invisível.

Sinto-me assim com frequência aqui.

No meio da reclamação deles sobre Denasia e os professores, Kenya diz qualquer coisa sobre pegar outra bebida, e os três saem andando sem mim.

De repente, sou Eva no Paraíso depois que comeu a maçã; tenho a impressão de estar nua. Estou sozinha em uma festa em que não devia estar, onde quase não conheço ninguém. E a pessoa que conheço me deixou no vácuo.

Kenya implorou que eu viesse a essa festa durante semanas. Eu sabia que não ia ficar à vontade, mas cada vez que dizia não, ela agia como se eu me achasse boa demais para uma festa do Garden. Acabei ficando cansada de ouvir essa merda e decidi provar que ela estava errada. O problema é que só um Jesus Negro convenceria meus pais a me deixarem vir. Agora, o Jesus Negro vai ter que me salvar se eles descobrirem que estou aqui.

As pessoas olham para mim com aquela expressão de "quem é essa garota encostada na parede sozinha, toda otária?" Coloco as mãos nos bolsos. Enquanto eu bancar a descolada e ficar na minha, vou ficar bem. O irônico é que na Williamson eu não preciso "bancar a descolada"; eu sou descolada automaticamente, por ser uma dentre os poucos alunos negros lá. Em Garden Heights, eu preciso conquistar meu título de descolada, e isso é mais difícil do que comprar um par retrô de Jordan no dia do lançamento.

Mas é engraçado como funciona com os adolescentes brancos. É maneiro ser negro até ser difícil ser negro.

— Starr! — chama uma voz familiar.

O mar de pessoas se abre como se ele fosse um Moisés de pele negra. Os garotos batem com o punho no dele e as garotas inclinam o pescoço para olhar para ele. Ele sorri para mim, suas covinhas arruínam qualquer imagem que ele esteja querendo passar.

Khalil é maneiro, não tem outro jeito de dizer. E eu tomava banho com ele. Não *assim*, mas antigamente, quando a gente ria porque ele tinha piupiu e eu tinha o que a avó dele chamava de pipinha. Mas juro que não tinha nada de pervertido.

Ele me abraça e está com cheiro de sabonete e talco de bebê.

— E aí, garota? Não vejo você há um século. — Ele me solta. — Você não manda mensagem nem nada. Por onde anda?

— A escola e o time de basquete me deixam bem ocupada — respondo. — Mas estou sempre no mercado. É você que ninguém mais vê.

As covinhas desaparecem. Ele passa a mão no nariz, como sempre faz antes de mentir.

— Eu ando ocupado.

Obviamente. Os tênis Jordan novinhos, a camiseta branquinha, os diamantes nas orelhas. Quando você cresce em Garden Heights, sabe o que "ocupado" quer dizer de verdade.

Porra. Eu não queria que *ele* estivesse ocupado assim. Não sei se tenho vontade de chorar ou de bater nele.

Mas é difícil ficar chateada com Khalil me olhando daquele jeito, com aqueles olhos cor de mel. Parece que tenho 10 anos de novo e estou no porão da Igreja Templo de Cristo dando meu primeiro beijo nele nas aulas de estudos bíblicos durante as férias. De repente, lembro que estou de moletom, com aparência desleixada... e que *tenho* namorado. Posso não estar atendendo as ligações nem respondendo as mensagens de Chris agora, mas ele ainda é meu e quero que continue sendo.

— Como está sua avó? — pergunto. — E Cameron?

— Tudo indo. Mas vovó está doente. — Khalil toma um gole de bebida. — Os médicos disseram que está com câncer, sei lá.

— Puxa. Sinto muito, K.

— É, ela está fazendo quimio. Mas só estava preocupada em conseguir uma peruca. — Ele dá uma leve gargalhada que não chega a revelar suas covinhas. — Ela vai ficar bem.

É mais uma oração do que uma profecia.

— Sua mãe está ajudando com Cameron?

— Essa é a Starr que eu conheço. Sempre procurando o melhor nas pessoas. Você sabe que ela não está ajudando.

— Ei, foi só uma pergunta. Ela passou no mercado outro dia. Está com a aparência melhor.

— Por enquanto — diz Khalil. — Ela diz que está tentando ficar limpa, mas é o de sempre. Fica limpa algumas semanas, decide que quer mais uma dose e volta com tudo. Mas, como falei, eu estou bem. Cameron está bem, vovó está bem. — Ele dá de ombros. — É só isso que importa.

— É — digo, mas me lembro das noites que passei com Khalil na varanda, esperando a mãe dele voltar para casa. Quer ele goste ou não, ela é importante para ele também.

A música muda, e Drake manda um rap pelos alto-falantes. Balanço a cabeça com a batida e canto junto baixinho. Todo mundo na pista de dança grita na parte do *"started from the bottom, now we're here"*. Tem dias em que *estamos* no fundo do poço em Garden Heights, mas ainda compartilhamos o sentimento de que, caramba, podia ser pior.

Khalil está me olhando. Um sorriso tenta se formar nos lábios dele, mas ele balança a cabeça.

— Não consigo acreditar que você ainda gosta desse chorão do Drake.

Eu olho para ele com indignação.

— Deixa o meu marido em paz!

— Seu marido *brega*. "*Baby, you my everything, you all I ever wanted*" — canta Khalil com voz chorosa. Eu o empurro com o ombro, e ele ri, a bebida derramando do copo. — Você sabe que é assim que ele canta!

Eu mostro o dedo do meio para ele. Ele junta os lábios e faz um som de beijo. Tantos meses separados, mas voltamos ao normal como se não fosse nada.

Khalil pega um guardanapo na mesa de centro e limpa a bebida que caiu nos tênis Jordan, o modelo 3 retrô. Saiu uns anos atrás, mas dá para jurar que os dele são novinhos. Custam uns trezentos dólares, isso se você conseguir encontrar algum vendedor tranquilo no eBay. Chris conseguiu. Comprei os meus por uma ninharia, 150, mas isso porque uso tamanho infantil. Graças aos meus pés pequenos, Chris e eu temos tênis iguais. Sim, somos *esse tipo* de casal. Merda, nós fomos feitos um para o outro. Se ele conseguir parar de fazer besteira, vamos ficar bem.

— Gostei dos pisantes — digo para Khalil.

— Valeu. — Ele passa o guardanapo no sapato. Eu me encolho. A cada movimento, os sapatos gritam pedindo socorro. Não estou mentindo, cada vez que um tênis é limpo do jeito errado, um gatinho morre.

— Khalil — digo, a um segundo de tirar o guardanapo dele. — Limpe delicadamente de um lado para o outro ou dê batidinhas. Não esfregue. É sério.

Ele olha para mim com um sorrisinho debochado.

— Tudo bem, senhorita especialista. — Graças ao Jesus Negro, ele dá batidinhas. — Como você me fez derramar bebida nos tênis, eu devia mandar você limpar.

— Vai custar sessenta dólares.

— Sessenta? — grita ele, se empertigando.

— Ah, claro. E custaria oitenta se tivesse solado branco. — Sapatos claros são um saco de limpar. — Um kit de limpeza não é barato. Além do mais, você deve estar ganhando uma grana boa se pode comprar um desses.

Khalil bebe um gole como se eu não tivesse dito nada e murmura:
— Caramba, que merda forte. — Ele coloca o copo na mesinha de centro. — Diz pro seu pai que tenho que falar com ele. Tem umas coisas rolando e precisamos conversar.
— Que coisas?
— Coisas de gente grande.
— Ah, tá, porque você é tão grande.
— Cinco meses, duas semanas e três dias mais velho do que você. — Ele pisca. — Eu não esqueci.
Uma agitação começa no meio da pista de dança. Vozes discutem mais alto do que a música. Palavrões voam para todo lado.
Meu primeiro pensamento? Kenya foi para cima de Denasia, como prometeu. Mas as vozes são mais graves do que as delas.
*Pop!* Um tiro soa. Eu me abaixo.
*Pop!* Um segundo tiro. As pessoas correm para a porta, o que leva a mais palavrões e brigas, porque é impossível todo mundo sair ao mesmo tempo.
Khalil segura minha mão.
— Vem.
Tem gente demais e cabelo cacheado demais para eu identificar Kenya.
— Mas Kenya...
— Esquece ela, vamos!
Ele me puxa no meio da multidão, empurra pessoas e pisa em pés. Só isso já podia fazer a gente levar uns tiros. Procuro Kenya no meio dos rostos em pânico, mas ainda não vejo sinal dela. Não tento ver quem levou tiro e quem atirou. Não se pode dedurar quando não se sabe de nada.
Carros saem em disparada lá fora, e as pessoas correm na noite em qualquer direção em que não haja tiros sendo disparados. Khalil me leva até um Chevy Impala estacionado embaixo de um poste de luz com lâmpada fraca. Ele me enfia no carro pelo lado do motorista, e vou para o banco do carona. Saímos cantando pneus e deixando o caos no retrovisor.

— Sempre dá merda — resmunga ele. — Não dá pra fazer uma festa sem que alguém leve um tiro.

Ele parece os meus pais falando. É exatamente por isso que não me deixam ir "a lugar nenhum", como Kenya diz. Pelo menos, não em Garden Heights.

Mando uma mensagem para Kenya e torço para ela estar bem. Duvido que as balas fossem para ela, mas balas vão para onde querem ir.

Kenya responde meio rápido.

Tô bem.
Mas tô vendo aquela piranha. Vou dar um jeito nela.
Onde vc tá?

Essa garota é real? A gente acabou de fugir para salvar a vida e ela quer brigar? Nem respondo essa merda idiota.

O Impala de Khalil é legal. Não é exagerado como o carro de alguns caras. Não vi aro nas rodas quando entrei e o couro do banco está rachado. Mas o interior é de um verde-limão cafona, então foi customizado em algum momento.

Enfio o dedo num rasgo no banco.

— Quem você acha que levou tiro?

Khalil tira a escova de cabelo do compartimento na porta.

— Provavelmente um King Lord — diz ele, penteando as laterais do corte meio raspado. — Uns Garden Disciples entraram quando eu cheguei. Alguma coisa ia mesmo acontecer.

Eu concordo com a cabeça. Garden Heights está parecendo um campo de batalhas nos últimos dois meses por causa de umas guerras idiotas de território. Nasci "rainha" porque papai era King Lord. Quando ele pulou fora, meu status de realeza da rua terminou. Mas, mesmo tendo crescido no meio disso, eu nunca entenderia a razão de brigar por ruas que não são de ninguém.

Khalil guarda a escova e aumenta o volume do som, um rap antigo que papai ouve um milhão de vezes. Eu ergo as sobrancelhas para ele.

— Por que você sempre ouve essas coisas velhas?

— Para com isso! Tupac era o melhor.

— É, o melhor vinte anos atrás.

— Que nada, mesmo agora. Ouve só isso. — Ele aponta para mim, o que quer dizer que vai entrar em um dos momentos filosóficos de Khalil. — 'Pac disse que *Thug Life*, "vida bandida", queria dizer *The Hate U Give Little Infants Fucks Everybody*, ou "o ódio que você passa pras criancinhas fode com todo mundo".

Eu levanto as sobrancelhas mais uma vez.

— Como é?

— Escuta! Presta atenção nas iniciais. *The Hate U Give Little Infants Fucks Everybody*. T-H-U-G-L-I-F-E. Isso quer dizer que o ódio que a sociedade nos dá quando somos pequenos morde a bunda dela quando crescemos e ficamos doidos. Entendeu?

— Caraca. Entendi.

— Está vendo? Eu falei que ele era relevante. — Ele balança a cabeça com a batida e canta junto. Mas agora, estou me perguntando o que ele está fazendo para "foder com todo mundo". Por mais que eu ache que sei, espero estar errada. Preciso ouvir dele.

— E por que você anda tão ocupado? — pergunto. — Uns meses atrás, papai disse que você largou o mercado. Não vi mais você depois disso.

Ele chega mais perto do volante.

— Aonde você quer que eu te leve, pra casa ou para o mercado?

— Khalil...

— Pra sua casa ou para o mercado?

— Se você estiver vendendo aquelas coisas...

— Cuida da sua vida, Starr! Não se preocupa comigo. Estou fazendo o que tenho que fazer.

— Porra nenhuma. Você sabe que meu pai te ajudaria.

Ele esfrega o nariz antes da mentira.

— Não preciso da ajuda de ninguém, tá? E aquele emprego de salário mínimo que seu pai me deu não fazia nada acontecer. Me cansei de ter que escolher entre a luz e a comida.

— Achei que sua avó estivesse trabalhando.

— Ela estava. Quando ficou doente, os palhaços do hospital disseram que iam ajudar. Dois meses depois, ela não estava cumprindo as funções direito, porque quando uma pessoa faz quimio, não consegue puxar cestos enormes de lixo de um lado para o outro. Mandaram ela embora. — Ele balança a cabeça. — Engraçado, né? O *hospital* mandou ela embora porque ela estava doente.

Ficamos em silêncio no Impala, exceto por Tupac perguntando *em quem você acredita?* Eu não sei essa resposta.

Meu celular vibra de novo, provavelmente Chris pedindo perdão ou Kenya pedindo ajuda com Denasia. Mas é uma mensagem do meu irmão, toda em letras maiúsculas, que aparece na tela. Não sei por que ele faz isso. Deve achar que me intimida. Mas me irrita demais.

ONDE VC TÁ?
É MELHOR VC E KENYA NÃO ESTAREM NAQUELA FESTA.
EU SOUBE QUE LEVARAM UM TIRO.

A única coisa pior do que pais superprotetores são irmãos mais velhos superprotetores. Nem o Jesus Negro pode me salvar de Seven.

Khalil olha para mim.

— Seven, é?

— Como você sabe?

— Porque você sempre faz cara de quem quer dar um soco em alguma coisa quando ele fala com você. Lembra aquela vez na sua festa de aniversário, em que ele ficava dizendo o que você devia pedir ao apagar a vela?

— E eu dei um soco na boca dele.

— E Natasha ficou com raiva de você por ter mandado o "namorado" dela calar a boca — diz Khalil, rindo.

Eu reviro os olhos.

— Ela me irritou com aquela paixão por Seven. Na metade das vezes, eu achava que ela só ia lá para vê-lo.

— Que nada, era porque você tinha aqueles filmes do Harry Potter. Como é que a gente se chamava? O Trio de Ouro. Mais unidos do que...

— As fendas do nariz do Voldemort. A gente era tão bobo.
— Não é? — diz ele

Nós rimos, mas está faltando alguma coisa. Está faltando alguém. Natasha.

Khalil olha para a rua.

— É uma coisa doida que faz seis anos, sabe?

Um som de *whoop-whoop* nos assusta, e luzes azuis piscam no retrovisor.

# DOIS

Quando eu tinha 12 anos, meus pais tiveram duas conversas comigo.

Uma foi a de onde vêm os bebês e tal. Bom, na verdade, eu não ouvi a versão habitual. Minha mãe, Lisa, é enfermeira, e me contou o que entrava onde e o que não precisava entrar aqui, lá e nem em nenhum outro lugar até que eu tivesse crescido. Naquela época, eu duvidava que qualquer coisa fosse entrar em algum lugar. Enquanto todas as outras garotas começaram a ter seios entre o sexto e o sétimo ano, meu peito era liso como as minhas costas.

A outra conversa foi sobre o que fazer se um policial me parasse.

Mamãe se agitou e falou para o papai que eu era nova demais para isso. Ele argumentou que eu não era nova demais para ser presa nem levar um tiro.

— Starr-Starr, faça o que mandarem você fazer — disse ele. — Mantenha as mãos à vista. Não faça movimentos repentinos. Só fale quando falarem com você.

Eu sabia que devia ser sério. Papai tem a maior boca dentre todo mundo que eu conheço, e se ele disse que era para eu ficar quieta, eu tinha que ficar quieta.

Espero que alguém tenha tido essa conversa com Khalil.

Ele fala um palavrão baixinho, diminui o volume de Tupac e manobra o Impala para o acostamento. Estamos na Carnation, onde a maioria das casas é abandonada e metade dos postes de luz está quebrado. Não tem ninguém por perto além de nós e do policial.

Khalil desliga o motor.

— O que será que esse palhaço quer?

O policial estaciona e acende os faróis. Eu pisco para não ficar cega.

Eu me lembro de outra coisa que papai disse. *Se você estiver com alguém, é melhor torcer que não tenha nada, senão já era pra vocês dois.*

— K, você não tem nada no carro, tem? — pergunto.

Ele olha o policial pelo espelho lateral.

— Não.

O policial se aproxima da porta do motorista e bate na janela. Khalil gira a manivela para abri-la. Como se já não estivéssemos cegos o bastante, o policial aponta a lanterna para o nosso rosto.

— Habilitação, documento do carro e seguro.

Khalil viola uma regra: não faz o que o policial quer.

— Por que você parou a gente?

— Habilitação, documento do carro e seguro.

— Eu perguntei por que você parou a gente.

— Khalil — peço. — Faz o que ele disse.

Khalil resmunga e pega a carteira. O policial segue os movimentos dele com a lanterna.

Meu coração bate alto, mas as instruções de papai ecoam na minha cabeça: *Dê uma olhada no rosto do policial. Se conseguir lembrar o número do distintivo dele, melhor ainda.*

Com a lanterna acompanhando as mãos de Khalil, vejo os números no distintivo: um-quinze. Ele é branco, entre 30 e 40 anos, tem cabelo castanho curto e uma cicatriz fina acima do lábio superior.

Khalil entrega todos os documentos para o policial.

Um-Quinze olha tudo.

— De onde vocês dois estão vindo hoje?

— Não é da sua conta — diz Khalil. — Por que você me parou?

— Seu farol traseiro está quebrado.

— Então você vai me multar ou o quê? — pergunta Khalil.

— Quer saber? Sai do carro, espertinho.

— Cara, só me dá a multa...

— Sai do carro! Mãos para cima, onde eu consiga enxergar.

Khalil sai com as mãos levantadas. Um-Quinze o puxa pelo braço e o empurra contra a porta de trás.

Eu luto para encontrar minha voz.

— Ele não pretendia...

— Mãos no painel! — grita o policial para mim. — Não se mexa!

Eu faço o que ele manda, mas minhas mãos estão tremendo demais para ficarem paradas.

Ele revista Khalil.

— Tudo bem, espertinho, vamos ver o que podemos encontrar com você hoje.

— Você não vai encontrar nada — diz Khalil.

Um-Quinze o revista mais duas vezes. Não encontra nada.

— Fique aqui — diz ele para Khalil. — E você. — Ele olha para mim pela janela. — Não se mexa.

Não consigo nem fazer que sim.

O policial volta para a viatura.

Meus pais não me criaram para ter medo da polícia, só para ficar esperta perto de policiais. Eles me disseram que não é inteligente se mexer quando um policial está de costas para você.

Khalil se mexe. Ele vem até a porta.

Não é inteligente fazer um movimento repentino.

Khalil faz. Ele abre a porta do motorista.

— Você está bem, Starr...?

*Pow!*

Um. O corpo de Khalil treme. O sangue jorra das costas dele. Ele se segura na porta para conseguir ficar de pé.

*Pow!*

Dois. Khalil ofega.

*Pow!*

Três. Khalil olha para mim, perplexo.

Ele cai no chão.

Tenho 10 anos de novo e estou vendo Natasha cair.

Um grito de romper o tímpano surge das minhas entranhas, explode na minha garganta e usa cada centímetro meu para ser ouvido.

Os instintos me mandam não me mexer, mas todo o resto me diz para olhar para Khalil. Pulo para fora do Impala e corro até o outro lado do carro. Khalil olha para o céu como se tivesse esperança de ver Deus. A boca está aberta, como se quisesse gritar. Dou um grito alto o bastante por nós dois.

— Não, não, não. — Só consigo dizer isso, como se tivesse um ano e essa fosse a única palavra que eu sei.

Não sei como vou parar no chão ao lado dele. Minha mãe disse uma vez que, se alguém levar um tiro, era para tentar estancar o sangramento, mas tem tanto sangue. Tanto sangue.

— Não, não, não.

Khalil não se mexe. Não diz uma palavra. Nem olha para mim. O corpo enrijece e ele se vai. Espero que veja Deus.

Outra pessoa grita.

Pisco em meio às lágrimas. O policial Um-Quinze grita comigo e aponta a mesma arma com a qual matou meu amigo.

Eu levanto as mãos.

# **TRÊS**

Deixam o corpo de Khalil na rua como se fosse uma exposição. Carros de polícia e ambulâncias piscam por toda a rua Carnation. As pessoas ficam de longe tentando ver o que aconteceu.

— Porra, mano — diz um sujeito. — Mataram ele!

A polícia manda a multidão dispersar. Ninguém dá atenção.

Os paramédicos não podem fazer merda nenhuma por Khalil, então me colocam na traseira de uma ambulância, como se eu precisasse de socorro. As luzes fortes ficam viradas para mim, e as pessoas esticam o pescoço para espiar.

Não me sinto especial. Eu me sinto enjoada.

Os policiais revistam o carro de Khalil. Tento dizer para eles pararem. *Por favor, cubram o corpo dele. Por favor, fechem os olhos dele. Por favor, fechem a boca dele. Se afastem do carro dele. Não peguem a escova de cabelo dele.* Mas as palavras não saem.

Um-Quinze está sentado na calçada com o rosto escondido nas mãos. Outros policiais dão tapinhas nas costas dele e dizem que vai ficar tudo bem.

Finalmente colocam um lençol sobre Khalil. Ele não consegue respirar embaixo dele. Eu não consigo respirar.

Não consigo.

*Respirar.*

Fico ofegante.

E ofegante.

E ofegante.

— Starr?

Olhos castanhos com cílios compridos aparecem na minha frente. São como os meus.

Não consegui dizer muita coisa para a polícia, mas consegui dar os nomes e números de telefone dos meus pais.

— Ei — diz papai. — Venha, vamos embora.

Eu abro a boca para responder. Um soluço sai.

Papai é colocado para o lado e mamãe me abraça. Ela passa a mão nas minhas costas e fala mentiras com uma voz sussurrada.

— Está tudo bem, amorzinho. Está tudo bem.

Ficamos assim por muito tempo. Depois papai nos ajuda a sair da ambulância. Ele me envolve com os braços como um escudo contra olhares curiosos e me guia pela rua até seu Tahoe.

Ele dirige. Um sinal de trânsito ilumina o rosto dele e revela o quanto seu maxilar está contraído. As veias latejam na cabeça careca.

Mamãe está com o uniforme do hospital, o que tem os patinhos de borracha. Ela fez um turno a mais no pronto-socorro esta noite. Ela esfrega os olhos algumas vezes, provavelmente pensando em Khalil ou que poderia ter sido eu deitada na rua.

Meu estômago dá um nó. Tanto sangue, e saiu tudo dele. Tem um pouco nas minhas mãos, no moletom de Seven, nos meus tênis. Uma hora atrás, estávamos rindo e matando as saudades. Agora, o sangue dele...

Cuspe quente se acumula na minha boca. Meu estômago dá um nó ainda maior. Fico com ânsia de vômito.

Mamãe olha para mim pelo retrovisor.

— Maverick, encosta!

Eu me jogo no banco de trás e abro a porta antes que a picape esteja completamente parada. Parece que tudo em mim está saindo e só consigo permitir que saia.

Mamãe salta do carro e vem correndo até mim. Segura meu cabelo e passa a mão pelas minhas costas.

— Sinto muito, amorzinho — diz ela.

Quando chegamos em casa, ela me ajuda a tirar a roupa. O moletom de Seven e meus tênis desaparecem em um saco preto de lixo, e nunca mais vou revê-los.

Sento-me em uma banheira de água quente e esfrego as mãos até ficarem vermelhas para tirar o sangue delas. Papai me carrega para a cama, e mamãe fica passando os dedos pelo meu cabelo até eu adormecer.

Pesadelos me acordam sem parar. Mamãe me diz para respirar, da mesma forma que fazia quando eu ainda tinha asma. Acho que fica no meu quarto a noite toda, porque, toda vez que eu acordo, ela está sentada na minha cama.

Mas, desta vez, ela não está. Meus olhos lutam contra a luminosidade das paredes azul-néon. O relógio diz que são cinco da manhã. Meu corpo está tão acostumado a acordar às 5h que não liga se é sábado ou não.

Olho para as estrelas que brilham no escuro no meu teto, tentando relembrar a noite anterior. A festa surge na minha mente, a briga, Um-Quinze nos fazendo parar. O primeiro tiro ecoa nos meus ouvidos. O segundo. O terceiro.

Estou deitada na cama. Khalil está deitado no necrotério do condado.

Foi lá que Natasha foi parar também. Aconteceu seis anos atrás, mas ainda me lembro de tudo que aconteceu naquele dia. Eu estava varrendo o chão do nosso mercado, juntando dinheiro para comprar meu primeiro par de tênis J's, quando Natasha entrou correndo. Ela era gorducha (a mãe dizia que era gordura da infância), tinha pele escura e usava o cabelo preso em trancinhas que sempre pareciam ter sido feitas recentemente. Eu queria tanto ter trancinhas como as dela.

— Starr, o hidrante na rua Elm estourou! — disse ela.

Era como dizer que tínhamos um parque aquático de graça. Eu me lembro de ter olhado para o papai e feito um pedido silencioso. Ele disse que eu podia ir, desde que prometesse voltar em uma hora.

Acho que nunca vi água subindo tão alto quando naquele dia. Quase todo mundo do bairro estava lá. Só se divertindo. Eu fui a única que reparou no carro logo no começo.

Um braço tatuado se esticou para fora da janela de trás, segurando uma Glock. As pessoas saíram correndo. Menos eu. Meus pés se transformaram em parte da calçada. Natasha estava brincando na água, toda feliz. E aí...

*Pow! Pow! Pow!*

Eu mergulhei em uma roseira. Quando me levantei, alguém estava gritando:

— Liguem para a emergência!

Primeiro, achei que era eu, porque eu estava com sangue na blusa. Os espinhos da roseira me arranharam, só isso. Mas era Natasha. O sangue dela tinha se misturado com a água, e só dava para ver um rio vermelho correndo pela rua.

Ela parecia estar com medo. Tínhamos 10 anos, não sabíamos o que acontecia depois da morte. Ainda não sei, e ela foi forçada a descobrir, mesmo não querendo.

Eu sei que ela não queria. Assim como Khalil também não queria.

A porta do meu quarto se abre, e mamãe espia. Ela tenta sorrir.

— Olha quem acordou.

Ela se senta no lugar de sempre da cama e toca na minha testa, apesar de eu não estar com febre. Ela cuida tanto de crianças doentes que é o primeiro instinto dela.

— Como está se sentindo, Boquinha?

Esse apelido. Meus pais dizem que eu estava sempre mastigando alguma coisa, desde o momento que larguei a mamadeira. Perdi esse meu apetite enorme, mas não consigo perder o apelido.

— Cansada — respondo. Minha voz sai bem grave. — Quero ficar na cama.

— Eu sei, amorzinho, mas não quero você aqui sozinha.

É só o que eu quero, ficar sozinha. Ela olha para mim, mas parece que está olhando para quem eu era, a garotinha com rabo de cavalo e um dente protuberante que jurava ser uma Menina Superpoderosa.

É estranho, mas também é como um cobertor no qual quero ser embrulhada.

— Eu amo você — diz ela.

— Eu também amo você.

Ela se levanta e estica a mão.

— Venha. Vamos preparar alguma coisa para você comer.

Andamos lentamente até a cozinha. O Jesus Negro está pendurado em uma cruz em um quadro na parede do corredor e Malcolm X segura uma arma em uma fotografia ao lado. Vovó ainda reclama dessas imagens, uma ao lado da outra.

Moramos na antiga casa dela. Ela deu para os meus pais depois que meu tio, Carlos, a levou para a casa enorme que ele tem no subúrbio. Tio Carlos nunca gostou da ideia de a vovó morar sozinha em Garden Heights, principalmente porque invasões e assaltos pareciam acontecer mais com pessoas idosas. Mas vovó não se acha idosa. Ela se recusou a sair, falou que era a casa dela e que nenhum valentão a expulsaria, nem mesmo quando alguém entrou e roubou a televisão. Um mês depois disso, tio Carlos alegou que ele e tia Pam precisavam da ajuda dela com as crianças. Como, de acordo com a vovó, tia Pam "não sabe cozinhar porcaria nenhuma para aqueles pobres bebês", ela finalmente aceitou se mudar. Mas nossa casa não perdeu a aura da vovó, o odor permanente de pot-pourri, o papel de parede florido e alguma coisa cor-de-rosa em quase todos os aposentos.

Papai e Seven estão conversando antes de chegarmos à cozinha. Mas param na hora que entramos.

— Bom dia, gatinha. — Papai se levanta e beija minha testa. — Dormiu bem?

— Dormi — minto enquanto ele me acompanha até uma cadeira. Seven só fica olhando.

Mamãe abre a geladeira, a porta coberta de cardápios de restaurantes de entregas e ímãs em formato de frutas.

— Muito bem, Boquinha — diz ela. — Quer bacon de peru ou o tradicional?

— O tradicional. — Fico surpresa de ter opção. Nós nunca comemos carne de porco. Não somos muçulmanos. Estamos mais para "cristãomanos". Mamãe se tornou integrante da Igreja do Templo de Cristo quando estava na barriga da vovó. Papai acredita no Jesus Negro, mas é mais fiel ao Programa dos Dez Pontos do Partido dos Panteras Negras do que aos Dez Mandamentos. Ele concorda com a Nação do Islã em algumas coisas, mas não consegue superar o fato de que eles podem ter matado Malcolm X.

— Porco na minha casa — resmunga papai, e se senta ao meu lado.

Seven sorri do outro lado da mesa. Seven e papai parecem uma daquelas fotos de progressão de idade que mostram quando alguém está desaparecido há muito tempo. Se incluirmos meu irmãozinho, Sekani, temos a mesma pessoa aos 8, aos 17 e aos 36 anos. Eles têm pele negra bem escura, são magros e têm sobrancelhas grossas e cílios compridos que parecem quase femininos. Os dreads de Seven são longos o bastante para dar tanto para o papai, careca, quanto para Sekani, que tem cabelo curto, uma cabeça cheia de cabelo cada.

Quanto a mim, parece que Deus misturou o tom de pele dos meus pais em um balde de tinta para chegar à minha pele: um marrom intermediário. Eu herdei os cílios de papai, mas também sou amaldiçoada com as sobrancelhas. Fora isso, sou quase toda minha mãe, com olhos castanhos arredondados e a testa um pouco grande demais.

Mamãe passa atrás de Seven com o bacon e aperta o ombro dele.

— Obrigada por ficar com seu irmão ontem à noite para que a gente pudesse... — A voz dela falha, mas a lembrança do que aconteceu fica no ar. Ela limpa a garganta. — Nós agradecemos.

— Tudo bem. Eu precisava sair de casa.

— King passou a noite lá? — pergunta papai.

— Está mais para se mudou para lá. Iesha anda dizendo que eles podem ser uma família...

— Ei — diz papai. — É sua mãe, garoto. Não comece a chamá-la pelo primeiro nome, como se você fosse adulto.

— Alguém naquela casa tem que ser o adulto — diz mamãe. Ela pega uma frigideira e grita na direção do corredor: — Sekani, não vou dizer de novo. Se você quer passar o fim de semana na casa do Carlos, é melhor levantar! Você não vai fazer com que eu me atrase para o trabalho. — Acho que ela vai ter que trabalhar um turno diurno para compensar o de ontem à noite.

— Pai, você sabe o que vai acontecer — diz Seven. — Ele vai bater nela, ela vai botar ele pra fora. Ele vai voltar e dizer que mudou. A única diferença é que, desta vez, não vou deixar que ele bote as mãos em mim.

— Você pode vir morar aqui quando quiser — sugere papai.

— Eu sei, mas não posso deixar Kenya e Lyric. Aquele idiota é maluco o bastante para bater nelas também. Não faz diferença serem filhas dele.

— Tudo bem — diz papai. — Não fale nada para ele. Se ele encostar as mãos em você, eu cuido disso.

Seven assente e olha para mim. Abre a boca e a deixa aberta por um tempo antes de dizer:

— Sinto muito por ontem à noite, Starr.

Alguém finalmente reconhece a nuvem parada acima da cozinha, que por algum motivo é como me reconhecer.

— Obrigada — digo, apesar de ser estranho dizer isso. Eu não mereço solidariedade. É a família de Khalil que merece.

O único barulho é o do bacon estalando na frigideira. É como se eu tivesse um adesivo de "frágil" na testa, e em vez de correr o risco de dizer alguma coisa que possa me deixar arrasada, eles não dizem nada.

Mas o silêncio é pior.

— Peguei seu moletom, Seven — murmuro. É uma coisa aleatória, mas é melhor do que nada. — O azul. Mamãe teve que jogar fora. O sangue de Khalil... — Eu engulo em seco. — Sujou.

— Ah...

Por um minuto, é a única palavra pronunciada.

Mamãe se vira para a frigideira.

— Não faz sentido. Aquele bebê... — Ela fala com a voz embargada. — Ele era só um bebê.

Papai balança a cabeça.

— Aquele garoto nunca fez mal a ninguém. Não merecia aquela merda.

— Por que atiraram nele? — pergunta Seven. — Ele era uma ameaça ou algo do tipo?

— Não — respondo baixinho.

Eu olho para a mesa. Consigo sentir todos eles me olhando de novo.

— Ele não fez nada —digo. — *Nós* não fizemos nada. Khalil não estava nem armado.

Papai solta o ar devagar.

— O pessoal daqui vai surtar quando descobrir.

— O pessoal do bairro já está falando sobre o assunto no Twitter — diz Seven. — Eu vi ontem à noite.

— Mencionaram sua irmã? — pergunta mamãe.

— Não. Só mensagens de luto por Khalil, que a polícia vá se foder, coisas assim. Acho que não sabem os detalhes.

— O que vai acontecer comigo quando os detalhes forem revelados? — pergunto.

— O que você quer dizer, amorzinho? — pergunta a minha mãe.

— Fora o policial, eu era a única pessoa lá. E vocês já viram coisas assim. Acaba no noticiário nacional. As pessoas recebem ameaças de morte, policiais ficam de olho nelas, todo tipo de coisa.

— Não vou deixar nada acontecer com você — diz papai. — Nenhum de nós vai. — Ele olha para mamãe e Seven. — Não vamos contar para ninguém que Starr estava lá.

— Sekani devia saber? — pergunta Seven.

— Não — diz mamãe. — É melhor ele não saber. Vamos ficar quietos por enquanto.

Já vi acontecer um monte de vezes: uma pessoa negra é morta só por ser negra e o mundo vira um inferno. Já usei hashtags de luto no Twitter, repostei fotos no Tumblr e assinei todos os abaixo-assinados que vi por aí. Eu sempre disse que, se visse acontecer com alguém, minha voz seria a mais alta e garantiria que o mundo soubesse o que aconteceu.

Agora, sou essa pessoa, e estou morrendo de medo de falar.

Quero ficar em casa e ver *Um maluco no pedaço*, minha série favorita da vida, sem dúvida. Acho que sei todos os episódios de cor. É hilário mesmo, mas também é como ver pedaços da minha história na tela. Eu me identifico até com a música-tema. Dois integrantes mal-intencionados de uma gangue provocaram confusão no meu bairro e mataram Natasha. Meus pais ficaram com medo, e apesar de não terem me mandado para a casa dos meus tios em um bairro rico, me mandaram para uma escola particular burguesa.

Eu só queria poder ser eu mesma em Williamson como Will era ele mesmo em Bel-Air.

Também quero ficar em casa para poder retornar as ligações de Chris. Depois da noite de ontem, parece besteira ficar com raiva dele. Ou eu poderia ligar para Hailey e Maya, as garotas que Kenya alega que não contam como minhas amigas. Acho que consigo entender por que ela diz isso. Eu nunca as convidei para vir aqui em casa. Por que convidaria? Elas moram em minimansões. Minha casa é só míni.

Cometi o erro de convidá-las para dormir na minha casa no sétimo ano. Mamãe ia nos deixar pintar as unhas, ficar acordadas a noite toda e comer quantas fatias de pizza quiséssemos. Ia ser incrível, como eram os fins de semana na casa de Hailey. Ainda fazemos às vezes. Convidei Kenya também, para poder finalmente ficar com as três ao mesmo tempo.

Hailey não veio. O pai dela não queria que ela passasse a noite no "gueto". Ouvi meus pais dizendo isso. Maya veio, mas acabou pedindo para os pais virem buscá-la ainda à noite. Houve um tiroteio de um carro passando na esquina, e os tiros a assustaram.

Foi aí que percebi que Williamson é um mundo, Garden Heights é outro e eu tenho que mantê-los separados.

Mas não importa o que esteja pensando em fazer hoje; meus pais têm os planos deles para mim. Mamãe me diz que vou para o mercado com o papai. Antes de Seven sair para o trabalho, ele vai para o meu quarto com a camisa polo e a calça cáqui da Best Buy e me abraça.

— Eu amo você — diz ele.

Está vendo, é isso que eu odeio quando alguém morre. As pessoas fazem coisas que não fariam normalmente. Até a mamãe me abraça por mais tempo, com mais força e com mais solidariedade do que o normal. Sekani, por outro lado, rouba bacon do meu prato, olha meu celular e pisa de propósito no meu pé quando está saindo. Eu o amo por isso.

Levo uma tigela de ração com o bacon que sobrou para o nosso pitbull, Tijolão. Papai escolheu esse nome porque ele sempre foi pesado como tijolos. Assim que me vê, pula e tenta se soltar da corrente. E, quando chego perto o bastante, o furacão canino pula nas minhas pernas e quase me derruba.

— Senta! — comando. Ele se agacha na grama e olha para mim, choramingando com olhos de cachorrinho pidão. Essa é a versão do Tijolão para um pedido de desculpas.

Sei que pitbulls podem ser agressivos, mas Tijolão é um bebê na maior parte do tempo. Um bebê *grande*. Mas, se alguém tentar entrar na nossa casa, a pessoa não vai encontrar um Tijolão bebê.

Enquanto alimento Tijolão e encho o pote de água, papai pega algumas folhas de couve na horta. Corta rosas com folhas do tamanho da palma da minha mão. Papai passa horas ali todas as noites, plantando, cultivando e falando. Ele alega que um bom jardim precisa de uma boa conversa.

Uns trinta minutos depois, estamos na sua picape com as janelas abertas. No rádio, Marvin Gaye pergunta o que está acontecendo. Ainda está escuro, mas o sol está aparecendo no meio das nuvens, e não tem quase ninguém na rua. Cedo assim é fácil ouvir o estrondo dos caminhões articulados na rodovia.

Papai cantarola junto com Marvin, mas ele não conseguiria acompanhar uma música nem que alguém desenhasse para ele. Está usando uma blusa dos Lakers sem camiseta por baixo, o que deixa todas as tatuagens dos braços à mostra. Uma das minhas fotos de bebê sorri para mim, marcada permanentemente no braço dele com *Algo pelo qual viver, algo pelo qual morrer* escrito embaixo. Seven e Sekani estão no outro braço, com as mesmas palavras gravadas. Cartas de amor na forma mais simples.

— Quer falar mais da noite de ontem? — pergunta ele.

— Não.

— Tudo bem. Quando você quiser.

Outra carta de amor na forma mais simples.

Entramos na Marigold Avenue e Garden Heights está acordando. Algumas mulheres de lenços de cabeça floridos saem da lavanderia, carregando grandes cestos de roupa. O Sr. Reuben destranca a porta do restaurante. O sobrinho dele, o cozinheiro Tim, está encostado na parede esfregando os olhos para espantar o sono. A Sra. Yvette boceja quando entra no salão de beleza. As luzes estão acesas na Top Shelf Spirits and Wine, mas sempre estão.

Papai estaciona na frente da Carter's Grocery, o mercado da nossa família. Ele comprou quando eu tinha 9 anos, depois que o antigo dono, o Sr. Wyatt, deixou Garden Heights para ficar sentado na praia o dia inteiro vendo mulheres bonitas (palavras do Sr. Wyatt, não minhas). O Sr. Wyatt foi a única pessoa que aceitou contratar papai quando ele saiu da prisão, e mais tarde disse que papai era a única pessoa em quem ele confiava para cuidar do mercado.

Em comparação àquele Walmart no lado leste de Garden Heights, nosso mercado é pequenininho. Barras de metal pintadas de branco protegem as janelas e a porta. Fazem o mercado parecer uma cadeia.

Na frente do mercado está o Sr. Lewis da barbearia, os braços cruzados sobre a barriga. Ele vira os olhos apertados para o papai.

Papai suspira.

— Aí vamos nós.

Descemos do carro. O Sr. Lewis faz alguns dos melhores cortes de cabelo de Garden Heights (o topete de Sekani é prova disso), mas ele mesmo usa um afro descuidado. A barriga impede que ele veja os pés e, desde que a esposa faleceu, ninguém diz que as calças dele estão curtas ou que as meias nem sempre combinam. Hoje, uma é listrada e a outra é de losangos.

— Esse mercado abria às 5h55 em ponto — diz ele. — Cinco e cinquenta e cinco!

São 6h05.

Papai destranca a porta da frente.

— Eu sei, Sr. Lewis, mas eu falei que não cuido do mercado da mesma forma que Wyatt cuidava.

— Isso está na cara. Primeiro, você vai e tira as fotos dele. Quem substitui uma foto do Dr. King por um zé ninguém...

— Huey Newton não é um zé ninguém.

— Ele não é o Dr. King! Depois, contrata uns pivetes pra trabalhar aqui. Eu soube que aquele tal Khalil foi morto ontem à noite. Devia estar vendendo aquelas coisas. — O Sr. Lewis olha da camisa de basquete do papai para as tatuagens. — Queria saber de *onde* ele tirou essa ideia.

Papai contrai o maxilar.

— Starr, ligue a cafeteira para o Sr. Lewis.

*Para ele poder sair logo daqui*, eu termino a frase de papai para ele.

Viro o botão da cafeteira na mesa onde os clientes se servem sozinhos, que Huey Newton observa de uma foto, o punho erguido num gesto característico do movimento black power.

Tenho que trocar o filtro, colocar café novo e água, mas, por ter falado sobre Khalil, o Sr. Lewis vai receber café feito com o pó do dia anterior.

Ele manca pelos corredores e pega um pãozinho de mel, uma maçã e um pacote de queijo de cabeça de porco. Ele me entrega o pãozinho.

— Esquente, garota. E é melhor não deixar queimar.

Deixo o pão no micro-ondas até a embalagem plástica inflar e se abrir. O Sr. Lewis come assim que tiro lá de dentro.

— Tá quente! — Ele mastiga e sopra ao mesmo tempo. — Você esquentou demais, garota. Vai queimar minha boca!

Quando o Sr. Lewis sai, papai pisca para mim.

Os clientes de sempre entram, como a Sra. Jackson, que insiste em comprar verduras só com o papai. Quatro caras de olhos vermelhos e calças largas compram quase todos os sacos de batata frita que temos. Papai diz que está cedo demais para se estar tão chapado, e eles morrem de rir. Um deles lambe a seda do próximo baseado quando saem. Por volta das 11, a Sra. Rooks compra rosas e um lanche para levar à reunião do clube de bridge. Ela tem olhos caídos e placas de ouro nos dentes da frente. A peruca também tem cor de ouro.

— Você precisa vender bilhetes de loteria aqui, amorzinho — diz ela quando papai passa a mercadoria na registradora e eu guardo tudo em uma sacola. — Esta noite o prêmio é de 300 milhões!

Papai sorri.

— É mesmo? O que você faria com todo esse dinheiro, Sra. Rooks?

— Pooorra. Amorzinho, a questão é o que eu *não faria* com todo esse dinheiro. Deus sabe que eu pegaria o primeiro avião para sair daqui.

Papai ri.

— É mesmo? E quem vai fazer bolo red velvet pra nós?

— Outra pessoa, porque eu iria pra longe. — Ela aponta para a estante de cigarros atrás de nós. — Amorzinho, me passe um maço de Newport.

É o cigarro favorito da vovó também. Era o de papai antes de eu implorar para que ele parasse. Pego um maço e entrego para a Sra. Rooks.

Ela olha para mim momentos depois, batendo com o maço na palma da mão, e eu só espero. A compaixão.

— Amor, eu soube o que aconteceu com o neto da Rosalie — diz ela. — Sinto muito. Vocês eram amigos, não eram?

O "eram" dói, mas só digo para a Sra. Rooks:

— Sim, senhora.

— Humm! — Ela balança a cabeça. — Que o Senhor tenha misericórdia. Meu coração se partiu quando eu soube. Tentei ver Rosalie ontem à noite, mas já tinha tanta gente na casa dela. Pobre Rosalie. Tudo que ela está passando, e agora isso. Barbara disse que Rosalie não sabe como vai pagar pra enterrar. Estamos pensando em arrecadar dinheiro. Você acha que pode ajudar, Maverick?

— Ah, claro. Me digam o que precisam e está feito.

Ela exibe aqueles dentes dourados em um sorriso.

— Rapaz, é bom ver aonde o Senhor levou você. Sua mãe ficaria orgulhosa.

Papai assente pesadamente. Vovó morreu há dez anos, tempo o suficiente para papai não chorar mais todos os dias, mas pouco o bastante para deixá-lo emotivo se alguém fala nela.

— E olhe essa garota — diz a Sra. Rooks, me olhando. — É toda Lisa. Maverick, é melhor você tomar cuidado. Esses rapazes daqui vão ficar em cima.

— Que nada, é melhor eles tomarem cuidado. Você sabe que não aceito isso. Ela só vai poder namorar com 40 anos.

Minha mão vai até o bolso, pensando em Chris e nas mensagens de texto. Merda, deixei o celular em casa. É desnecessário dizer que papai não sabe nada sobre Chris. Estamos juntos há pouco mais de um ano. Seven sabe porque conheceu Chris na escola, e mamãe percebeu porque Chris sempre me visitava na casa do tio Carlos e dizia que era um amigo. Um dia, ela e tio Carlos nos pegaram dando um beijo e comentaram que amigos não se beijam assim. Nunca vi Chris ficar tão vermelho.

Ela e Seven não se importam de eu namorar Chris, se bem que, se dependesse de Seven, eu viraria freira, mas não importa. Não consigo ter coragem de contar para o papai. E não só porque ele não quer que eu namore. O maior problema é Chris ser branco.

Primeiro, achei que minha mãe pudesse dizer alguma coisa, mas ela só falou:

— Ele poderia ter uma pele com bolinhas coloridas, desde que trate você bem e que não seja bandido.

Papai, por outro lado, fica falando que Halle Berry "age como se não pudesse mais ficar com os irmãos" e que isso é errado. Sempre que ele sabe que uma pessoa negra está com uma branca, de repente tem alguma coisa errada com a pessoa. Não quero que ele me olhe assim.

Por sorte, mamãe não contou para ele. Ela se recusa a entrar no meio dessa briga. Meu namorado, minha responsabilidade de contar para o papai.

A Sra. Rooks vai embora. Segundos depois, o sino toca. Kenya entra no mercado. Os tênis dela são bonitos, Bazooka Joe Nike Dunks que não acrescentei à minha coleção. Kenya sempre usa tênis estilosos.

Ela vai pegar o de sempre nos corredores.

— Oi, Starr. Oi, tio Maverick.

— Oi, Kenya — responde papai, apesar de ele não ser tio dela, só pai do irmão dela. — Você está bem?

Ela volta com um saco enorme de Hot Cheetos e Sprite.

— Estou. Minha mãe quer saber se meu irmão passou a noite com vocês.

Lá está ela, chamando Seven de "meu irmão", como se fosse a única. É irritante demais.

— Diz pra sua mãe que ligo pra ela mais tarde — diz papai.

— Tudo bem. — Kenya paga o que comprou e faz contato visual comigo. Faz um movimento de cabeça para o lado.

— Vou varrer os corredores — eu digo para o papai.

Kenya vai atrás de mim. Pego a vassoura e vou para o corredor de hortifrutigranjeiros, do outro lado do mercado. Algumas uvas caíram quando aqueles caras de olhos vermelhos estavam experimentando antes de comprar. Mal começo a varrer e Kenya começa a falar.

— Eu soube de Khalil — diz ela. — Sinto muito, Starr. Você está bem?

Eu me obrigo a assentir.

— Eu... não consigo acreditar, sabe? Fazia um tempo que eu não o via, mas...

— Dói. — Kenya diz o que eu não consigo.
— É.

Porra, estou sentindo as lágrimas brotando. Não vou chorar, não vou chorar, não vou chorar...

— Eu meio que torcia para ele estar aqui quando entrei — diz ela suavemente. — Como ficava antigamente. Ensacando as compras com aquele avental feio.

— O verde — murmuro.

— É. Dizendo que as mulheres amavam homens de uniforme.

Eu olho para o chão. Se chorar agora, talvez não pare nunca.

Kenya abre o saco de Cheetos e segura na minha direção. Consolo na comida.

Eu coloco a mão no saco e pego um pouco.

— Obrigada.

— De nada.

Nós mastigamos o Cheetos. Era para Khalil estar aqui com a gente.

— Então, há — digo, e minha voz sai rouca. — Você e Denasia brigaram ontem?

— Garota. — Ela fala como se estivesse esperando há horas para contar essa história. — DeVante veio falar comigo antes de tudo ficar louco. Pediu meu número.

— Pensei que ele fosse namorado da Denasia.

— DeVante não é do tipo que se amarra. Denasia se aproximou para começar uma briga, mas dispararam os tiros. Acabamos correndo pela mesma rua, e eu dei um chute na bunda dela. Foi tão engraçado! Você devia ter visto!

Eu preferia ter visto isso em vez do policial Um-Quinze. Ou Khalil olhando para o céu. Ou todo aquele sangue. Meu estômago dá outro nó.

Kenya balança a mão na minha frente.

— Ei. Tá tudo bem?

Eu pisco para afastar a imagem de Khalil e do policial.

— Sim. Estou bem.

— Tem certeza? Está muito quieta.

— Tenho.

Ela põe o assunto de lado, e deixo que me conte sobre a segunda rodada que planejou para Denasia.

Papai me chama na frente da loja. Quando chego lá, ele me entrega uma nota de vinte.

— Compre costela no Reuben's. E quero também...

— Salada de batata e quiabo frito — digo. É o que ele sempre come aos sábados.

Ele beija minha bochecha.

— Você conhece seu pai. Compre o que quiser pra vocês, querida.

Kenya me segue para fora da loja. Esperamos um carro passar, com a música alta e o motorista tão reclinado que só a ponta do nariz dele parece balançar com a música. Atravessamos a rua até o Reuben's.

O aroma defumado chega a nós na calçada, e um som blues sai lá de dentro. No seu interior, as paredes são cobertas de fotografias de líderes dos direitos civis, políticos e celebridades que comeram ali, como James Brown e Bill Clinton antes da ponte de safena. Tem uma foto do Dr. King e de um Sr. Reuben bem mais jovem.

Uma divisória à prova de balas separa os clientes da caixa. Eu me abano depois de alguns minutos na fila. O ar-condicionado da janela parou de funcionar meses atrás, e o defumador esquenta o ambiente todo.

Quando chegamos ao começo da fila, o Sr. Reuben nos cumprimenta atrás da divisória com um sorriso banguela.

— Oi, Starr e Kenya. Como vocês estão?

O Sr. Reuben é uma das únicas pessoas aqui que me chamam pelo nome. Ele se lembra do nome de todo mundo, não sei como.

— Oi, Sr. Reuben — respondo. — Meu pai quer o de sempre.

Ele escreve em um bloco.

— Tudo bem. Costela, salada de batata, quiabo. Querem asinhas fritas com molho barbecue e batata frita? E molho extra pra você, pequena Starr?

Ele também se lembra dos pedidos de todo mundo. Não sei como.

— Sim, senhor — dizemos.

— Tudo bem. Vocês andam longe de confusão?

— Sim, senhor. — Kenya mente com facilidade.

— Que tal um bolinho por conta da casa, então? Recompensa pelo bom comportamento.

Aceitamos e agradecemos. Mas, sabe, o Sr. Reuben poderia até saber da briga de Kenya, e ofereceria o bolo mesmo assim. Ele é muito gentil. Oferece refeições de graça para crianças que levam os boletins. Se for bom, ele tira cópia e coloca na "Parede das Estrelas". Se for ruim, desde que a criança assuma o vacilo e prometa melhorar, ele oferece a cortesia mesmo assim.

— Vai demorar uns 15 minutos — diz ele.

Isso quer dizer sente e espere seu número ser chamado. Encontramos uma mesa ao lado de uns caras brancos. É raro ver gente branca em Garden Heights, mas, quando acontece, normalmente é no Reuben's. Os homens estão vendo o noticiário na televisão de tubo em um canto da parede.

Como mais alguns Cheetos de Kenya. O gosto ficaria bem melhor com molho de queijo.

— Saiu alguma coisa no noticiário sobre Khalil?

Ela está prestando mais atenção ao celular.

— Ah, como se eu visse o noticiário. Mas acho que vi alguma coisa no Twitter.

Eu espero. Entre uma notícia sobre um acidente de carro horrível na rodovia e um saco de lixo cheio de cachorrinhos encontrado em um parque, tem uma notícia curta sobre um tiroteio com um policial envolvido que está sendo investigado. Não dizem nem o nome de Khalil. Que baboseira.

Pegamos nossa comida e voltamos para o mercado. Quando atravessamos a rua, um BMW cinza encosta ao nosso lado, e o baixo vibra tão alto dentro do carro que é como o veículo tivesse batimentos cardíacos. A janela do motorista está aberta, sai fumaça por ela, e o homem, uma versão de Kenya com 140 quilos, sorri para nós.

— E aí, rainhas?

Kenya se inclina pela janela e dá um beijo na bochecha dele.

— Oi, pai.

— Oi, Starr-Starr — diz ele. — Não vai dar oi para o seu tio?

Você não é meu tio, eu tenho vontade de dizer. Você não é merda nenhuma pra mim. E se tocar no meu irmão de novo, eu vou...

— Oi, King — murmuro finalmente.

O sorriso some do seu rosto, como se estivesse ouvindo meus pensamentos. Ele dá uma baforada em um charuto e sopra fumaça pelo canto da boca. Tem duas lágrimas tatuadas embaixo de seu olho esquerdo. Duas vidas que ele tirou. Pelo menos.

— Estou vendo que vocês foram ao Reuben's. Aqui. — Ele estica a mão com dois rolos grossos de dinheiro. — Pra repor o que vocês gastaram.

Kenya pega um com facilidade, mas eu que não vou tocar nesse dinheiro sujo.

— Não, obrigada.

— Vai, rainha. — King pisca. — Pega o dinheiro do seu padrinho.

— Não, ela está bem — diz papai.

Ele vem andando na nossa direção. Meu pai se apoia na janela do carro para ficar com o rosto na altura do de King e dá um aperto de mão masculino com tantos movimentos que não dá para evitar imaginar como conseguem lembrar.

— Big Mav — diz o pai de Kenya com um sorriso. — E aí, rei?

— Não me chame dessa merda. — Papai não fala alto nem com raiva, mas da mesma maneira que eu diria para não botarem cebola nem maionese no meu hambúrguer. Papai uma vez me disse que os pais de King deram este nome a ele em homenagem ao líder da mesma gangue para a qual ele entrou depois, e é por isso que um nome é tão importante. Define você. King virou King Lord quando respirou pela primeira vez.

— Eu só estava dando um dinheirinho pra minha afilhada — diz King. — Eu soube o que aconteceu com o amiguinho dela. Que merda.

— É. Você sabe como é — diz papai — Pow-pow, é atirar primeiro e perguntar depois.

— Sem dúvida. Eles são piores do que nós às vezes. — King ri. — Mas, sabe? Estou resolvendo umas coisas, tem um pacote chegando, preciso de um lugar pra guardar. Tem olhos demais na casa de Iesha.

— Eu já falei que essa merda não entra aqui.

King coça a barba.

— Ah, tudo bem. A pessoa sai da jogada, esquece de onde veio, esquece que, se não fosse meu dinheiro, não ia ter seu mercadinho...

— E, se não fosse eu, você estaria preso. Três anos na penitenciária estadual, lembra dessa merda? Eu não te devo nada. — Papai se apoia na janela e diz: — Mas, se você tocar em Seven de novo, vou te dever uma surra. Se lembre disso agora que você voltou com a mãe dele.

King suga os dentes.

— Kenya, entra no carro.

— Mas, pai...

— Eu mandei entrar logo no carro!

Kenya murmura "tchau" para mim. Contorna o carro até o lado do passageiro e entra.

— Beleza, Big Mav. Então é assim? — pergunta King.

Papai se empertiga.

— É exatamente assim.

— Beleza, então. É melhor só tomar cuidado para não sair da linha. Não dá pra saber o que eu vou fazer.

O BMW se afasta.

## QUATRO

Naquela noite, Natasha tenta me convencer a segui-la até o hidrante e Khalil implora que eu dê uma volta com ele.

Forço um sorriso, os lábios tremendo, e digo para eles que não posso sair. Eles ficam insistindo, e eu fico dizendo não.

Uma escuridão se aproxima deles. Tento avisá-los, mas minha voz não sai. A sombra os engole em um instante. Agora, se aproxima. Eu recuo, mas a encontro atrás de mim...

Acordo. Meu relógio brilha com os números: 23h05.

Respiro fundo. O suor gruda a regata e o short de basquete na minha pele. Sirenes berram por perto, e Tijolão e outros cachorros latem em resposta.

Eu me sento na cama e esfrego o rosto, como se isso fosse apagar o pesadelo. Não tenho como voltar a dormir. Não se isso quer dizer vê-los de novo.

Minha garganta parece uma lixa e pede água. Quando meus pés tocam no chão, minha pele fica toda arrepiada. Papai sempre coloca o ar-condicionado a toda na primavera e no verão, o que transforma a casa em um frigorífico. O restante de nós morre de frio, mas ele gosta e diz: "Um pouco de frio nunca fez mal a ninguém." É mentira.

Eu me arrasto pelo corredor. No caminho até a cozinha, escuto mamãe dizer:

— Por que eles não podem esperar? Ela acabou de ver um dos melhores amigos morrer. Não precisa reviver isso agora.

Eu paro. A luz da cozinha se projeta pelo corredor.

— Nós temos que investigar, Lisa — diz uma segunda voz. Tio Carlos, o irmão mais velho da mamãe. — Queremos a verdade tanto quanto qualquer um.

— Você quer dizer que querem justificar o que aquele porco fez — diz papai. — Investigar uma ova.

— Maverick, não transforme isso em uma coisa que não é — diz tio Carlos.

— Um garoto negro de 16 anos está morto porque um policial branco o matou. O que mais poderia ser?

— Shhh! — sussurra mamãe. — Falem baixo. Starr teve a maior dificuldade para dormir.

Tio Carlos diz alguma coisa, mas fala baixo demais para que eu consiga ouvir. Eu chego mais perto.

— Isso não é sobre negros e brancos — diz ele.

— Baboseira — discorda papai. — Se estivéssemos em Riverton Hills e o nome dele fosse Richie, não estaríamos tendo essa conversa.

— Eu soube que ele era traficante de drogas — diz tio Carlos.

— E isso faz com que o que aconteceu seja certo? — pergunta papai.

— Eu não falei isso, mas poderia explicar a decisão de Brian se ele se sentiu ameaçado.

Um "não" entala na minha garganta, doendo e pedindo para ser gritado. Khalil não foi uma ameaça naquela noite.

E o que fez o policial pensar que ele era traficante?

Espere. *Brian*. É o nome do Um-Quinze?

— Ah, então você o conhece — debocha papai. — Não estou surpreso.

— Ele é meu colega, sim, e é um bom sujeito, acredite se quiser. Tenho certeza de que está sendo difícil para ele. Quem sabe o que ele estava pensando na hora?

— Você mesmo disse, ele achou que Khalil era traficante — diz papai. — Um *bandido*. Mas por que ele supôs isso? Como? Só de olhar para Khalil? Explique, detetive.

Silêncio.

— Por que ela estava no carro com um traficante? — pergunta tio Carlos. — Lisa, eu vivo dizendo, você tem que tirar Starr e Sekani deste bairro. É venenoso.

— Ando pensando nisso.

— E nós não vamos a lugar nenhum — diz papai.

— Maverick, ela viu dois amigos serem mortos — diz mamãe. — Dois! E só tem 16 anos.

— E um foi nas mãos de uma pessoa que devia protegê-la! Você acha que, se morar ao lado deles, eles vão tratar você diferente?

— Por que pra você tudo tem que ter a ver com raça? — pergunta tio Carlos. — As outras raças não estão nos matando tanto quanto nós estamos nos matando.

— Negro, por favor. Se eu matar Tyrone, vou para a prisão. Se um policial me matar, vai ficar de licença. E só talvez.

— Quer saber? Não faz sentido ter essa conversa com você — diz tio Carlos. — Você pode ao menos considerar dar permissão para que Starr fale com os detetives que estão cuidando do caso?

— Nós devíamos arrumar um advogado primeiro, Carlos — diz mamãe.

— Isso não é necessário agora — declara ele.

— E não era necessário aquele policial puxar o gatilho — diz papai. — Você acha mesmo que vamos deixar que eles falem com a nossa filha e deturpem as palavras dela porque Starr não tem advogado?

— Ninguém vai deturpar as palavras dela! Eu falei, nós também queremos a verdade.

— Ah, nós sabemos a verdade, não é isso que nós queremos — diz papai. — *Nós* queremos justiça.

Tio Carlos suspira.

— Lisa, quanto antes ela falar com os detetives, melhor. Vai ser um processo simples. Ela só precisa responder algumas perguntas.

Só isso. Não precisa gastar dinheiro para arrumar um advogado agora.

— Para ser sincera, Carlos, nós não queremos que ninguém saiba que Starr estava lá — diz mamãe. — Ela está com medo. Eu também estou. Quem sabe o que vai acontecer?

— Eu entendo, mas garanto que ela ficará protegida. Se vocês não confiam no sistema, podem ao menos confiar em mim?

— Não sei — diz papai. — Podemos?

— Quer saber, Maverick? Pra mim, você já deu ...

— Pode sair da minha casa, então.

— Não seria nem sua se não fôssemos eu e a minha mãe!

— Parem! — diz mamãe.

Eu mudo de posição, e é inacreditável, mas o chão geme, que é o mesmo que um alarme tocando. Mamãe olha para a porta da cozinha e pelo corredor, direto para mim.

— Starr, querida, o que você está fazendo acordada?

Agora, não tenho escolha além de ir para a cozinha. Os três estão sentados ao redor da mesa, meus pais de pijama e tio Carlos de calça e casaco de moletom.

— Oi, gatinha — diz ele. — Nós não acordamos você, acordamos?

— Não — respondo, me sentando ao lado da mamãe. — Eu já estava acordada. Pesadelos.

Todos fazem cara de compaixão, embora eu não tenha falado por isso. Eu meio que detesto solidariedade comigo.

— O que você está fazendo aqui? — pergunto ao tio Carlos.

— Sekani está com dor de estômago e me pediu para trazê-lo para casa.

— E seu tio estava se preparando para ir embora — acrescenta papai.

O maxilar do tio Carlos estremece. O rosto dele ficou mais redondo desde que foi promovido a detetive. Ele tem a pele "amarelada" da mamãe, como a vovó diz, e quando fica com raiva, o rosto fica bem vermelho, como está agora.

— Sinto muito sobre Khalil, gatinha — diz ele. — Eu estava falando para os seus pais que os detetives gostariam que você fosse responder algumas perguntas.

— Mas você não precisa ir se não quiser — diz papai.

— Quer saber... — começa tio Carlos.

— Parem. Por favor — diz mamãe. Ela olha para mim. — Boquinha, você quer falar com a polícia?

Eu engulo em seco. Queria poder dizer sim, mas não sei. Por um lado, é a polícia. Não vou estar contando para qualquer pessoa.

Por outro lado, é a polícia. Um deles matou Khalil.

Mas tio Carlos é da polícia, e ele não me pediria para fazer uma coisa que me faria mal.

— Vai ajudar Khalil a ter justiça? — pergunto.

Tio Carlos assente.

— Vai.

— Um-Quinze vai estar lá?

— Quem?

— O policial. Esse é o número do distintivo dele — digo. — Eu lembro.

— Ah. Não, ele não estará lá. Eu prometo. Vai ficar tudo bem.

As promessas do tio Carlos são garantias, às vezes até mais do que as dos meus pais. Ele nunca usa essa palavra se não estiver falando sério.

— Tudo bem — decido. — Eu vou.

— Obrigado. — Tio Carlos se aproxima e dá dois beijos na minha testa, como faz desde que me colocava na cama. — Lisa, leve-a depois da aula na segunda. Não deve demorar.

Mamãe se levanta e o abraça.

— Obrigada. — Ela o leva pelo corredor até a porta da frente. — Fique bem, tá? E me mande uma mensagem quando chegar em casa.

— Sim, senhora. Você está falando como a nossa mãe — provoca ele.

— Não ligo. Só me mande a mensagem...

— Tudo bem, tudo bem. Boa noite.

Mamãe volta para a cozinha e ajusta o roupão no corpo.

— Boquinha, seu pai e eu vamos visitar a Sra. Rosalie de manhã em vez de irmos à igreja. Você pode vir se quiser.

— É — diz papai. — E não tem nenhum tio pressionando você para ir.

Mamãe olha com raiva para ele e se vira para mim.

— Você acha que encara, Starr?

Falar com a Sra. Rosalie pode ser mais difícil do que falar com a polícia, de verdade. Mas devo a Khalil uma visita à avó dele. Ela pode nem saber que fui testemunha dos tiros. Se souber e quiser saber o que aconteceu, mais do que ninguém ela tem direito de perguntar.

— Eu vou. Acho.

— Então é melhor a gente arrumar um advogado primeiro — diz papai.

— Maverick. — Mamãe suspira. — Se Carlos não acha necessário ainda, eu confio na avaliação dele. Além do mais, vou ficar com ela o tempo todo.

— Que bom que alguém confia na avaliação dele — diz papai. — E você anda mesmo pensando em se mudar? Nós já falamos disso.

— Maverick, não vamos falar disso hoje.

— Como vamos mudar alguma coisa aqui se...

— Mav-rick! — Ela fala com dentes trincados. Sempre que mamãe separa um nome assim, é melhor você torcer para não ser o seu. — Eu falei que não vamos falar disso hoje. — Ela olha para ele de lado, esperando a resposta. Não há nenhuma. — Tente dormir um pouco, meu amor — diz ela para mim, e me beija no rosto antes de ir para o quarto deles.

Papai coloca todas as canecas na pia e vai até a geladeira.

— Quer uva?

— Quero. Por que você e tio Carlos sempre brigam?

— Porque ele é um mala. — Ele se senta ao meu lado à mesa com uma tigela de uvas verdes. — Mas, na verdade, ele nunca gostou de mim. Achava que eu era uma influência ruim para a sua mãe. Mas Lisa era doida quando eu a conheci, como todas as estudantes católicas.

— Aposto que ele era mais protetor com a mamãe do que Seven é comigo, né?

— Ah, era — responde ele. — Carlos agia como se fosse o pai de Lisa. Quando fui preso, ele levou vocês todos para morar com ele e bloqueou minhas ligações. Até a levou para ver um advogado de divórcios. — Ele sorri. — Mas não conseguiu se livrar de mim.

Eu tinha 3 anos quando papai foi preso, 6 quando ele saiu. Muitas das minhas lembranças o incluem, mas boa parte das minhas primeiras lembranças não. O primeiro dia de aula, o primeiro dente que caiu, a primeira vez que andei de bicicleta sem rodinhas. Nessas lembranças, o rosto de tio Carlos está onde o de papai deveria estar. Acho que esse é o verdadeiro motivo pelo qual eles sempre brigam.

Papai batuca na superfície de mogno da mesa de jantar, fazendo uma batida de *tum-tum-tum*.

— Os pesadelos vão passar depois de um tempo — diz ele. — Sempre ficam piores no início.

Foi assim com Natasha.

— Quantas pessoas você viu morrer?

— O suficiente. A pior foi meu primo André. — O dedo dele parece contornar instintivamente a tatuagem do antebraço, um *A* com uma coroa em cima. — Uma venda de drogas virou assalto, e ele levou dois tiros na cabeça. Bem na minha frente. Alguns meses antes de você nascer, na verdade. É por isso que seu nome é Starr. — Ele me lança um leve sorriso. — Minha luz durante toda aquela escuridão.

Papai mastiga algumas uvas.

— Não fique com medo na segunda. Fale a verdade para a polícia e não deixe que coloquem palavras na sua boca. Deus deu um cérebro a você. Você não precisa do deles. E lembre que você não fez nada de errado, foi o policial que fez. Não deixe que façam você pensar o contrário.

Tem uma coisa me incomodando. Eu queria perguntar ao tio Carlos, mas não consegui, por algum motivo. Mas papai é diferente. Enquanto tio Carlos consegue cumprir promessas impossíveis, papai sempre é verdadeiro comigo.

— Você acha que a polícia quer que Khalil tenha justiça? — pergunto.

*Tum-tum-tum. Tum... tum... tum.* A verdade gera uma sombra na cozinha; pessoas como nós em situações assim viram hashtags, mas raramente conseguem ter justiça. Mas acho que todos esperamos que essa vez chegue, *a vez* em que tudo vai acabar da forma certa.

Talvez possa ser agora.

— Não sei — responde papai. — Acho que vamos descobrir.

Na manhã de domingo, paramos em frente a uma casinha amarela. Flores coloridas se espalham abaixo da varanda. Eu me sentava com Khalil nessa varanda.

Meus pais e eu saímos da picape. Papai carrega uma travessa de lasanha coberta com papel alumínio que mamãe fez. Sekani disse que não estava se sentindo bem e ficou em casa. Seven está lá com ele. Mas não caí nesse papo de estar "doente". Sekani sempre fica doente logo depois que as férias de primavera terminam.

Seguir pela entrada da casa da Sra. Rosalie me enche de lembranças. Tenho cicatrizes nos braços e nas pernas resultantes de quedas nesse concreto. Uma vez, eu estava de patinete e Khalil me empurrou porque não o deixei usar. Quando me levantei, boa parte do meu joelho estava sem pele. Nunca gritei tão alto na vida.

Nós jogamos amarelinha e pulamos corda nessa entrada também. Khalil nunca queria brincar, falava que eram brincadeiras de menina. Mas sempre cedia quando eu e Natasha dizíamos que o vencedor ganhava um *Freeze Cup* (Suco em pó congelado em um copo de isopor) ou um pacote de "Nileator", ou seja, das balas Now and Laters. A Sra. Rosalie era a moça das balas do bairro.

Eu passava tanto tempo na casa dela quanto na minha. Mamãe e a filha mais nova da Sra. Rosalie, Tammy, eram melhores amigas na infância. Quando mamãe ficou grávida de mim, estava no último ano do ensino médio, e vovó a expulsou de casa. A Sra. Rosalie a recebeu até meus pais conseguirem um apartamento. Mamãe diz que a Sra. Rosalie foi uma das pessoas que mais a apoiou e que chorou na sua formatura do ensino médio como se fosse a filha dela no palco.

Três anos depois, a Sra. Rosalie viu minha mãe comigo no Wyatt's, bem antes de o mercado ser nosso. Ela perguntou à minha mãe como estava a faculdade. Mamãe respondeu que, com o papai na prisão, não podia pagar uma creche e que a vovó não queria cuidar de mim porque eu não era filha dela e que, portanto, não era problema dela. Então, mamãe estava pensando em largar a faculdade. A Sra. Rosalie disse para ela me levar para a casa dela no dia seguinte e que era melhor ela não dizer nada sobre pagamento. Ela cuidou de mim e depois de Sekani durante toda a faculdade da mamãe.

Minha mãe bate na porta e sacode a tela. A Sra. Tammy atende de turbante, camiseta e moletom. Abre as trancas enquanto grita:

— Maverick, Lisa e Starr estão aqui, mãe.

A sala está exatamente como era quando Khalil e eu brincávamos de pique-esconde. Ainda tem plástico no sofá e na poltrona. Se você ficar sentado ali por um tempo no verão usando short, o plástico quase fica grudado na perna.

— Oi, Tammy, minha garota! — diz mamãe, e elas dão um abraço longo e apertado. — Como você está?

— Estou indo. — A Sra. Tammy abraça o papai e depois me abraça. — Odeio que seja esse o motivo de eu ter precisado voltar para casa.

É tão estranho olhar para a Sra. Tammy. Ela tem a aparência que a mãe de Khalil, a Sra. Brenda, teria se não usasse crack. É muito parecida com Khalil. Tem os mesmos olhos cor de mel e as mesmas covinhas. Uma vez, Khalil disse que queria que a Sra. Tammy fosse sua mãe, para ele poder ir morar em Nova York com ela. Eu brincava e dizia que ela não tinha tempo para ele. Queria nunca ter dito isso.

— Onde você quer que eu coloque essa lasanha, Tam? — pergunta papai.

— Na geladeira, se você conseguir arrumar espaço — responde ela seguindo para a cozinha. — Mamãe disse que muitas pessoas trouxeram comida ontem. Ainda estavam trazendo quando eu cheguei ontem à noite. Parece que o bairro todo passou aqui.

— Esse é o Garden — diz mamãe. — Se as pessoas não puderem fazer mais nada, elas vão cozinhar.

— E não é mentira. — A Sra. Tammy faz sinal para o sofá. — Sentem-se.

Mamãe e eu nos sentamos, e papai volta e se junta a nós. A Sra. Tammy se senta na poltrona que a Sra. Rosalie costuma usar. Ela me dá um sorriso triste.

— Starr, sabe de uma coisa, você cresceu desde a última vez que te vi. Você e Khalil cresceram tanto...

A voz dela falha. Mamãe estica a mão e dá um tapinha no joelho dela. A Sra. Tammy precisa de um segundo, mas respira fundo e sorri para mim de novo.

— É bom ver você, querida.

— Nós sabemos que a Sra. Rosalie vai nos dizer que está bem, Tam — diz papai —, mas como ela está de verdade?

— Estamos vivendo um dia de cada vez. A quimio está funcionando, felizmente. Espero conseguir convencê-la a ir morar comigo. Assim, posso ter certeza de que ela esteja tomando os remédios. — Ela suspira pelo nariz. — Eu não fazia ideia de que a mamãe estava passando por apertos dessa forma. Nem sabia que ela tinha perdido o emprego. Vocês sabem como ela é. Nunca quer pedir ajuda.

— E a Sra. Brenda? — pergunto. Tenho que perguntar. Khalil teria perguntado.

— Não sei, Starr. Bren... é complicado. Não a vemos desde que recebemos a notícia. Não sei onde ela está. Mas, se a encontrarmos... não sei o que vamos fazer.

— Posso ajudar vocês a encontrarem um centro de reabilitação perto da sua casa — diz mamãe. — Mas ela precisa querer ficar limpa.

A Sra. Tammy concorda com a cabeça.

— Esse é o problema. Mas acho... acho que isso vai dar o empurrão final para que ela procure ajuda ou vai ser o empurrão ladeira abaixo. Espero que seja a primeira opção.

Cameron segura a mão da avó enquanto a leva até a sala, como se ela fosse a rainha do mundo de roupão. Ela está mais magra, mas forte para alguém passando por uma quimioterapia e tudo mais. Um lenço amarrado na cabeça acrescenta à majestade; uma rainha africana, e somos abençoados por estar na presença dela.

Nós nos levantamos.

Mamãe abraça Cameron e beija uma de suas bochechas gorduchas. Khalil o chamava de esquilo por causa delas, mas daria um sacode em qualquer um que fosse maluco o bastante para chamar seu irmãozinho de gordo.

Papai dá um tapa na palma da mão de Cameron que termina em abraço.

— E aí, cara? Tudo bem?

— Sim, senhor.

Um sorriso grande e largo se abre no rosto da Sra. Rosalie. Ela estica os braços, e eu vou até o abraço mais verdadeiro que já recebi de alguém que não tem parentesco comigo. Não tem piedade no abraço. Só amor e força. Acho que ela sabe que preciso das duas coisas.

— Meu bebê — diz ela. Ela recua e me olha com lágrimas nos olhos. — Foi crescer tanto.

Ela abraça meus pais também. A Sra. Tammy deixa que ela fique com a poltrona. A Sra. Rosalie dá um tapinha na ponta do sofá, então me sento lá. Ela segura minha mão e passa o polegar em cima.

— Humm — diz ela. — Humm!

Parece que a minha mão está contando uma história para ela, e ela está respondendo. Ela escuta por um tempo e diz:

— Estou tão feliz que tenha vindo. Eu queria falar com você.

— Sim, senhora. — Eu digo o que devo dizer.

— Você foi a melhor amiga que aquele garoto já teve.

Desta vez, não consigo dizer o que deveria.

— Sra. Rosalie, nós não estávamos tão próximos...

— Não ligo, amorzinho — diz ela. — Khalil nunca teve outro amigo ou amiga como você. Eu sei disso.

Eu engulo em seco.

— Sim, senhora.

— A polícia me contou que era você quem estava com ele quando aconteceu.

Então ela sabe.

— Sim, senhora.

Estou em um trilho, vendo o trem vir disparado na minha direção, e fico tensa esperando o impacto, o momento em que ela vai perguntar o que aconteceu.

Mas o trem desvia para outro trilho.

— Maverick, ele queria falar com você. Queria sua ajuda.

Papai ergue o corpo.

— Sério?

— Aham. Estava vendendo aquelas coisas.

Algo explode em mim. Eu até tinha imaginado, mas saber que é verdade...

Isso dói.

Mas juro que quero xingar Khalil. Como ele pôde vender o tipo de coisa que tirou a mãe dele? Ele não percebeu que estava tirando a mãe de alguém também?

Ele não percebeu que, se virar uma hashtag, algumas pessoas só vão vê-lo como traficante?

Ele era tão mais do que isso.

— Mas ele queria parar — diz a Sra. Rosalie. — Ele me disse: "Vovó, não posso ficar nisso. O Sr. Maverick disse que só leva a dois lugares, ao túmulo ou à prisão, e não estou querendo ir para nenhum dos dois." Ele respeitava você, Maverick. Muito. Você era o pai que ele nunca teve.

Não consigo explicar, mas uma coisa explode em papai também. Os olhos dele murcham e ele assente. Mamãe passa a mão nas costas dele.

— Eu tentei botar a cabeça dele no lugar — explica a Sra. Rosalie —, mas esse bairro deixa os jovens surdos para os velhos. A parte do dinheiro não ajudou. Ele andava por aí pagando as contas, comprando tênis e tal. Mas sei que se lembrava das coisas que você disse para ele ao longo dos anos, Maverick, e isso me deu muita fé. Fico só pensando, se ele ao menos tivesse outro dia, ou...

A Sra. Rosalie cobre os lábios trêmulos.

A Sra. Tammy começa a ir na direção dela, mas ela diz:

— Estou bem, Tam. — Ela olha para mim. — Estou feliz porque ele não estava sozinho, mas mais feliz ainda porque era você que estava com ele. Eu só preciso saber disso. Não preciso de detalhes, nada. Saber que você estava com ele já basta.

Assim como papai, só consigo assentir.

Mas, enquanto seguro a mão da avó de Khalil, sinto a angústia nos olhos dela. O irmãozinho dele não consegue mais sorrir. E daí se as pessoas acabarem pensando que ele era um bandido e não se importarem? Nós nos importamos.

Khalil era importante para nós, não as coisas que ele fez. Não importa o que as pessoas pensam.

Mamãe se inclina na minha frente e coloca um envelope no colo da Sra. Rosalie.

— Nós queremos que você fique com isso.

A Sra. Rosalie o abre, e vejo de relance um monte de dinheiro.

— Mas o que é isso? Vocês sabem que não posso aceitar.

— Pode, sim — diz papai. — Nós não esquecemos como você cuidou de Starr e Sekani para nós. Não íamos deixar você de mãos vazias.

— E nós sabemos que vocês estão tentando pagar o enterro — diz mamãe. — Espero que isso ajude. Além do mais, estamos arrecadando dinheiro no bairro. Não se preocupe com nada.

A Sra. Rosalie limpa novas lágrimas dos olhos.

— Vou pagar cada centavo.

— A gente falou que você tinha que pagar? — pergunta papai. — Se concentre em melhorar, tá? E, se nos der algum dinheiro, nós vamos devolver. Deus é minha testemunha.

Mais lágrimas e abraços. A Sra. Rosalie me dá um *Freeze Cup* para tomar no caminho, com xarope vermelho brilhando no alto. Ela sempre faz bem doce.

Quando saímos, lembro que Khalil costumava correr até o carro quando eu estava quase indo, o sol brilhando nas linhas oleosas que separavam as trancinhas. O brilho nos olhos dele era intenso assim. Ele batia na janela, eu abria o vidro e ele dizia com um sorriso dentuço:

— Até, jacaré.

Naquela época, eu ria com meus dentes projetados. Agora, me encho de lágrimas. As despedidas doem mais quando a outra pessoa já partiu. Eu o imagino de pé na minha janela e dou um sorriso, pensando nele.

— Tchau, animal.

# CINCO

Na segunda-feira, o dia em que tenho que falar com os detetives, começo a chorar do nada, curvada sobre a cama enquanto o ferro na minha mão cospe vapor. Mamãe pega antes que eu queime o emblema de Williamson na minha camisa polo.

Ela massageia meu ombro.

— Bote pra fora, Boquinha.

Tomamos café em silêncio na mesa da cozinha, sem Seven. Ele passou a noite na casa da mãe. Mal como meus waffles. Só de pensar em ir à delegacia com todos aqueles policiais, sinto vontade de vomitar. Comida pioraria tudo.

Depois do café, damos as mãos na sala como sempre fazemos, debaixo do pôster emoldurado do Programa de Dez Pontos, e papai faz uma oração.

— Jesus Negro, cuide dos meus bebês hoje — diz ele. — Proteja-os, afaste-os das coisas ruins e os ajude a reconhecer as cobras dentre os amigos. Dê a sabedoria de que eles precisam para que sejam eles mesmos.

"Ajude Seven com essa situação na casa da mãe dele, e faça com que ele saiba que sempre pode voltar para cá. Obrigado pela cura milagrosa e repentina de Sekani, que aconteceu assim que ele soube que vai ter pizza na escola hoje."

Dou uma espiada em Sekani, que está de olhos e boca bem abertos. Dou um sorrisinho e fecho os olhos.

— Fique com Lisa na clínica enquanto ela ajuda o pessoal. Ajude minha garotinha a passar por essa situação, Senhor. Dê a ela paz e a ajude a falar a verdade esta tarde. E, finalmente, dê forças para que a Sra. Rosalie, Cameron, Tammy e Brenda passem por esse momento difícil. Em seu nome precioso eu rezo, amém.

— Amém — dizemos.

— Pai, por que você me fez passar essa vergonha com o Jesus Negro? — reclama Sekani.

— Ele sabe a verdade — responde papai. Ele tira remela seca dos cantos dos olhos de Sekani e ajeita a gola da camisa polo dele. — Estou tentando ajudar você. Conseguir algum tipo de misericórdia, cara.

Papai me puxa em um abraço.

— Você vai ficar bem?

Eu faço que sim com a cabeça encostada no peito dele.

— Vou.

Eu poderia ficar assim o dia inteiro; é um dos lugares onde Um-Quinze não existe e onde posso esquecer sobre conversar com detetives. Mas mamãe diz que temos que ir antes da hora do rush.

Não entenda mal, eu sei dirigir. Tirei minha habilitação uma semana depois do meu aniversário de 16 anos. Mas só vou poder ter um carro se comprar com o meu dinheiro. Falei para os meus pais que não tenho tempo para trabalhar com a escola e o basquete. Eles disseram que também não tenho tempo para um carro, então. Um saco.

Demoramos 45 minutos para chegar à escola em um dia bom e uma hora em um dia lento. Sekani não precisa colocar os fones de ouvido porque mamãe não xinga ninguém na rodovia. Ela cantarola música gospel do rádio e diz:

— Me dê força, Senhor. Me dê força.

Saímos da rodovia em Riverton Hills e passamos pelos bairros com portões. Tio Carlos mora em um deles. Para mim, é tão estranho ter um portão em um bairro. Falando sério, estão tentando manter as pessoas do lado de fora ou do lado de dentro? Se alguém botar um portão em Garden Heights, vai ser um pouco das duas coisas.

Nossa escola também tem portão, e no campus há prédios novos e modernos com várias janelas e calêndulas florescendo nas calçadas.

Mamãe entra na pista para o prédio do fundamental I.

— Sekani, você se lembrou do iPad?

— Sim, senhora.

— Cartão do almoço?

— Sim, senhora.

— Short de educação física? E é melhor que seja o limpo.

— Sim, mãe. Tenho quase 9 anos. Você não pode me dar um pouco de crédito?

Ela sorri.

— Tudo bem, grandão. Acha que pode me dar um pouco de carinho?

Sekani se inclina no banco da frente e beija a bochecha dela.

— Eu te amo.

— Eu também te amo. E não esqueça, Seven vai levar você pra casa hoje.

Ele corre até alguns amigos e se mistura com as outras crianças de calça cáqui e camisa polo. Entramos na pista para o meu prédio.

— Certo, Boquinha — diz mamãe. — Seven vai levar você para a clínica depois da aula, e depois você e eu vamos para a delegacia. Tem certeza de que quer ir?

Não. Mas tio Carlos prometeu que ficaria tudo bem.

— Eu vou.

— Tudo bem. Me ligue se achar que não aguenta o dia inteiro na escola.

Espere aí. Eu podia ter ficado em casa?

— Por que você está me fazendo ir pra aula?

— Porque você precisa sair de casa. Sair daquele bairro. E quero que você pelo menos tente, Starr. Pode parecer cruel, mas não é porque Khalil não está vivo que você precisa parar de viver. Entende, amorzinho?

— Entendo. — Sei que ela está certa, mas parece errado.

Chegamos à frente da fila.

— Não preciso perguntar se você trouxe short de educação física com fedor de bunda, né? — pergunta ela.

Eu dou uma risada.

— Não. Tchau, mãe.

— Tchau, amorzinho.

Eu saio do carro. Por pelo menos sete horas, não vou ter que falar sobre Um-Quinze. Não vou precisar pensar em Khalil. Só preciso ser a Starr normal na Williamson normal e ter um dia normal. Isso quer dizer mexer no interruptor no meu cérebro para que eu seja a Starr da Williamson. A Starr da Williamson não usa gírias; se é algo que um rapper diria, ela não diz, mesmo que os amigos brancos digam. As gírias os tornam descolados. As gírias a tornam "daquele bairro". A Starr da Williamson segura a língua quando as pessoas a irritam para que ninguém pense que ela é a "garota negra cheia de raiva". A Starr da Williamson é acessível. Não faz cara feia, não olha de canto de olho, nada disso. A Starr de Williamson não gosta de confrontos. Basicamente, a Starr da Williamson não dá motivo para que alguém a chame de garota do gueto.

Não consigo me suportar por fazer isso, mas faço mesmo assim.

Coloco a mochila no ombro. Como sempre, combina com meus tênis, os Eleven azuis e pretos como os que Jordan usou em *Space Jam*. Eu trabalhei um mês no mercado para comprar. Odeio me vestir como todo mundo, mas *Um maluco no pedaço* me ensinou uma coisa. Will sempre usava o paletó do uniforme da escola do lado avesso para ser diferente. Não posso usar meu uniforme do avesso, mas posso garantir que meus tênis sejam sempre irados e minha mochila sempre combine.

Eu entro e procuro Maya, Hailey ou Chris no átrio. Não vejo nenhum dos três, mas vejo que metade dos alunos está bronzeada das férias. Por sorte, eu nasci com a minha cor. Alguém cobre meus olhos.

— Maya, eu sei que é você.

Ela ri e afasta as mãos. Não sou alta, mas Maya precisa ficar na ponta dos pés para cobrir meus olhos. E a menina quer jogar como pivô no time de basquete. Ela prende o cabelo em um coque alto porque deve achar que a faz parecer mais alta, mas não faz.

— E aí, senhorita que não responde mensagens — diz ela, e fazemos nosso aperto de mão. Não é complicado como o de papai e King, mas funciona para nós. — Eu estava começando a me perguntar se você tinha sido abduzida por alienígenas.

— Hã?

Ela levanta o celular. A tela tem uma rachadura novinha indo de um canto até o outro. Maya está sempre o deixando cair.

— Você não me manda mensagem há dias, Starr — diz ela. — Isso não é legal.

— Ah. — Eu mal olhei meu celular desde que Khalil foi... desde o incidente. — Desculpe. Eu estava trabalhando no mercado. Você sabe como lá pode ficar confuso. Como foram suas férias de primavera?

— Tudo bem, acho. — Ela mastiga umas balas azedas. — Nós visitamos meus bisavós em Taipei. Acabei levando um bando de bonés e shorts de basquete, então fiquei ouvindo a semana toda: "Por que você se veste como um menino?" "Por que pratica esporte de menino?" Blá-blá-blá. E foi horrível quando viram uma foto de Ryan. Perguntaram se ele era rapper!

Dou uma risada e roubo umas balas dela. O namorado de Maya, Ryan, por acaso, é o único outro menino negro do segundo ano, e todo mundo espera que a gente fique junto. Porque, aparentemente, se nós somos só dois, temos que participar de alguma porra estilo arca de Noé e fazer par para preservar a negritude do nosso ano. Ultimamente, ando superconsciente de besteiras assim.

Seguimos para o refeitório. Já tomei café da manhã, mas o refeitório é o ponto de encontro. Nossa mesa perto das máquinas está quase cheia. Lá está Hailey, sentada em cima, tendo uma discussão acalorada com Luke, de cabelo cacheado e covinhas. Acho que é tipo uma preliminar para eles. Eles se gostam desde o sexto ano, e se seus sentimentos conseguem sobreviver ao constrangimento do fundamental II, os dois deviam parar de brincadeira e começar a ficar de uma vez.

Algumas outras garotas do time também estão lá: Jess, a segunda capitã, e Britt, a pivô que faz Maya parecer uma formiga. É meio estereótipo andarmos juntas, mas funcionou assim. Quero dizer, quem mais vai nos escutar reclamar de joelhos inchados e entender piadas que surgem no ônibus depois de um jogo?

Os garotos de Chris do time de basquete estão na mesa ao lado, botando pilha em Hailey e Luke. Chris ainda não chegou. Infeliz e felizmente.

Luke me vê chegando com Maya e estica os braços para nós.

— Obrigado! Duas pessoas sensatas que podem encerrar essa discussão.

Eu me sento no banco ao lado de Jess. Ela apoia a cabeça no meu ombro.

— Eles estão discutindo há quinze minutos.

Pobre menina. Faço um carinho no cabelo dela. Tenho um crush secreto pelo cabelo curtinho de Jess. Meu cabelo não é comprido o bastante para eu cortar assim, mas o cabelo dela é perfeito. Cada fio está onde deveria. Se eu gostasse de meninas, sairia com ela por causa do cabelo, e ela sairia comigo por causa do meu ombro.

— Sobre o que é desta vez? — pergunto.

— Pop Tart — diz Britt.

Hailey se vira para nós e aponta para Luke.

— Esse cretino disse que fica melhor se esquentar no micro-ondas.

— *Eca* — digo, em vez do meu "que doente" de sempre, e Maya diz:

— Você está falando sério?

— Não é mesmo? — diz Hailey.

— Jesus Cristo! — diz Luke. — Eu só pedi um dólar para comprar um na máquina!

— Você não vai jogar meu dinheiro fora e destruir um Pop Tart perfeitamente bom em um micro-ondas.

— Mas é pra ser comido quente! — argumenta ele.

— Eu concordo com Luke — diz Jess. — Pop Tart fica dez vezes melhor quente.

Eu mexo o ombro para que ela tenha que levantar a cabeça.

— Não podemos mais ser amigas.

Ela abre a boca e faz beicinho.

— Tudo bem, tudo bem — digo, e ela apoia a cabeça no meu ombro com um sorriso largo. Esquisita. Não sei como ela vai sobreviver sem meu ombro quando se formar em poucos meses.

— Qualquer pessoa que esquenta um Pop Tart devia ser denunciada — diz Hailey.

— E presa — digo.

— E obrigada a comer Pop Tarts crus até aceitar o quanto é gostoso — acrescenta Maya.

— É a lei — termina Hailey, batendo na mesa como se encerrasse o assunto.

— Vocês têm problemas — diz Luke, levantando da mesa. Ele puxa o cabelo de Hailey. — Acho que essa tinta toda penetrou no seu cérebro.

Ela dá um tapa nele, que vai embora. Ela fez mechas azuis no cabelo louro-mel e o cortou na altura do ombro. No quinto ano, o cortou com tesoura durante uma prova de matemática porque ficou com vontade. Foi nesse momento que eu soube que ela era maluca.

— Gostei do azul, Hails — elogio. — E do corte.

— É. — Maya sorri. — Ficou muito Joe Jonas.

Hailey vira a cabeça tão rápido, os olhos brilhando. Maya e eu damos risadinhas.

Tem um vídeo nas profundezas do YouTube, de nós três dublando os Jonas Brothers e fingindo tocar guitarra e bateria no quarto de Hailey. Ela decidiu que ela era Joe, eu, Nick e Maya, Kevin. Eu queria muito ser Joe, era o que eu mais amava secretamente, mas Hailey disse que ela que devia ficar com ele, e eu deixei.

Eu deixo muito que ela faça as coisas como quer. Ainda. É parte de ser a Starr da Williamson, eu acho.

— Eu tenho tanto que encontrar aquele vídeo — diz Jess.

— Nãããoo — diz Hailey, sentando à mesa. — Aquele vídeo nunca deve ser encontrado. — Ela se senta na nossa frente. — Nunca. Nun-ca. Se eu me lembrasse da senha daquela conta, apagaria o vídeo.

— Aah, qual era o nome da conta? — pergunta Jess. — JoBro Lover, alguma coisa assim? Não, espera. JoBro *Lova*. Todo mundo gostava de escrever errado no fundamental II.

Eu dou uma risadinha e murmuro:

— Está perto.

Hailey olha para mim.

— Starr!

Maya e Britt morrem de rir.

É em momentos assim que me sinto normal em Williamson. Apesar das orientações que crio para mim mesma, encontrei meu grupo, minha mesa.

— Tudo bem — diz Hailey. — Já entendi como é, Maya Jonas e Garota Estrelada do Nick 2000...

— E aí, Hails — digo, antes que ela consiga terminar meu antigo apelido. — Como foram suas férias?

Hailey fecha o sorriso e revira os olhos.

— Ah, foram maravilhosas. Papai e a querida madrasta me arrastaram com Remy para a casa das Bahamas, para um pouco de "união familiar".

Bam. Aquela sensação normal? Sumiu. De repente, me lembro do quanto sou diferente da maioria dos alunos daqui. Ninguém teria que me arrastar para as Bahamas, nem aos meus irmãos; iríamos nadando se pudéssemos. Para nós, férias em família é ficar em um hotel da cidade com piscina em um fim de semana.

— Parece meus pais — diz Britt. — Nos levaram para a porra do Harry Potter World pelo terceiro ano seguido. Estou de saco cheio de cerveja amanteigada e fotos bregas de família com varinha na mão.

Puta merda. Quem reclama de ir ao parque do Harry Potter? Ou de cerveja amanteigada? Ou de varinhas?

Espero que nenhuma delas me pergunte sobre as minhas férias. Elas foram para Taipei, para as Bahamas, para o parque do Harry Potter Eu fiquei no meu bairro e vi um policial matar meu amigo.

— Acho que ir para as Bahamas não foi tão ruim — diz Hailey.
— Queriam que a gente fizesse coisas de família, mas acabamos fazendo coisas nossas o tempo todo.
— Você quer dizer ficar me mandando mensagens o tempo todo — diz Maya.
— Era uma coisa minha.
— O dia inteiro, todos os dias — acrescenta Maya. — Ignorando o fuso horário.
— E daí, Baixinha. Você sabe que gostou de falar comigo.
— Ah — digo. — Que legal.

Mas não é. Hailey não me mandou mensagens durante as férias de primavera. Ela praticamente não me manda mais mensagens. Talvez uma por semana agora, e antes era todos os dias. Alguma coisa mudou entre nós, mas nenhuma de nós reconhece. Ficamos normais quando estamos em Williamson, como agora. Mas, fora daqui, não somos mais melhores amigas, só... não sei.

Além do mais, ela parou de me seguir no Tumblr.

Ela não sabe que eu sei. Uma vez, postei uma foto de Emmett Till, um garoto negro de 14 anos que foi assassinado por assobiar para uma mulher branca em 1955. O corpo mutilado não parecia humano. Hailey me mandou uma mensagem logo em seguida, surtando. Achei que era porque não conseguia acreditar que alguém pudesse fazer uma coisa assim com um menino. Não. Ela não conseguia acreditar que eu era capaz de postar uma foto tão horrível.

Pouco depois disso, ela parou de curtir e repostar outras postagens minhas. Olhei minha lista de seguidores. Ahh, Hails não estava mais me seguindo. Comigo morando a 45 minutos de distância, o Tumblr é para ser um terreno sagrado onde nossa amizade é cimentada. Não me seguir mais é o mesmo que dizer "Não gosto mais de você".

Talvez eu esteja sensível demais. Ou talvez as coisas tenham mudado, talvez *eu* tenha mudado. Agora, acho que vamos continuar fingindo que está tudo bem.

O primeiro sinal toca. Às segundas, inglês avançado é o primeiro tempo para mim, para Hailey e para Maya. No caminho, elas começam uma grande discussão que vira briga sobre o NCAA Brackets e o Final Four. Hailey nasceu torcedora do Notre Dame. Maya os odeia de forma quase doentia. Eu fico fora da discussão. Gosto mais da NBA.

Entramos em um corredor, e Chris está à porta da nossa sala, as mãos enfiadas nos bolsos e os fones de ouvido pendurados no pescoço. Ele olha diretamente para mim e estica o braço na passagem.

Hailey olha para ele e para mim. De um para o outro e vice-versa.

— Aconteceu alguma coisa entre vocês?

Meus lábios repuxados devem me entregar.

— É. Mais ou menos.

— Que babaca — diz Hailey, me lembrando por que somos amigas; ela não precisa de detalhes. Se alguém me magoa de alguma forma, a pessoa vai automaticamente para a lista negra dela. Começou no quinto ano, dois anos antes de Maya entrar na nossa história. Nós éramos aquelas meninas "choronas", que abriam a boca pelas menores coisas. Eu, por causa de Natasha, e Hailey porque perdeu a mãe para um câncer. Surfamos a onda da dor juntas.

É por isso que essa esquisitice entre nós não faz sentido.

— O que você quer fazer, Starr? — pergunta ela.

Não sei. Antes de Khalil, eu pretendia dar um gelo em Chris com um golpe mais poderoso do que uma música de fim de relacionamento de R&B dos anos 1990. Mas, depois de Khalil, estou mais para uma música da Taylor Swift. (Sem querer ofender, eu curto a Tay-Tay, mas ela não funciona como o R&B dos anos 1990 na escala namorada furiosa.) Não estou feliz com Chris, mas sinto falta dele. Sinto falta de *nós*. Preciso tanto dele que estou disposta a esquecer o que ele fez. Isso é assustador pra caralho. Uma pessoa com quem estou há só um ano é *tão* importante para mim? Mas Chris... ele é diferente.

Quer saber? Vou bancar a Beyoncé. Não é tão poderoso quanto um R&B de fim de relacionamento dos anos 1990, mas mais forte do que Taylor Swift. É. Vai dar certo. Eu digo para Hailey e Maya:

— Eu cuido dele.

Elas se afastam, fico no meio delas como se elas fossem minhas guarda-costas, e vamos até a porta juntas.

Chris faz uma reverência.

— Moças.

— Saia! — ordena Maya. É engraçado considerando o quanto Chris é mais alto do que ela.

Ele olha para mim com aqueles olhos azuis de bebê. Pegou um bronzeado durante as férias. Eu dizia que ele era tão branco que parecia um marshmallow. Ele odiava que eu o comparasse à comida. Falei que era o que ele merecia por me chamar de caramelo. Ele ficou sem argumentos.

Mas, droga. Ele também está usando os tênis de *Space Jam*. Esqueci que decidimos usar no primeiro dia de aula. Ficam bons nele. Os Jordan são minha fraqueza. Não consigo evitar.

— Só quero falar com a minha garota — alega ele.

— Não sei quem é — digo, bancando a Beyoncé como uma profissional.

Ele suspira pelo nariz.

— Por favor, Starr. Podemos pelo menos conversar?

Volto a Taylor Swift por causa do por favor. Faço que sim para Hailey e Maya.

— Se você a magoar, eu te mato — avisa Hailey, e ela e Maya entram na sala sem mim.

Chris e eu nos afastamos da porta. Eu me encosto em um armário e cruzo os braços.

— Estou ouvindo — digo.

Um instrumental carregado no baixo soa dos fones de ouvido dele. Deve ser uma das batidas dele.

— Me desculpe pelo que aconteceu. Eu devia ter falado com você antes.

Eu inclino a cabeça.

— Nós conversamos. Uma semana antes. Lembra?

— Eu sei, eu sei. E eu ouvi o que você disse. Só queria estar preparado caso...

— Caso você conseguisse apertar os botões certos e me convencer a mudar de ideia?

— Não! — Ele levanta as mãos em um gesto de rendição. — Starr, você sabe que eu não... que não é... me desculpa, tá? Eu fui longe demais.

Isso é até pouco. No dia anterior à festa de Big D, Chris e eu estávamos na sala ridiculamente grande da casa dele. O terceiro andar da mansão dos pais é uma suíte para ele, um benefício de ser o último filho de pais com outros filhos crescidos. Tento esquecer que ele tem um andar inteiro do tamanho da minha casa e contratou funcionárias que são parecidas comigo.

Ficar se agarrando não é novidade para nós, e quando Chris enfiou a mão no meu short, eu não achei nada de mais. Ele me deixou no clima, e eu não estava pensando direito. Não, mesmo. De verdade, meu raciocínio parecia ter saído porta afora. E, bem quando estava *naquele* momento, ele parou, enfiou a mão no bolso e pegou uma camisinha. Levantou as sobrancelhas para mim, um convite silencioso para ir até o fim.

Eu só conseguia pensar naquelas garotas que vejo andando em Garden Heights com bebês encaixados nos quadris. Com ou sem camisinha, merdas acontecem.

Eu surtei com Chris. Ele sabia que eu não estava pronta para aquilo, nós já tínhamos conversado, mas mesmo assim ele tinha uma camisinha? Ele disse que queria ser responsável, mas se eu disse que não estou pronta, eu não estou pronta.

Saí da casa dele com raiva *e* com tesão, absolutamente o pior jeito de ir embora.

Mas minha mãe talvez estivesse certa. Ela uma vez disse que, depois que você vai mais longe com um cara, vários sentimentos são ativados, e você tem vontade de fazer o tempo todo. Chris e eu fomos longe o suficiente para eu já ter reparado em todos os detalhes do corpo dele. As narinas lindinhas que se dilatam quando ele suspira. O cabelo castanho macio que meus dedos adoram explorar. Os lábios delicados e a língua que os umedece com frequência. As cinco sardas no pescoço que ficam em lugares perfeitos para beijar.

Mais do que isso, eu me lembro do cara que passa quase todas as noites no telefone comigo falando sobre nada e tudo. O que ama me fazer sorrir. É, ele me irrita às vezes, e eu tenho certeza de que o irrito, mas significamos alguma coisa um para o outro. Somos muito importantes, na verdade.

Puta que pariu, estou cedendo.

— Chris...

Ele dá um golpe baixo e faz um *beat-box* familiar.

— *Boomp, boomp, boomp, booomp.*

Eu aponto para ele.

— Não ouse!

— *"Now, this is a story all about how, my life got flipped... turned upside down. And I'd like to take a minute, just sit right there, I'll tell you how I became the prince of a town called Bel-Air."*

Ele faz o instrumental com a boca e batuca no peito e na bunda seguindo o ritmo. As pessoas passam por nós e riem. Um cara assovia sugestivamente. Alguém grita:

— Sacode a bunda, Bryant!

Meu sorriso se abre antes que eu consiga impedir.

*Um maluco no pedaço* não é só a minha série favorita, é a *nossa* série. No primeiro ano, ele começou a me seguir no Tumblr, e eu o segui de volta. Nós nos conhecíamos da escola, mas não nos *conhecíamos*. No sábado, repostei um monte de GIFs e clips de *Um maluco*. Ele curtiu e repostou todos. Na manhã de segunda, no refeitório, ele pagou meu Pop Tart e meu suco de uva e disse:

— A primeira tia Viv era a melhor tia Viv.

Foi o nosso começo.

Chris entende *Um maluco no pedaço*, o que o ajuda a me entender. Já conversamos sobre como era legal Will ter continuado sendo ele mesmo naquele novo mundo. Eu fui em frente e disse que queria poder ser assim na escola. Chris disse:

— Por que não pode, maluca no pedaço?

Desde então, não preciso decidir qual Starr tenho que ser com ele. Ele gosta das duas. Bom, as partes que mostrei. Algumas coisas não posso revelar, como Natasha. Quando se vê o quanto uma pessoa está fragilizada, é o mesmo que vê-la nua, e não tem como olhar para ela do mesmo jeito.

Gosto do jeito como ele me olha agora, como se eu fosse uma das melhores coisas da vida dele. Ele é uma das melhores da minha.

Não posso mentir, recebemos o olhar de "por que ele está com *ela*", normalmente de garotas brancas ricas. Às vezes, me pergunto a mesma coisa. Chris age como se esses olhares não existissem. Quando faz coisas assim, cantando rap e fazendo *beat-box* no meio de um corredor agitado só para me fazer sorrir, eu também esqueço esses olhares.

Ele começa a segunda estrofe, balança os ombros e olha para mim. A pior parte? O idiota sabe que está dando certo.

— *"In west Philadelphia, born and raised..."* vamos lá, gata. Canta comigo.

Ele segura as minhas mãos.

*Um-Quinze segue as mãos de Khalil com a lanterna.*

*Manda Khalil sair com as mãos levantadas.*

*Grita para eu botar as mãos no painel.*

*Eu me ajoelho ao lado do meu amigo morto no meio da rua, com as mãos levantadas. Um policial branco como Chris aponta uma arma para mim.*

*Branco como Chris.*

Eu me encolho e me afasto.

Chris franze a testa.

— Starr, você está bem?

*Khalil abre a porta.*

— Você está bem, Starr...?

*Pow!*

*Tem sangue. Muito sangue.*

O segundo sinal toca e me leva de volta a Williamson, onde não sou a Starr normal.

Chris se inclina, o rosto na frente do meu. Minhas lágrimas fazem com que veja o borrado.

— Starr?

São poucas lágrimas, é verdade, mas me sinto exposta. Viro-me para ir para a aula, mas Chris segura meu braço. Eu puxo da mão dele, então me viro na sua direção.

Ele levanta as mãos em rendição.

— Me desculpe. Eu estava.

Eu seco os olhos e entro na sala. Chris está logo atrás de mim. Hailey e Maya olham de cara feia para ele. Eu me sento na cadeira na frente de Hailey.

Ela aperta meu ombro.

— Aquele imbecil.

Ninguém mencionou Khalil na escola hoje. Odeio admitir, porque é como mostrar o dedo do meio para ele, mas estou aliviada.

Como a temporada de basquete acabou, vou embora na mesma hora que todo mundo. Provavelmente pela primeira vez na vida, desejo que não fosse o fim do dia. Estou muito mais perto de ir falar com a polícia.

Hailey e eu andamos pelo estacionamento de braços dados. Maya está esperando o motorista ir buscá-la. Hailey tem carro, e eu tenho um irmão que tem carro; nós duas sempre andamos juntas.

— Tem certeza absoluta de que não quer que eu dê uns chutes na bunda de Chris? — pergunta Hailey.

Eu contei para ela e para Maya sobre a camisinha, e no que diz respeito a elas, Chris está eternamente banido para a Terra dos Babacas.

— Tenho — digo pela centésima vez. — Você é violenta, Hails.

— Quando o assunto são minhas amigas, possivelmente. Mas, falando sério, por que ele faria aquilo? Meu Deus, os garotos e essa porra de desejo sexual.

Eu dou uma risada debochada.

— É por isso que você e Luke ainda não ficaram?

Ela me dá uma cotovelada de leve.

— Cala a boca.

Eu dou uma gargalhada.

— É por isso que você não admite que gosta dele?

— O que faz você pensar que eu gosto dele?

— Falando sério, Hailey?

— Não estou nem aí, Starr. A questão aqui não sou eu. É você e seu namorado que só pensa em sexo.

— Ele não pensa só em sexo — digo.

— Então como você chama isso?

— Ele estava com tesão naquela hora.

— É a mesma coisa!

Tento ficar séria, e ela também, mas em pouco tempo caímos na gargalhada. Deus, é tão bom estar de volta à dinâmica normal de Starr e Hailey. Faz com que eu me questione se imaginei a mudança.

Nós nos separamos na metade do caminho entre o carro de Hailey e o de Seven.

— Aquela proposta de uns chutes na bunda dele ainda está valendo — diz ela para mim.

— Tchau, Hailey!

Saio andando e esfregando os braços. A primavera decidiu passar por uma crise de identidade e ficar meio gelada. A alguns metros, Seven está ao lado do carro conversando com a namorada, Layla. Ele e aquele maldito Mustang. Ele toca mais no carro do que em Layla. Ela obviamente não liga. Só brinca com o dreadlock dele que não está preso no rabo de cavalo. Vale uma revirada de olhos. Algumas garotas exageram. Ela não pode brincar com os cachos na própria cabeça?

Mas, sinceramente, não tenho problema com Layla. Ela é nerd como Seven, inteligente o bastante para Harvard (e vai mesmo para Howard) e um amor. Ela é uma das quatro garotas negras do último ano, e se Seven prefere só sair com garotas negras, ele escolheu uma ótima.

Eu ando até eles e faço:

— *Ham-ham.*

Seven fica olhando para Layla.

— Vá buscar Sekani.

— Não posso — minto. — Mamãe não me botou na lista.

— Botou, sim. Vá.

Eu cruzo os braços.

— Não vou andar metade do campus para buscá-lo e depois ter que voltar até aqui. Podemos pegá-lo quando estivermos indo.

Ele me olha de canto de olho, mas estou cansada demais para isso, e está frio. Seven beija Layla e vai até o lado do motorista.

— Agindo como se fosse uma distância muito grande — resmunga ele.

— Agindo como se a gente não pudesse buscar ele no caminho da saída — digo e entro no carro.

Ele liga o carro. Começa a tocar um mix legal que Chris fez com Kanye e meu outro futuro marido, J. Cole, no iPod de Seven. Ele manobra pelo trânsito do estacionamento para chegar ao prédio de Sekani. Seven registra a saída dele do programa extracurricular e nós vamos embora.

— Estou com fome — resmunga Sekani menos de cinco minutos depois de sairmos do estacionamento.

— Não deram lanche depois da aula? — pergunta Seven.

— O que isso tem a ver? Estou com fome mesmo assim.

— Guloso — diz Seven, e Sekani chuta as costas do assento dele. Seven ri. — Tudo bem, tudo bem! Mamãe pediu para eu levar comida para a clínica mesmo. Vou comprar alguma coisa pra você. — Ele olha para Sekani pelo retrovisor. — Está bem...?

Seven fica imóvel. Desliga a música que Chris gravou e vai mais devagar.

— Por que você desligou a música? — pergunta Sekani.

— Cala a boca — sussurra Seven.

Paramos em um sinal vermelho. Uma viatura de Riverton Hills para ao nosso lado.

Seven se empertiga e olha para a frente, quase sem piscar e apertando o volante. Os olhos se movem um pouco, como se ele quisesse olhar para o carro da polícia. Ele engole em seco.

— Vamos, sinal — reza ele. — Vamos.

Eu olho para a frente e rezo para o sinal mudar também.

Finalmente fica verde, e Seven deixa a viatura da polícia ir primeiro. Os ombros só relaxam quando chegamos à rodovia. Os meus também.

Paramos em um restaurante chinês que mamãe adora e compramos comida para todos. Ela quer que eu coma antes de falar com os detetives. Em Garden Heights, as crianças brincam na rua. Sekani encosta o rosto na minha janela e olha para elas. Mas ele não vai brincar com elas. Na última vez que brincou com crianças vizinhas, elas o chamaram de "garoto branco" porque ele estuda na Williamson.

O Jesus Negro nos cumprimenta em um mural na lateral da clínica. Ele tem dreadlocks, como Seven. Os braços se esticam pelo comprimento do muro, e há nuvens brancas fofas atrás dele. Letras grandes acima nos lembram que *Jesus te ama*.

Seven passa pelo Jesus Negro e entra no estacionamento atrás da clínica. Digita um código para abrir o portão e estaciona ao lado do Camry da mamãe. Pego a bandeja de bebidas, Seven pega a comida e Sekani não pega nada porque ele nunca carrega nada.

Aperto o interfone da porta dos fundos e aceno para a câmera. A porta se abre em um corredor com cheiro estéril, paredes brancas e piso branco que nos reflete. O corredor nos leva até a sala de espera. Um grupo de pessoas assiste às notícias na TV de tubo velha pendurada no teto ou lê revistas que estão ali desde que eu era pequena. Quando um homem de cabelos desgrenhados vê que estamos carregando comida, ele se empertiga e inspira com força, como se fosse para ele.

— O que vocês trouxeram aí? — pergunta a Sra. Felicia na recepção, esticando o pescoço para ver.

Mamãe vem do outro corredor com o uniforme amarelo, atrás de um garoto com lágrimas nos olhos e da mãe dele. O garoto está chupando um pirulito, recompensa por ter sobrevivido a uma vacina.

— Aí estão os meus bebês — diz mamãe quando nos vê. — E trouxeram minha comida. Venham. Vamos lá para trás.

— Guardem um pouco pra mim! — grita Felicia para nós. Mamãe pede que ela fale baixo.

Colocamos a comida na mesa da sala de descanso. Mamãe pega pratos de papel e utensílios de plástico, que guarda em um armário para dias assim. Fazemos uma oração e começamos a comer

Mamãe se senta na bancada enquanto come.

— Hummm! Que maravilha. Obrigada, Seven. Eu só tinha comi do meio saco de Cheetos hoje.

— Você não almoçou? — pergunta Sekani, com a boca cheia de arroz frito

Mamãe aponta para ele com o garfo.

— O que eu disse sobre falar com a boca cheia? E, para sua informação, não, eu não almocei. Tive uma reunião na hora do almoço. Agora me falem de vocês. Como foi na escola?

Sekani sempre demora mais porque conta todos os detalhes. Seven diz que o dia dele foi bom. Eu também sou breve e só digo:

— Foi bom.

Mamãe toma um gole de refrigerante.

— Aconteceu alguma coisa?

Eu surtei quando meu namorado tocou em mim, mas:

— Não. Nada.

A Sra. Felicia aparece à porta.

— Lisa, me desculpe incomodar, mas temos um *problema* lá na frente.

— Estou no meu intervalo, Felicia.

— Você acha que eu não sei? Mas ela está chamando você. É Brenda.

A mãe de Khalil.

Minha mãe coloca o prato na bancada. Olha diretamente para mim e diz:

— Fique aqui.

Mas sou cabeça-dura. Eu a sigo até a sala de espera. A Sra. Brenda está sentada com as mãos no rosto. O cabelo está despenteado, e a camisa branca está suja, quase marrom. Ela está com hematomas e machucados nos braços e nas pernas, e como tem a pele bem clara, tudo aparece mais.

Mamãe se ajoelha na frente dela.

— Bren, oi.

A Sra. Brenda mexe as mãos. Os olhos vermelhos me lembram o que Khalil disse quando nós éramos pequenos, que a mãe dele tinha virado um dragão. Ele alegou que um dia se tornaria um cavaleiro e a transformaria de volta.

Não faz sentido ele ter vendido drogas. Eu achava que o coração partido não o deixaria.

— Meu bebê — choraminga a mãe dele. — Lisa, meu bebê.

Mamãe segura as mãos da Sra. Brenda entre as dela e as massageia, sem se importar com a aparência terrível.

— Eu sei, Bren.

— Mataram meu bebê.

— Eu sei.

— Mataram ele.

— Eu sei.

— Senhor Jesus — diz a Sra. Felicia da porta. Ao lado dela, Seven passa os braços ao redor de Sekani. Alguns pacientes na sala de espera balançam a cabeça.

— Mas, Bren, você tem que se limpar — diz mamãe. — Era o que ele queria.

— Não consigo. Meu bebê não está aqui.

— Consegue, sim. Você tem Cameron e ele precisa de você. Sua mãe precisa de você.

Khalil precisava de você, eu tenho vontade de dizer. Ele esperou você e chorou por você. Mas onde você estava? Nem tem direito de chorar agora. Hã-hã. É tarde demais.

Mas ela continua chorando. Balançando-se e chorando.

— Tammy e eu podemos conseguir ajuda pra você, Bren — diz mamãe. — Mas desta vez você tem que querer mesmo.

— Eu não quero mais viver assim.

— Eu sei. — Mamãe faz sinal para a Sra. Felicia e lhe entrega seu celular. — Procure nos meus contatos o número de Tammy Harris. Ligue para ela e diga que a irmã dela está aqui. Bren, quando foi a última vez que você comeu?

— Eu não sei. Não... meu bebê.

Mamãe ergue o corpo e segura o ombro da Sra. Brenda.

— Vou buscar alguma coisa pra você comer.

Eu sigo mamãe até os fundos. Ela anda rapidamente, mas passa pela comida e vai até a bancada. Apoia-se nela de costas para mim e inclina a cabeça para baixo sem dizer nada.

Tudo que eu quis dizer na sala de espera sai de repente.

— Como ela se acha no direito de ficar chateada? Ela não estava ao lado de Khalil. Você sabe quantas vezes ele chorou por causa dela? Aniversários, Natais, tudo isso. Por que ela acha que pode chorar agora?

— Starr, por favor.

— Ela não agiu como mãe dele! Agora, de repente, ele é o bebê dela? Que sacanagem!

Mamãe dá um tapa na bancada, e eu dou um salto.

— Cala a boca! — grita ela. Ela se vira com lágrimas escorrendo pelos olhos. — Não foi uma amiguinha dela. Foi o filho dela, está ouvindo? O filho! — A voz dela falha. — Ela gerou aquele garoto, pariu aquele garoto. E você não tem direito de julgá-la.

Parece que estou com a boca cheia de algodão.

— Eu...

Mamãe fecha os olhos. Massageia a testa.

— Me desculpe. Serve um prato pra ela, amorzinho. Tá? Serve um prato pra ela.

Eu sirvo a comida, coloco um pouco de tudo em boa quantidade. Levo até a Sra. Brenda. Ela murmura algo que parece um "obrigada" quando o segura.

Quando olha para mim pela névoa avermelhada, os olhos de Khalil olham para mim, e percebo que mamãe está certa. A Sra. Brenda é a mãe de Khalil. Independentemente de qualquer coisa.

# SEIS

Minha mãe e eu chegamos à delegacia de polícia às quatro e meia em ponto.

Alguns policiais falam ao telefone, digitam em computadores ou ficam de pé pelo local. Coisas normais, como em *Law & Order*, mas minha respiração fica presa. Eu conto: Um. Dois. Três. Quatro. Perco a conta por volta dos 12 porque só consigo ver as armas nos coldres deles.

Todos eles. Duas de nós.

Mamãe aperta minha mão.

— Respire.

Eu não tinha percebido que tinha segurado a dela.

Eu respiro fundo uma vez e outra, e ela assente a cada uma, dizendo:

— Isso mesmo. Você está bem. Nós estamos bem.

Tio Carlos se aproxima, e ele e mamãe me levam até uma mesa, e me sento em frente a ela. Sinto olhares na minha direção, vindos de todos os lados. Meus pulmões se apertam ainda mais. Tio Carlos me dá uma garrafa de água gelada. Mamãe a leva aos meus lábios.

Tomo goles lentos e olho para a mesa do tio Carlos para evitar os olhares curiosos dos policiais. Sobre ela tem quase a mesma quantidade de fotos minhas e de Sekani que dos filhos dele.

— Vou levá-la para casa — avisa mamãe para ele. — Não vou fazê-la passar por isso hoje. Ela não está pronta.

— Eu entendo, mas ela vai ter que falar com eles em algum momento, Lisa. É uma parte vital dessa investigação.

Mamãe suspira.

— Carlos...

— Eu sei — diz ele, com voz claramente mais baixa. — Acredite, eu sei. Infelizmente, se quisermos que essa investigação seja feita da forma certa, ela tem que falar com eles. Se não for hoje, vai ter que ser outro dia.

Outro dia esperando e imaginando o que vai acontecer.

Não consigo passar por isso.

— Eu quero falar logo hoje — murmuro. — Quero acabar com isso logo.

Eles olham para mim como se tivessem acabado de lembrar que estou ali.

Tio Carlos se ajoelha na minha frente.

— Tem certeza, gatinha?

Eu faço que sim antes que perca a coragem.

— Tudo bem — diz mamãe. — Mas eu vou com ela.

— Não tem o menor problema — diz tio Carlos.

— Não ligo se tiver problema. — Ela olha para mim. — Ela não vai fazer isso sozinha.

Essas palavras são tão gostosas quanto qualquer abraço que eu já tenha recebido.

Tio Carlos fica com o braço nos meus ombros e nos leva até uma salinha sem nada dentro além de uma mesa e algumas cadeiras. Um ar-condicionado escondido zumbe alto, jogando ar gelado lá dentro.

— Pronto — diz tio Carlos. — Vou estar lá fora, tá?

— Tá — respondo.

Ele dá os dois beijos de sempre na minha testa. Mamãe segura minha mão, e o aperto me diz o que ela não fala em voz alta: *estou do seu lado.*

Nós nos sentamos à mesa. Ela ainda está segurando a minha mão quando os dois detetives entram: um sujeito jovem e branco com cabelo preto com gel e uma mulher latina com linhas de expressão ao redor da boca e um corte de cabelo espetado. Os dois possuem armas na cintura.

*Mantenha as mãos à vista.*
*Não faça movimentos repentinos.*
*Só fale quando falarem com você.*

— Oi, Starr e Sra. Carter — cumprimenta a mulher, esticando a mão. — Sou a detetive Gomez, e este é o meu parceiro, o detetive Wilkes.

Eu solto a mão da minha mãe para apertar a dos detetives.

— Olá. — Minha voz já está mudando. Sempre acontece perto de "outras" pessoas, esteja eu em Williamson ou não. Eu não falo como eu mesma e não pareço comigo. Escolho cada palavra cuidadosamente e presto atenção para enunciá-las direito. Nunca posso deixar que pensem que sou do gueto.

— É um prazer conhecer as duas — diz Wilkes.

— Considerando as circunstâncias, eu não chamaria de prazer — diz mamãe.

O rosto e o pescoço de Wilkes ficam muito vermelhos.

— O que ele quis dizer é que ouvimos muito sobre vocês duas — diz Gomez. — Carlos sempre fala sobre a família maravilhosa que tem. Parece que já conhecemos vocês.

Ela está puxando muito o nosso saco.

— Sentem-se, por favor. — Gomez aponta para uma cadeira, e ela e Wilkes se sentam na nossa frente. — Para vocês saberem, vocês estão sendo gravadas, mas é só para podermos ter a declaração de Starr registrada.

— Tudo bem — eu digo. Aí está a voz de novo, toda insolente e tal. Eu nunca sou insolente.

A detetive Gomez diz a data e a hora, os nomes das pessoas na sala, e nos lembra que estamos sendo gravadas. Wilkes escreve no caderno. Mamãe fica passando as mãos nas minhas costas. Por um momento, só há o som do lápis no papel.

— Tudo bem. — Gomez se ajeita na cadeira e sorri, aprofundando as linhas ao redor da boca. — Não fique nervosa, Starr. Você não fez nada de errado. Só queremos saber o que aconteceu.

*Eu sei que não fiz nada de errado*, penso, mas o que sai é:

— Sim, senhora.

— Você tem 16 anos, certo?

— Sim, senhora.

— Há quanto tempo conhecia Khalil?

— Desde que eu tinha 3 anos. A avó dele cuidava de mim.

— Uau — diz ela, toda professoral, alongando a palavra. — É muito tempo. Você pode nos dizer o que aconteceu na noite do incidente?

— Você quer dizer na noite em que ele foi morto?

*Merda.*

O sorriso de Gomez some, as linhas ao redor da boca não estão mais tão profundas, mas ela diz:

— Na noite do incidente, sim. Comece onde se sentir mais à vontade.

Eu olho para mamãe. Ela assente.

— Minha amiga Kenya e eu fomos a uma festa na casa de um cara chamado Darius — começo.

*Tum-tum-tum*, eu batuco na mesa.

*Pare. Nada de movimentos repentinos.*

Coloco as mãos na mesa para que fiquem visíveis.

— Ele dá uma festa assim em todos os recessos de primavera — eu digo. — Khalil me viu e veio falar oi.

— Você sabe por que ele estava na festa? — pergunta Gomez.

*Por que uma pessoa vai a uma festa? Para se divertir.*

— Suponho que fosse por motivos recreativos — respondo. — Ele e eu conversamos sobre o que anda acontecendo nas nossas vidas.

— Que tipo de coisas? — pergunta ela.

— A avó dele está com câncer. Eu não sabia até ele me contar naquela noite.

— Entendi — diz Gomez. — O que aconteceu depois disso?

— Teve uma briga na festa, então fomos embora no carro dele.

— Khalil não teve nada a ver com a briga?

Eu levanto uma sobrancelha.

— Nada.

*Droga. Fala direito.*

Eu me sento mais ereta.

— Eu quis dizer não, senhora. Estávamos conversando quando a briga aconteceu.

— Então vocês dois foram embora. Aonde estavam indo?

— Ele me ofereceu carona até em casa ou até o mercado do meu pai. Antes que pudéssemos decidir, Um-Quinze nos fez parar.

— Quem? — pergunta ela.

— O policial. Esse é o número do distintivo dele — digo. — Eu lembro.

Wilkes faz anotações.

— Entendi — diz Gomez. — Você pode descrever o que aconteceu em seguida?

Acho que nunca vou esquecer o que aconteceu, mas falar em voz alta é diferente. E difícil.

Meus olhos ardem. Eu pisco e olho para a mesa.

Mamãe passa a mão nas minhas costas.

— Levante o rosto, Starr.

Meus pais têm essa coisa de nunca querer que eu ou meus irmãos falemos com alguém sem olhar nos olhos da pessoa. Eles alegam que os olhos de uma pessoa dizem mais do que a boca, e que isso funciona em duas vias; se olharmos alguém nos olhos e falarmos com sinceridade, a pessoa não vai ter motivo para duvidar.

Eu olho para Gomez.

— Khalil encostou o carro e desligou a ignição — digo. — Um-Quinze acendeu as luzes. Se aproximou da janela, e pediu a habilitação e os documentos de Khalil.

— Khalil fez o que ele pediu? — pergunta Gomez.

— Ele primeiro perguntou ao policial por que ele nos parou. Depois, mostrou a habilitação e os documentos.

— Khalil parecia estar furioso durante esse diálogo?

— Irritado, não furioso — respondo. — Ele achou que o policial estava sendo abusivo com ele.

— Ele falou isso?

— Não, mas eu percebi. Eu mesma achei isso.

*Merda.*

Gomez chega mais perto. O batom vinho mancha os dentes e o hálito dela tem cheiro de café.

— E por que você achou isso?

*Respire.*

*A sala não está quente. Você está nervosa.*

— Porque nós não estávamos fazendo nada de errado — digo. — Khalil não estava em alta velocidade e nem dirigindo com descuido. Não me pareceu que ele teve motivo para nos parar.

— Entendi. O que aconteceu depois?

— O policial forçou Khalil a sair do carro

— *Forçou?* — diz ela.

— Sim, senhora. Ele o puxou para fora.

— Porque Khalil estava hesitando, certo?

Mamãe faz um som rouco, como se estivesse prestes a dizer alguma coisa, mas se obrigou a ficar quieta. Ela repuxa os lábios e massageia minhas costas em círculos.

Eu me lembro do que papai disse: "*Não deixe que coloquem palavras na sua boca.*"

— Não, senhora — eu digo para Gomez. — Ele estava saindo sozinho, mas o policial o puxou para fora.

Ela diz "Entendi" de novo, mas não viu tudo como aconteceu, então não deve ter entendido.

— O que aconteceu depois? — pergunta ela.

— O policial revistou Khalil três vezes.

— Três?

*É, eu contei.*

— Sim, senhora. Não encontrou nada. Ele disse para Khalil ficar parado no lugar enquanto ia verificar a habilitação e o documento do carro.

— Mas Khalil não ficou parado, ficou? — diz ela.

— Ele também não puxou o gatilho contra ele mesmo.

*Merda. Sua bocuda do caralho.*

Os detetives se olham. Um momento de conversa silenciosa.

As paredes parecem se aproximar. O aperto nos meus pulmões volta. Eu puxo a camisa para longe do pescoço.

— Acho que acabamos por hoje — diz mamãe, pegando minha mão e começando a se levantar.

— Mas, Sra. Carter, nós não terminamos.

— Eu não ligo...

— Mãe — eu digo, e ela olha para mim. — Tudo bem. Eu consigo.

Ela olha para eles com a mesma cara com que olha para mim e meus irmãos quando a levamos ao limite. Senta-se, mas fica segurando minha mão.

— Tudo bem — diz Gomez. — Então ele revistou Khalil e disse que ia verificar a habilitação e o documento do carro. E depois?

— Khalil abriu a porta do motorista e...

*Pow!*

*Pow!*

*Pow!*

Sangue.

Lágrimas escorrem pelas minhas bochechas. Eu as limpo no braço.

— O policial atirou nele.

— Você... — começa Gomez, mas mamãe levanta um dedo na direção dela.

— Você pode fazer o *favor* de dar um segundo a ela? — diz minha mãe. Parece mais uma ordem do que uma pergunta.

Gomez não diz nada. Wilkes escreve mais alguma coisa.

Minha mãe limpa algumas das minhas lágrimas.

— Quando você estiver pronta — diz ela.

Eu engulo o caroço que tomou conta da minha garganta e faço que sim.

— Tudo bem — diz Gomez, e respira fundo. — Você sabe por que Khalil foi até a porta, Starr?

— Eu acho que ele estava vindo perguntar se eu estava bem.

— Você acha?

*Eu não sou telepata.*

— Sim, senhora. Ele começou a perguntar, mas não terminou porque o policial atirou nas costas dele.

Mais lágrimas salgadas caem nos meus lábios.

Gomez se inclina sobre a mesa.

— Nós todos queremos chegar ao fundo dessa história, Starr. Agradecemos sua cooperação. Entendo que isso é difícil agora.

Eu limpo o rosto no braço de novo.

— É.

— É. — Ela sorri e diz com o mesmo tom doce e solidário: — Você sabe se Khalil vendia narcóticos?

Uma pausa.

Que porra é essa?

Minhas lágrimas param. É sério, meus olhos ficam secos rapidamente. Antes que eu possa dizer qualquer coisa, minha mãe pergunta:

— O que isso tem a ver com o que aconteceu?

— É só uma pergunta — diz Gomez. — Sabe, Starr?

Toda a solidariedade, os sorrisos, a compreensão. Essa mulher estava armando para mim.

Investigando ou justificando?

Sei a resposta à pergunta dela. Eu soube quando vi Khalil na festa. Ele nunca usava sapatos novos. E joias? Aquelas correntes de 99 centavos que ele comprou na loja de produtos de beleza não contavam. A Sra. Rosalie só confirmou.

Mas o que isso tem a ver com ele ter sido assassinado? Por acaso faz com que não tenha mais problema?

Gomez inclina a cabeça.

— Starr? Você pode responder a pergunta?

Eu me recuso a fazê-los se sentirem melhor por terem matado meu amigo.

Eu ajeito a postura, olho nos olhos de Gomez e digo:

— Eu nunca o vi vender nem usar drogas.

— Mas você sabe se ele vendia? — pergunta ela.

— Ele nunca me disse que vendia — respondo, e é verdade. Khalil nunca admitiu para mim.

— Você tem algum conhecimento de que ele vendia?

— Eu ouvi coisas. — Também é verdade.

Ela suspira.

— Entendi. Você sabe se ele estava envolvido com os King Lords?

— Não.

— Com os Garden Disciples?

— Não.

— Você consumiu álcool na festa? — pergunta ela.

Eu conheço essa estratégia por causa de *Law & Order*. Ela está tentando me desacreditar.

— Não. Eu não bebo.

— Khalil consumiu?

— Ei, espere um segundo — diz mamãe. — Vocês vão botar Khalil e Starr em julgamento ou o policial que o matou?

Wilkes levanta o olhar das anotações.

— Eu... eu não entendi, Sra. Carter — gagueja Gomez.

— Você ainda não perguntou à minha filha sobre aquele policial — diz mamãe. — Só fica perguntando sobre Khalil, como se ele fosse o motivo de estar morto. Como ela disse, ele não puxou o gatilho contra ele mesmo.

— Nós só queremos a imagem toda, Sra. Carter. Só isso.

— Um-Quinze o matou — eu digo. — E ele não estava fazendo nada de errado. De que imagem toda você precisa?

Quinze minutos depois, saio da delegacia com a minha mãe. Nós duas sabemos a mesma coisa:

Isso vai ser uma palhaçada.

# SETE

O velório de Khalil será na sexta-feira. Amanhã. Exatamente uma semana depois de ele morrer.

Estou na escola, tentando não pensar em como ele vai estar no caixão, em quantas pessoas vão estar lá, em como ele vai estar no caixão, se as outras pessoas vão saber que eu estava com ele quando ele morreu... em como ele vai estar no caixão.

Estou fracassando em não pensar nisso.

No noticiário de segunda à noite, finalmente disseram o nome de Khalil na notícia sobre os disparos, mas com um título acrescentado: Khalil Harris, suspeito de ser traficante de drogas. Não mencionaram que ele não estava armado. Só disseram que uma "testemunha não identificada" foi interrogada e que a polícia ainda estava investigando.

Depois do que falei para a polícia, não sei o que sobrou para "investigar".

No ginásio, todo mundo já está vestido de short azul e camiseta dourada de Williamson, mas a aula de educação física ainda não começou. Para passar o tempo, algumas garotas desafiaram alguns garotos em um jogo de basquete. Eles estão jogando em um lado do ginásio, o chão fazendo barulho conforme correm. As garotas gritam *"Paaaara!"* quando os garotos as marcam. Flertando no estilo de Williamson.

Hailey, Maya e eu estamos nas arquibancadas do outro lado. No chão, alguns caras estão supostamente dançando, tentando aprender os passos para o baile. Eu digo *supostamente* porque não tem como aquela merda ser chamada de dança. O namorado de Maya, Ryan, é o único que chega perto, e ele só está fazendo o *dab*. É a marca registrada dele. Ele é um *linebacker* de futebol americano, grande e com ombros largos, e é meio engraçado, mas essa é a vantagem de ser o único cara negro da turma. Você pode fazer papel de bobo e continuar descolado.

Chris está na arquibancada de baixo, tocando um dos mixes dele no celular para que os garotos dancem. Ele olha para trás para me ver.

Tenho duas guarda-costas que não vão deixar que ele chegue perto de mim: Maya de um lado, estimulando a dança de Ryan, e Hailey, que está morrendo de rir de Luke e filmando a dança dele. Elas ainda estão com raiva de Chris.

Eu, sinceramente, não estou mais. Ele cometeu um erro e eu o perdoo. O tema de *Um maluco no pedaço* e a disposição dele de passar vergonha ajudaram.

Mas, naquele momento em que segurou as minhas mãos e eu tive uma lembrança daquela noite, parece que eu de repente me dei conta de verdade *mesmo* de que Chris é branco. Como Um-Quinze. E eu sei, estou sentada aqui ao lado da minha melhor amiga branca, mas é quase como se eu estivesse mandando Khalil, papai, Seven e todos os outros negros da minha vida se foderem bem alto ao ter um namorado branco.

Chris não nos mandou encostar o carro, não atirou em Khalil, mas estou traindo quem eu sou ao namorá-lo?

Preciso entender isso.

— Ah, meu Deus, que bizarro — diz Hailey. Ela parou de filmar para ver o jogo de basquete. — Elas não estão nem tentando.

Não estão mesmo. A bola voa pelo alto quando Bridgette Holloway faz uma tentativa de cesta. Ou a coordenação dela está péssima, ou ela errou de propósito, porque agora, Jackson Reynolds está mostrando a ela como jogar. Basicamente, ele está em cima dela. E sem camisa.

— Não sei o que é pior — diz Hailey. — O fato de estarem pegando leve com elas por serem garotas ou o fato de as garotas deixarem que eles peguem leve.

— Igualdade no basquete. Certo, Hails? — diz Maya com uma piscadela.

— Sim! Espere. — Ela olha para Maya com desconfiança. — Você está debochando de mim ou está falando sério, Baixinha?

— As duas coisas — digo, me apoiando nos cotovelos, a barriga aparecendo embaixo da camiseta: estou grávida de tanta comida. Acabamos de almoçar, e o refeitório serviu frango frito, uma das comidas que a Williamson sabe fazer direito. — Não é nem um jogo de verdade, Hails — digo para ela.

— Não. — Maya dá um tapinha na minha barriga. — Pra quando é o bebê?

— Pra mesma data que o seu.

— Ahh! Podemos criar nossos bebês de comida como irmãos.

— Não é? O nome do meu vai ser Fernando — eu digo.

— Por que Fernando? — pergunta Maya.

— Sei lá. Parece um nome de bebê de comida. Principalmente se você alonga o *r*.

— Eu não sei alongar o *r*. — Ela tenta, mas faz um barulho estranho e baba um pouco, e eu morro de rir.

Hailey aponta para o jogo.

— Olhem aquilo! É aquela mentalidade de "jogar como uma garota" que o sexo masculino usa para diminuir as mulheres, apesar de sermos tão atléticas quanto eles.

Ah, meu Senhor. Ela está mesmo aborrecida por isso.

— Levem a bola até o buraco! — grita ela para as garotas.

Maya chama minha atenção, os olhos brilham sorrateiros, e é um déjà vu do fundamental II.

— E não tenham medo de jogar da linha de três pontos! — grita Maya.

— Mantenham a cabeça no jogo — digo. — Mantenham a cabeça no jogo.

— E não tenham medo de jogar da linha de três pontos — repete Maya cantando.

— Mantenham a cabeça no jogo — repito cantando também.

Nós cantamos "Get'cha Head in the Game", de *High School Musical*. Vai ficar na minha cabeça por vários dias. Éramos obcecadas pelos filmes na mesma época que pelos Jonas Brothers. A Disney levou todo o dinheiro dos nossos pais.

Estamos cantando alto agora. Hailey está tentando fazer cara feia para nós. Mas ri.

— Venham. — Ela se levanta e me puxa, junto com Maya. — Vamos meter a cabeça *nesse* jogo.

Estou pensando: *Ah, então você pode me arrastar para jogar basquete no meio de uma das suas fúrias feministas, mas não pode me seguir no Tumblr por causa de Emmett Till?* Não sei por que não consigo tocar no assunto. É o Tumblr.

Mas, por outro lado, é só o *Tumblr*.

— Ei! — diz Hailey. — Nós queremos jogar.

— Não queremos, não — murmura Maya. Hailey a cutuca.

Eu também não quero jogar, mas por algum motivo Hailey toma decisões e Maya e eu a seguimos. Não planejamos ser assim. Às vezes, merdas simplesmente acontecem, e um dia você percebe que tem uma líder no grupo que não é você.

— Venham, moças. — Jackson nos chama para o jogo. — Sempre tem espaço para garotas bonitas. Vamos tentar não machucar vocês.

Hailey olha para mim, eu olho para ela, e estamos com a mesma expressão impassível que dominamos desde o quinto ano, as bocas ligeiramente abertas, os olhos prontos para se revirarem a qualquer momento.

— Tudo bem — digo. — Vamos jogar.

— Três contra três — diz Hailey quando assumimos nossas posições. — Garotas contra garotos. Metade da quadra. Vence quem fizer vinte. Desculpem, moças, mas eu e minhas meninas vamos cuidar disso, tá?

Bridgette faz uma cara bem feia para Hailey. Ela e as amigas se afastam para a lateral da quadra.

O grupo de dança para e os garotos chegam perto, inclusive Chris. Ele sussurra alguma coisa com Tyler, um dos garotos que jogou no jogo anterior. Chris toma o lugar de Tyler na quadra.

Jackson passa a bola para Hailey. Eu contorno meu marcador, Garrett, e Hailey faz um passe para mim. Não importa o que esteja acontecendo; quando Hailey, Maya e eu jogamos juntas, temos ritmo, química e habilidade misturados a uma bola de talento.

Garrett está me marcando, mas Chris corre até ele e dá uma cotovelada para o empurrar para o lado.

— Que porra é essa, Bryant?

— Eu cuido dela — diz Chris.

Ele assume uma postura defensiva. Ficamos olho no olho enquanto eu bato a bola no chão.

— Oi — diz ele.

— Oi.

Faço um passe na altura do peito para Maya, que está preparada para pular e jogar na cesta.

Ela marca.

Dois a zero.

— Bom trabalho, Yang! — diz a treinadora Meyers. Ela saiu da sala dela. Basta um sinal de jogo de verdade que ela entra no modo treinadora. Ela me lembra uma instrutora de treinos maluca de um reality show da televisão. É pequena e musculosa, e como essa mulher grita.

Garrett está na linha de fundo com a bola.

Chris corre para se livrar da marcação. Estou de barriga cheia, então tenho que me esforçar para acompanhar. Estamos quadril com quadril, vendo Garrett tentar decidir para quem passar. Nossos braços roçam, e uma coisa em mim é ativada; meus sentidos são de repente consumidos por Chris. As pernas dele ficam tão lindas com o short de educação física. Ele está usando Old Spice, e mesmo com esse roçar de leve, a pele dele parecia tão macia.

— Estou com saudades — diz ele.

Não faz sentido mentir.

— Eu também estou.

A bola vem na direção dele. Chris pega. Agora, eu estou na defesa, e ficamos olho no olho novamente enquanto ele bate a bola. Meu olhar desce para os lábios dele; estão meio úmidos e implorando para que eu os beije. É por isso que eu não posso jogar com ele. Eu me distraio.

— Você pode pelo menos conversar comigo? — pergunta Chris.

— Defesa, Carter! — grita a treinadora.

Eu me concentro na bola e tento roubar dele. Não sou rápida o bastante. Ele me contorna e vai direto até o aro, mas passa para Jackson, que está livre na linha de três pontos.

— Grant! — grita a treinadora para Hailey.

Hailey corre até lá. As pontas dos dedos roçam na bola quando sai da mão de Jackson e ela muda de direção.

A bola sai voando. Eu saio correndo. Eu pego.

Chris está atrás de mim, a única coisa entre mim e a cesta. Preciso esclarecer: minha bunda está na virilha dele, minhas costas no peito dele. Estou me chocando contra ele e tentando decidir como enfiar a bola no buraco. Parece bem mais pervertido do que realmente é, principalmente naquela posição. Mas entendi por que Bridgette errou arremessos.

— Starr! — grita Hailey.

Ela está livre na linha de três pontos. Eu quico a bola para ela.

Ela arremessa. Na mosca.

Cinco a zero.

— Vamos lá, meninos — provoca Maya. — Isso é tudo que vocês conseguem fazer?

A treinadora aplaude.

— Bom trabalho. Bom trabalho.

Jackson está na linha de fundo. Ele passa para Chris. Chris devolve para ele com um passe na altura do peito.

— Não entendo — diz Chris. — Você praticamente surtou outro dia no corredor. O que está acontecendo?

Garrett passa para Chris. Assumo minha postura defensiva, os olhos na bola. Não em Chris. Não posso olhar para Chris. Meus olhos vão me entregar.

— Fale comigo — pede ele.

Eu tento roubar de novo. Não consigo.

— Se concentre no jogo — digo.

Chris vai para a esquerda, muda rapidamente de direção e vai para a direita. Eu tento ficar em cima dele, mas meu estômago pesado me deixa lenta. Ele chega ao aro e joga na cesta. Cai dentro.

Cinco a dois.

— Droga, Starr! — grita Hailey, recuperando a bola. Ela passa para mim. — Acelera! Finge que a bola é frango frito. Aposto que assim você fica em cima.

Mas.

Que.

Porra.

Foi.

Essa?

O mundo se movimenta sem mim. Eu seguro a bola e fico olhando Hailey correr para longe, o cabelo com mecha azul balançando.

Não consigo acreditar que ela disse... Não é possível. Não mesmo.

A bola cai das minhas mãos. Eu saio da quadra. Estou respirando pesado, os olhos ardendo.

O cheiro de suor pós-jogo paira no vestiário feminino. É meu lugar de consolo quando perdemos um jogo, onde eu posso chorar ou xingar se quiser.

Ando de um lado dos armários até o outro.

Hailey e Maya entram correndo, sem fôlego.

— O que está acontecendo com você? — pergunta Hailey.

— Comigo? — digo, minha voz ecoando nos armários. — Que porra foi aquele comentário?

— Pega leve! Foi só coisa de jogo.

— Uma piada de frango frito foi só coisa de jogo? É mesmo? — pergunto.

— Hoje foi o dia do frango frito! — explica ela. — Você e Maya estavam brincando sobre isso agora mesmo. O que você está tentando dizer?

Eu continuo andando.

Ela arregala os olhos.

— Ah, meu Deus. Você acha que eu estava sendo *racista*?

Eu olho para ela.

— Você fez um comentário sobre frango frito para a única garota negra presente. O que você acha?

— Puta merda, Starr! É sério? Depois de tudo que passamos você acha que sou racista? É sério?

— É possível dizer uma coisa racista e não ser racista!

— Tem alguma coisa acontecendo, Starr? — pergunta Maya.

— Por que todo mundo fica me perguntando isso? — respondo com rispidez.

— Porque você anda muito esquisita ultimamente! — diz Hailey. Ela me olha e pergunta: — Isso tem alguma coisa a ver com o policial que atirou naquele traficante no seu bairro?

— O q-quê?

— Eu ouvi no noticiário — diz ela. — E sei que você anda se envolvendo com esse tipo de coisa agora...

Com esse tipo de coisa? Que porra é "esse tipo de coisa"?

— Disseram que o nome do traficante era Khalil — diz ela, e troca um olhar com Maya.

— Nós queríamos perguntar se era o Khalil que ia nas suas festas de aniversário — acrescenta Maya. — Mas não sabíamos como fazer isso.

Traficante. É assim que elas o veem agora. Não importa que ele seja suspeito de tráfico. "Traficante" fala mais alto do que "suspeito" pode falar.

Se for revelado que eu estava no carro, o que isso vai me tornar? A garota bandida do gueto com o traficante? O que meus professores vão pensar de mim? Meus amigos? O mundo todo, possivelmente?

— Eu...

Fecho os olhos. Khalil olha para o céu.

*"Cuida da sua vida, Starr"*, diz ele.

Eu engulo em seco e sussurro:

— Eu não conheço aquele Khalil.

É uma traição pior do que namorar um garoto branco. Eu o nego e praticamente apago cada gargalhada que demos, cada abraço, cada lágrima, cada segundo que passamos juntos. Um milhão de "me desculpe" ecoam na minha cabeça, e espero que cheguem a Khalil onde quer que ele esteja, e mesmo assim nunca serão suficientes.

Mas eu tive que fazer isso. Tive.

— Então o que é? — pergunta Hailey. — É aniversário da morte de Natasha ou alguma coisa assim?

Eu olho para o teto e pisco rápido para não começar a chorar. Fora meus irmãos e meus professores, Hailey e Maya são as únicas pessoas da Williamson que sabem sobre Natasha. Eu não quero a pena das pessoas.

— Foi o aniversário da morte da minha mãe algumas semanas atrás — diz Hailey. — Fiquei com o humor péssimo durante dias. Entendo se você estiver chateada, mas me acusar de ser racista, Starr? Como você *pode*?

Eu pisco mais rápido. Deus, eu a estou afastando, estou afastando Chris. Droga, eu os mereço? Não falo sobre Natasha e acabei de negar Khalil. Podia ter sido eu a estar morta em vez deles. Não tenho a decência de manter a lembrança deles viva, mas supostamente sou a melhor amiga deles.

Eu cubro a boca. Isso não impede o choro. Sai alto e ecoa nas paredes. Vem outro soluço em seguida, e outro. Maya e Hailey fazem carinho nas minhas costas e nos meus ombros.

A treinadora Meyers entra.

— Carter...

Hailey olha para ela e diz:

— Natasha.

A treinadora assente com expressão pesada.

— Carter, vá ver a Sra. Lawrence.

O quê? Não. Ela vai me mandar para a psicóloga da escola? Todos os professores sabem sobre a pobre Starr que viu a amiga morrer quando tinha 10 anos. Eu caía no choro o tempo todo, e essa era sempre a fala deles: ir ver a Sra. Lawrence. Eu seco os olhos.

— Treinadora, eu estou bem...

— Não, não está. — Ela tira um passe do bolso e me entrega. — Vá conversar com ela. Vai ajudar você a se sentir melhor.

Não vai, mas sei o que vai.

Eu pego o passe, tiro a mochila do armário e volto para o ginásio. Meus colegas de turma me acompanham com os olhos enquanto sigo rapidamente para a porta. Chris me chama. Eu acelero.

Eles devem ter me ouvido chorar. Que ótimo. O que é pior do que ser a Garota Negra Furiosa? Ser a Garota Negra *Fraca*.

Quando chego à diretoria, já sequei totalmente os olhos e o rosto.

— Boa tarde — diz o Dr. Davis, o diretor. Ele está saindo quando eu entro e não espera a minha resposta. Ele conhece todos os alunos pelo nome ou só os que são negros como ele? Odeio pensar em coisas assim agora.

A secretária dele, Sra. Lindsey, me cumprimenta com um sorriso e pergunta como pode me ajudar.

— Preciso ligar para virem me buscar — respondo. — Não estou me sentindo bem.

Eu ligo para o tio Carlos. Meus pais fariam perguntas demais. É preciso ter perdido um membro para eles me tirarem da escola. Só preciso dizer para o tio Carlos que estou com cólica e ele vem me buscar.

Problemas femininos. A chave para acabar com o interrogatório do tio Carlos.

Por sorte, ele está no intervalo do almoço. Ele autoriza minha saída, e ponho a mão na barriga para dar credibilidade à minha história. Quando estamos saindo, ele pergunta se quero sorvete de iogurte. Eu digo que quero, e pouco tempo depois estamos entrando em uma sorveteria que fica pertinho da Williamson. Fica em um minishopping novinho que devia ser chamado Paraíso dos Hipsters, cheio de lojas que nunca se veria em Garden Heights. De um lado da sorveteria tem uma Indie Urban Style e, do outro, uma Dapper Dog, onde dá para comprar roupinhas para cachorros. Roupas. Para cachorros. Que tipo de idiota eu seria se botasse camisa de linho e jeans no Tijolão?

Falando sério agora: os brancos são malucos por seus cachorros.

Enchemos nossos copos com sorvete de iogurte. No bufê de coberturas, tio Carlos começa a cantar o rap do sorvete de iogurte.

— Estou tomando sorvete de iogurte, yo. Sorvete de iogurte, yo, yo.

Ele adora sorvete de iogurte. É meio fofo. Vamos para um lugar no canto, com mesa verde-limão e banco rosa-choque. Decoração típica dessas sorveterias.

Tio Carlos olha para o meu copo.

— Você realmente estragou um delicioso sorvete com cereal Cap'n Crunch?

— Você não pode falar nada — digo. — Oreo, tio Carlos? É sério? E não é nem Golden Oreo, muito melhor que o tradicional. Você botou Oreo comum. *Eca.*

Ele devora uma colherada e diz:

— Você é esquisita.

— *Você* é esquisito.

— Cólica, é? — diz ele.

Merda. Eu quase me esqueci disso. Coloco a mão na barriga e dou um gemido.

— É. Está bem forte hoje.

Sei quem *não* vai ganhar um Oscar no futuro próximo. Tio Carlos me lança seu olhar duro de detetive. Eu dou outro gemido, que soa um pouco mais verdadeiro. Ele levanta as sobrancelhas.

O celular dele toca no bolso do casaco. Ele coloca outra colherada de sorvete na boca e olha o aparelho.

— É sua mãe retornando minha ligação — diz ele com a colher na boca. Ele segura o aparelho com a bochecha e o ombro. — Oi, Lisa. Recebeu minha mensagem?

Merda.

— Ela não está se sentindo bem — diz tio Carlos. — Está com, você sabe, problemas *femininos*.

A resposta dela é alta, mas abafada. Merda, merda.

Tio Carlos segura a nuca e solta lentamente um suspiro longo e profundo. Ele vira um garotinho quando mamãe levanta a voz para ele, e isso porque é o mais velho.

— Tudo bem, tudo bem. Entendi — diz ele. — Aqui, fale você com ela.

Merda, merda, merda.

Ele me passa a dinamite anteriormente conhecida como o celular dele. Tem uma explosão de perguntas assim que eu digo:

— Alô.

— Cólica, Starr? Sério? — pergunta ela.

— Bem forte, mãe — choramingo, mentindo com tudo.

— Garota, por favor. Eu fui à aula em trabalho de parto quando estava grávida de você — diz ela. — Pago muito dinheiro para você estudar na Williamson para você ir embora por causa de cólica.

Eu quase ressalto que também tenho bolsa, mas deixo para lá. Ela seria a primeira pessoa na história a bater em alguém pelo telefone.

— Aconteceu alguma coisa? — pergunta ela.

— Não.

— É Khalil? — pergunta ela.

Eu suspiro. A essa hora amanhã, estarei olhando para ele no caixão.

— Starr? — diz ela.

— Não aconteceu nada.

A Sra. Felicia a chama ao fundo.

— Olha, eu tenho que ir — avisa ela. — Carlos vai te levar para casa. Tranque a porta, fique lá dentro e não deixe ninguém entrar, está ouvindo?

Não são dicas de sobrevivência a um ataque zumbi. Só instruções normais para crianças que ficam em casa sem os pais em Garden Heights.

— Não posso deixar Seven e Sekani entrar? Ótimo.

— Ah, alguém está tentando ser engraçadinha. Agora eu sei que você não está se sentindo mal. Vamos conversar mais tarde. Te amo. Um beijo!

É preciso muita coragem para dar bronca em alguém, chamar a atenção e dizer que ama a pessoa em um intervalo de cinco minutos. Eu digo que a amo também e passo o celular para o tio Carlos.

— Tudo bem, gatinha — diz ele. — Fala tudo.

Coloco sorvete na boca. Já está derretendo.

— É como eu falei. Cólica.

— Não caí nessa, e vamos deixar uma coisa bem clara: só se tem uma carta de "tio Carlos, me tira da escola" por ano letivo, e você está usando a sua agora.

— Você me tirou em dezembro, lembra? — Também foi por cólica. Eu não estava mentindo. Estava péssima naquele dia.

— Tudo bem, uma a cada ano do *calendário* — esclarece ele. Eu dou um sorriso. — Mas você tem que me dar um pouco mais do que isso. Pode falar.

Eu empurro o cereal misturado no meu sorvete.

— O enterro de Khalil é amanhã.

— Eu sei.

— Não sei se eu devia ir.

— O quê? Por quê?

— Porque sim — respondo. — Tinha meses que eu não o via antes da festa.

— Mesmo assim, você deve ir — insiste ele. — Você vai se arrepender se não for. Eu pensei em ir. Mas não sei se é boa ideia, considerando tudo.

Silêncio.

— Você é mesmo amigo daquele policial? — pergunto.

— Eu não diria amigo. Colega.

— Mas você o trata pelo primeiro nome, não é?

— É.

Eu olho para o meu copo de sorvete. Tio Carlos foi meu primeiro pai de várias formas. Papai foi para a prisão na mesma época que me dei conta de que "mamãe" e "papai" não eram só nomes, mas que queriam dizer alguma coisa. Eu falava com papai no telefone todas as semanas, mas ele não queria que eu e Seven botássemos o pé na prisão, então eu não o via.

Mas via tio Carlos. Ele preencheu o papel e mais um pouco. Uma vez, perguntei se podia chamá-lo de pai. Ele disse não, porque eu já tinha um, mas que ser meu tio era a melhor coisa que ele podia ser. Desde então, tio quer dizer quase tanto quanto pai.

Meu tio. Tratando aquele policial pelo primeiro nome.

— Gatinha, não sei o que dizer. — A voz dele soa rouca. — Queria saber. Sinto muito por isso ter acontecido. Sinto mesmo.

— Por que não prenderam ele?

— Casos assim são difíceis.

— Não é tão difícil — digo. — Ele matou Khalil.

— Eu sei, eu sei — diz ele, e limpa o rosto. — Eu sei.

— Você o teria matado?

Ele olha para mim.

— Starr... eu não tenho como responder isso.

— Tem, sim.

— Não tenho, não. Eu gostaria de pensar que não teria, mas é difícil dizer quando não estamos na situação, sentindo o que o policial está sentindo...

— Ele apontou a arma para mim — digo de repente.

— O quê?

Meus olhos ardem demais.

— Enquanto a gente esperava o socorro chegar — explico, minhas palavras trêmulas. — Ficou com a arma apontada pra mim até outra pessoa chegar. Como se eu fosse uma ameaça. Não era eu quem estava com uma arma.

Tio Carlos fica me olhando por um tempão.

— Gatinha...

Ele estica a mão para segurar a minha. Aperta e chega para o meu lado da mesa. O braço me contorna, e eu coloco o rosto em seu peito, lágrimas e meleca molhando sua camisa.

— Me desculpe. Me desculpe. Me desculpe. — Ele beija meu cabelo a cada pedido de desculpas. — Mas sei que isso não basta.

# OITO

Funerais não são para gente morta. São para os vivos.

Duvido que Khalil se importe com as músicas cantadas ou com o que o pastor diz sobre ele. Ele está em um caixão. Nada pode mudar isso.

Minha família e eu saímos meia hora antes do início do funeral, mas o estacionamento da Igreja do Templo de Cristo já está lotado. Alguns garotos da escola de Khalil vestem camisetas com o dizer "Descanse em paz, Khalil" e o rosto dele. Um cara tentou nos vender ontem, mas mamãe disse que não íamos usar hoje; camisetas são para a rua, não para a igreja.

E aqui estamos nós, de vestidos e ternos. Meus pais estão de mãos dadas e andam na minha frente e dos meus irmãos. Frequentávamos a Templo de Cristo quando eu era mais nova, mas mamãe se cansou da forma como as pessoas aqui agem como se a merda delas não fedesse, e passamos a ir a uma igreja com "diversidade" em Riverton Hills. Tem gente demais lá, e o louvor e a adoração são feitos por um cara branco de violão. Ah, e o culto dura menos de uma hora.

Voltar para a Templo de Cristo é como voltar para a antiga escola de fundamental I depois que você chegou ao ensino médio. Quando você era menor, parecia enorme, mas quando volta, percebe o quanto é pequena. As pessoas ocupam o pequeno saguão. Tem tapete da cor de cereja e duas cadeiras vinho de costas altas. Uma vez, mamãe me trouxe aqui porque eu estava de birra. Ela me fez sentar em uma das cadeiras e me mandou não me mexer até o fim do culto. Eu não me mexi. Havia um quadro do pastor acima das cadeiras, e eu podia jurar que ele estava me olhando. Tantos anos depois e o quadro sinistro ainda está lá.

Tem uma fila para assinar um livro para a família de Khalil e outra fila para entrar no santuário. Para vê-lo.

Tenho um vislumbre de um caixão branco na frente do altar, mas não consigo me obrigar a tentar ver mais do que isso. Vou acabar tendo que vê-lo, mas... não sei. Quero esperar até não ter escolha.

O pastor Eldridge cumprimenta as pessoas à porta do santuário. Está usando vestes compridas e brancas com cruzes douradas. Ele sorri para todo mundo. Não sei por que o deixaram tão sinistro no quadro. Ele não é sinistro ao vivo.

Mamãe olha para mim, para Seven e Sekani, como se quisesse ter certeza de que estamos com boa aparência, depois ela e papai vão até o pastor Eldridge.

— Bom dia, pastor — cumprimenta ela.

— Lisa! Que bom ver você. — Ele beija o rosto dela e aperta a mão do papai. — Maverick, também é bom ver você. Sentimos falta de vocês aqui.

— Aposto que sentem — murmura papai. Outro motivo para termos deixado a Templo de Cristo: papai não gosta de eles pedirem tantas doações. Mas também não vai à nossa igreja.

— Esses devem ser seus filhos — diz o pastor Eldridge. Ele aperta as mãos de Seven e de Sekani e beija minha bochecha. Sinto o bigode me espetar mais do que qualquer outra coisa. — Vocês cresceram desde a última vez que os vi. Lembro quando o menor era uma coisinha pequenininha enrolada em uma manta. Como está sua mãe, Lisa?

— Está bem. Sente falta de vir aqui, mas é meio distante para ela.

Eu olho de lado com uma expressão infernal... perdão, terrível; estamos na igreja. Vovó parou de ir à Templo de Cristo por causa de um incidente entre ela e Mãe Wilson por causa de Deacon Rankin.

Acabou com vovó saindo batendo os pés no piquenique da igreja, indo embora com o pudim de banana na mão. Mas isso é tudo que eu sei.

— Nós entendemos — diz o pastor Eldridge. — Diga que estamos orando por ela. — Ele olha para mim com uma expressão que conheço bem: pena. — A Sra. Rosalie me disse que você estava com Khalil quando aconteceu Sinto muito por você ter tido que testemunhar isso.

— Obrigada. — É estranho dizer isso, como se eu estivesse roubando solidariedade da família de Khalil.

Mamãe segura minha mão.

— Nós vamos procurar um lugar para sentar. Foi bom falar com o senhor, pastor.

Papai passa o braço pelos meus ombros, e nós três entramos no santuário juntos.

Minhas pernas tremem e uma onda de náusea me atinge, e ainda não estamos nem na frente da fila. As pessoas vão até o caixão de duas em duas, então não consigo ver Khalil.

Em pouco tempo, tem seis pessoas na nossa frente. Quatro. Duas. Agora fico de olhos fechados. E aí, chega a nossa vez.

Meus pais me levam.

— Amorzinho, abra os olhos — diz mamãe.

Eu abro. Tem um manequim parecido com Khalil dentro do caixão. A pele está mais escura e os lábios estão mais rosados do que deveriam estar, por causa da maquiagem. O verdadeiro Khalil teria um ataque se alguém passasse essa merda nele. O manequim está de terno branco com um pingente de cruz dourada.

O verdadeiro Khalil tinha covinhas. O manequim não tem.

Mamãe seca lágrimas dos olhos. Papai balança a cabeça. Seven e Sekani ficam olhando.

*Esse não é Khalil*, digo para mim mesma. *Assim como não era Natasha.*

O manequim de Natasha usava um vestido branco com flores cor-de-rosa e amarelas. Também estava de maquiagem. Mamãe me disse: "Está vendo, ela parece estar dormindo." Mas quando apertei a mão dela, os olhos não se abriram.

Papai me carregou para fora do santuário enquanto eu gritava para ela acordar.

Nós saímos de perto do caixão, para que as pessoas seguintes pudessem olhar o manequim de Khalil. Um recepcionista está prestes a nos direcionar aos assentos da igreja, mas uma moça com cachos naturais indica a fileira da frente no lado dos amigos, bem na frente dela. Não faço ideia de quem seja, mas ela deve ser alguém se está dando ordens assim. E deve saber alguma coisa sobre mim se acha que minha família merece a fileira da frente.

Nós nos sentamos, e eu me concentro nas flores. Tem um coração grande feito de rosas vermelhas e brancas, um "K" feito de copos de leite e um arranjo de flores em laranja e verde, as cores favoritas dele.

Quando as flores acabam, olho para o programa do funeral. Está cheio de fotos de Khalil, de quando ele era um bebê de cabelo encaracolado até alguns dias atrás, com amigos que não conheço. Tem fotos minhas com ele de anos atrás, e uma de nós dois com Natasha. Nós três sorrimos, tentando fazer cara de gângsteres fazendo o sinal da paz. O Trio de Ouro. Mais unidos do que as fendas no nariz do Voldemort. Agora, só restou eu.

Eu fecho o programa.

— Todos de pé. — A voz do pastor Eldridge ecoa pelo santuário.

O organista começa a tocar, e todo mundo se levanta.

— E Jesus disse: "Não permitam que seus corações se aflijam" — diz ele, descendo pelo corredor central. — "Se vocês acreditam em Deus, também acreditem em mim."

A Sra. Rosalie entra atrás dele. Cameron anda ao lado dela, segurando sua mão. Lágrimas marcam as bochechas gordinhas dele.

A tia de Khalil, Tammy, segura a outra mão da Sra. Rosalie. A Sra. Brenda está chorando atrás deles, usando um vestido preto que já foi da minha mãe. O cabelo está preso em um rabo de cavalo. Dois caras, acho que primos de Khalil, a seguram. É mais fácil olhar para o caixão.

— "A casa do meu Pai tem muitos aposentos; se não fosse assim, eu teria dito que vou para lá preparar um lugar para você?" — diz o pastor Eldridge. — "E se eu for preparar um lugar para você, vou voltar e levar você para ficar comigo, para que você também possa ficar onde estou."

No funeral de Natasha, a mãe dela desmaiou quando a viu no caixão. De alguma forma, a mãe e a avó de Khalil não desmaiam.

— Quero deixar uma coisa clara hoje — diz o pastor Eldridge quando todos estão sentados. — As circunstâncias não importam. Isto é uma comemoração de volta ao lar. O choro pode durar uma noite, mas quantos de vocês conhecem essa ALEGRIA...! — Ele nem termina e as pessoas já gritam.

O coral canta músicas animadas, e quase todo mundo bate palmas e louva Jesus. Mamãe canta junto e balança as mãos. A avó e a tia de Khalil também batem palmas e cantam. Até uma dança de louvor começa, e as pessoas correm pelo santuário e fazem o "Passinho do Espírito Santo", como Seven e eu chamamos, mexendo os pés como James Brown e os braços dobrados batendo como asas de galinha.

Mas, se Khalil não está comemorando, como as pessoas podem estar? E por que louvar Jesus se ele deixou Khalil levar um tiro?

Eu escondo o rosto com as mãos, torcendo para sufocar a batida, os metais, os gritos. Essa merda não faz sentido.

Depois de tanto louvor, alguns colegas de Khalil, os que estavam de camiseta no estacionamento, fazem uma apresentação. Dão para a família o capelo e a beca que Khalil usaria em poucos meses e choram enquanto contam histórias engraçadas que nunca ouvi. Mas sou eu quem está na primeira fila no lado dos amigos. Sou uma farsa.

Em seguida, a moça com os cachos vai até o pódio. A saia-lápis preta e o blazer têm aparência mais profissional do que de igreja, e ela também usa uma camiseta de "Descanse em paz, Khalil".

— Bom dia — diz ela, e todo mundo responde. — Meu nome é April Ofrah, e sou do Just Us for Justice. Somos uma pequena organização aqui de Garden Heights que advoga por responsabilidade policial.

"Enquanto nos despedimos de Khalil, sentimos o peso nos nossos corações da dura verdade de como ele perdeu a vida. Logo antes do começo deste funeral, fui informada que, apesar de haver uma testemunha ocular confiável, o departamento de polícia não tem intenção de prender o policial que assassinou esse jovem."

— O quê? — pergunto enquanto as pessoas murmuram por todo o santuário. Com tudo que contei, não vão prendê-lo?

— O que não querem que vocês saibam — diz a Sra. Ofrah — é que Khalil estava desarmado na hora do assassinato.

As pessoas começam a falar *de verdade*. Algumas pessoas gritam, inclusive uma que tem ousadia suficiente para gritar "Que babaquice" em uma igreja.

— Nós não vamos desistir enquanto Khalil não tiver justiça — proclama a Sra. Ofrah acima da falação. — Peço que vocês se juntem a nós e à família de Khalil depois do velório para uma marcha pacífica até o cemitério. Nosso caminho passa pela delegacia de polícia. Khalil foi silenciado, mas vamos nos juntar e fazer com que nossas vozes sejam ouvidas em seu nome. Obrigada.

A congregação aplaude de pé. Quando ela volta para seu lugar, olha para mim. Se a Sra. Rosalie contou para o pastor que eu estava com Khalil, também deve ter contado para essa moça. Aposto que ela quer conversar.

O pastor Eldridge faz uma pregação que leva Khalil para o céu. Não estou dizendo que Khalil não foi para o céu, eu não sei, mas o pastor Eldridge tenta garantir que ele vá para lá. Ele sua e respira com tanta intensidade que me canso de olhar para sua cara.

No final do sermão, ele diz:

— Se alguém quiser ver o corpo, agora é...

Ele olha para os fundos da igreja. Murmúrios transbordam pelo santuário.

Mamãe olha para trás.

— Mas o que é isso?

King e um grupo de garotos estão parados nos fundos com as roupas e bandanas cinza. King está de braço dado com uma moça de vestido preto justo que mal cobre as coxas. Ela tem ondas demais no cabelo (falando sério, vai até a bunda) e está muito maquiada.

Seven se vira. Eu também não ia querer ver minha mãe com essa aparência.

Mas por que eles estão aqui? Os King Lords só aparecem em funerais dos King Lords.

O pastor Eldridge limpa a garganta.

— Como eu estava dizendo, se alguém quiser ver o corpo, agora é a hora.

King e os rapazes dele andam pelo corredor. Todo mundo fica olhando. Iesha anda ao lado dele, toda orgulhosa, sem perceber o papel que está fazendo. Ela olha para os meus pais e dá um sorrisinho debochado, e eu não a suporto. Não só por causa da forma como ela trata Seven, mas porque toda vez que ela aparece, de repente há uma tensão muda entre meus pais. Como agora. Mamãe mexe o ombro para não ficar tão perto do papai e o maxilar dele está contraído. Ela é o calcanhar de Aquiles do casamento deles, e só é perceptível se você já observa há 16 anos como eu.

King, Iesha e o restante do grupo vão até o caixão. Um dos garotos de King entrega para ele uma bandana cinza dobrada, que ele coloca no peito de Khalil.

Meu coração para.

Khalil também era um King Lord?

A Sra. Rosalie dá um salto.

— Só no inferno!

Ela anda até o caixão e tira a bandana de cima de Khalil. Começa a andar na direção de King, mas papai a segura na metade do caminho.

— Sai daqui, seu demônio! — grita ela. — E leve essa porcaria junto!

Ela joga a bandana na nuca de King.

Ele para. Lentamente, se vira.

— Olha só...

— Ei! — diz papai. — King, cara, vai embora! Sai daqui, tá?

— Sua velha — resmunga Iesha. — Que coragem tratar meu homem assim depois de ele oferecer pagar por este funeral.

— Ele pode ficar com o dinheiro imundo! — diz a Sra. Rosalie. — E pode levar seu traseiro pela porta também. Entrar na casa do Senhor parecendo a prostituta que você é!

Seven balança a cabeça. Não é segredo que meu irmão mais velho é o resultado de uma sessão "contratada" que papai teve com Iesha depois de uma briga com mamãe. Iesha era garota de King, mas ele a mandou "pegar Maverick", sem saber que Seven viria com a cara do meu pai. Absurdo, eu sei.

Mamãe estica a mão por trás de mim e faz carinho nas costas de Seven. Tem algumas raras vezes, quando Seven não está por perto e mamãe acha que Sekani e eu não estamos ouvindo, que ela diz para papai: "Ainda não consigo acreditar que você dormiu com aquela vaca horrenda." Mas Seven não pode estar por perto. Quando está, nada disso importa. Ela o ama mais do que odeia Iesha.

Os King Lords saem, e as conversas começam em toda parte.

Papai leva a Sra. Rosalie até o lugar dela. Ela está com tanta raiva que não para de tremer.

Eu olho para o manequim no caixão. Todas aquelas histórias de horror que papai nos contou sobre as gangues e Khalil entrou em uma? Como ele pôde *pensar* em fazer isso?

Mas não faz sentido. O carro dele tinha verde. É coisa dos Garden Disciples, não dos King Lords. E ele não saiu correndo para ajudar na briga na festa de Big D.

Mas a bandana. Papai disse uma vez que é uma tradição dos King Lords: eles coroam os camaradas falecidos colocando uma bandana dobrada sobre o corpo, como se para dizer que eles vão para o céu representando o grupo. Khalil deve ter entrado para ter essa honra.

Eu poderia tê-lo convencido a não entrar, eu sei, mas o abandonei. Que se fodam os amigos. Eu não devia nem estar no funeral.

Papai fica com a Sra. Rosalie durante o restante do velório e depois a ajuda quando a família segue o caixão. Tia Tammy faz sinal para nos juntarmos a eles.

— Obrigada por estar aqui — diz ela para mim. — Você era muito importante para Khalil, espero que saiba disso.

Minha garganta se aperta demais para eu conseguir dizer que ele também é muito importante para mim.

Nós seguimos o caixão com a família. Todo mundo por quem passamos está com lágrimas nos olhos. Por Khalil. Ele está mesmo naquele caixão e não vai voltar.

Nunca contei para ninguém, mas Khalil foi minha primeira paixão. Sem saber, ele me apresentou a um frio na barriga e depois a um coração partido quando ficou a fim de Imani Anderson, uma aluna do ensino médio que não estava nem pensando no Khalil do quarto ano. Eu me preocupei com minha aparência pela primeira vez perto dele.

Mas que se foda a paixão, ele foi um dos melhores amigos que eu já tive, mesmo que a gente só se visse de vez em quando ou uma vez por ano. O tempo não se comparava a toda a merda que passamos juntos. E agora, ele está em um caixão, como Natasha.

Lágrimas grandes e volumosas escorrem dos meus olhos, e eu soluço. É um soluço alto e feio que todo mundo ouve e vê conforme ando pelo corredor.

— Eles me deixaram — eu choro.

Mamãe passa o braço pelos meus ombros e puxa minha cabeça para o ombro dela.

— Eu sei, amorzinho, mas nós estamos aqui. Não vamos a lugar algum.

Um calor chega ao meu rosto, e sei que estamos do lado de fora. Todas as vozes e barulhos me fazem olhar. Tem mais gente aqui fora do que na igreja. Segurando pôsteres com o rosto de Khalil e cartazes que dizem "Justiça para Khalil". Os colegas dele estão com cartazes dizendo "Eu sou o próximo?" e "Já basta!" Há vans de reportagem com antenas altas estacionadas do outro lado da rua.

Escondo o rosto no ombro de mamãe de novo. Pessoas, não sei quem, dão tapinhas nas minhas costas e me dizem que vai ficar tudo bem.

Consigo saber quando é papai quem está passando a mão nas minhas costas sem ele ter que dizer nada.

— Nós vamos ficar e acompanhar o cortejo, amor — diz ele para mamãe. — Quero que Seven e Sekani façam parte disso.

— Certo, eu vou levá-la para casa. Como vocês vão voltar?

— Podemos ir caminhando até o mercado. Eu tenho mesmo que abrir. — Ele beija meu cabelo. — Eu amo você, gatinha. Descanse um pouco, tá?

O barulho de saltos pisando estalam na nossa direção, e alguém diz:

— Oi, Sr. e Sra. Carter, sou April Ofrah, do Just Us for Justice.

Mamãe fica tensa e me puxa para mais perto.

— Precisa de algo?

Ela baixa a voz e diz:

— A avó de Khalil me contou que era Starr quem estava com Khalil quando isso aconteceu. Sei que ela deu um depoimento para a polícia e quero parabenizá-la pela coragem. É uma situação difícil e deve ter exigido muita força.

— É, exigiu mesmo — diz papai.

Eu tiro a cabeça do ombro da minha mãe. A Sra. Ofrah muda de posição e mexe os dedos. Meus pais não estão ajudando com os olhares duros que lançam para ela.

— Nós todos queremos a mesma coisa — diz ela. — Justiça para Khalil.

— Me desculpe, Sra. Ofrah — diz mamãe —, mas por mais que eu queira isso, também quero que minha filha tenha paz. E privacidade.

Mamãe olha para as vans de reportagem do outro lado da rua. A Sra. Ofrah olha para elas.

— Ah! — diz ela. — Ah, não. Não, não, não. Nós não estávamos... eu não estava... não quero expor Starr assim. O contrário, na verdade. Eu quero proteger a privacidade dela.

Mamãe me aperta um pouco menos.

— Entendi.

— Starr oferece uma perspectiva única disso tudo, uma que não se tem com frequência nesses casos, e quero ter certeza de que os direitos dela estejam protegidos e a voz dela seja ouvida, sem que ela seja...

— Explorada? — pergunta papai. — Abusada?

— Exatamente. O caso está prestes a conquistar a atenção da mídia internacional, mas não quero que seja às custas dela. — Ela entrega um cartão para cada um de nós. — Além de ser defensora, eu também sou advogada. O Just Us for Justice não está fornecendo representação legal para a família Harris, tem outras pessoas fazendo isso. Estamos apenas nos manifestando com eles. No entanto, estou disponível e disposta a representar Starr. Quando vocês estiverem prontos, por favor, me liguem. E lamento pela perda de vocês.

Ela desaparece na multidão.

Ligar para ela quando eu estiver pronta, é? Acho que nunca vou estar pronta para a merda que está prestes a acontecer.

# NOVE

Meus irmãos voltam para casa com um recado: papai vai passar a noite no mercado.
    Ele também deixa instruções para nós: ficar dentro de casa.
    Uma cerca de arame envolve nossa casa. Seven coloca a tranca grande no portão, a que usamos quando saímos da cidade. Eu trago Tijolão para dentro. Ele não sabe como agir e fica andando em círculos e pulando nos móveis. Mamãe não diz nada até ele subir no sofá da sala que ainda está em bom estado.
    — Ei! — Ela estala os dedos para ele. — Tire esse traseiro enorme do meu sofá. Está maluco?
    Ele choraminga e corre até mim.
    O sol se põe. Estamos no meio da oração antes de comermos uma carne de panela com batatas quando os primeiros tiros soam.
    Nós abrimos os olhos. Sekani se encolhe. Estou acostumada com tiros, mas esses estão mais altos, mais rápidos. Um mal acaba de soar quando o outro já começa.
    — Metralhadoras — diz Seven.
    Mais tiros soam em seguida.
    — Levem o jantar para a sala de TV — diz mamãe, se levantando. — E se sentem no chão. As balas não sabem para onde devem ir.
    Seven também se levanta.
    — Mãe, eu posso...

— Seven, na sala — diz ela.
— Mas...
— Se-ven. — Ela fala o nome dele com uma pausa no meio. — Vou apagar as luzes, amorzinho, está bom? Por favor, vá para a sala.

Ele cede.
— Tudo bem.

Quando papai não está em casa, Seven age automaticamente como se fosse o homem da casa. Mamãe sempre tem que falar o nome dele pausado e colocá-lo em seu devido lugar.

Pego meu prato e o da mamãe e sigo para a sala, o único aposento sem paredes externas. Tijolão vem logo atrás de mim, mas ele sempre segue comida. O corredor fica escuro quando mamãe apaga as luzes da casa.

Temos uma televisão de tela grande antiga na sala. É o bem mais amado do papai. Nós nos reunimos em torno dela, e Seven liga o noticiário, iluminando o aposento.

Tem pelo menos cem pessoas reunidas na Magnolia Avenue. Elas pedem justiça e seguram cartazes, os punhos cerrados altos no ar em defesa do movimento black power.

Mamãe entra falando ao telefone.
— Tudo bem, Sra. Pearl, desde que você tenha certeza. Mas lembre-se que temos espaço aqui para você caso não se sinta bem sozinha. Ligo novamente mais tarde.

A Sra. Pearl é uma idosa que mora sozinha do outro lado da rua. Mamãe fala com ela o tempo todo. Diz que a Sra. Pearl precisa saber que alguém se preocupa com ela.

Mamãe se senta ao meu lado. Sekani coloca a cabeça no colo dela. Tijolão o imita e coloca a cabeça no meu colo, lambendo meus dedos.
— Estão todos com raiva porque Khalil morreu? — pergunta Sekani.

Mamãe passa os dedos pela lateral raspada do cabelo.
— É, amorzinho. Todos nós estamos.

Mas as pessoas estão com raiva *mesmo* porque Khalil estava desarmado. Não pode ser coincidência isso estar acontecendo depois de a Sra. Ofrah ter falado no funeral dele.

Os policiais reagem aos gritos com gás lacrimogênio, que cobre a multidão com uma nuvem branca. O noticiário mostra imagens de dentro da multidão, as pessoas correndo e gritando.

— Droga — diz Seven.

Sekani esconde o rosto na coxa da mamãe. Dou um pedaço da minha carne de panela para Tijolão. O aperto no meu estômago não me deixa comer.

Sirenes soam na rua. O noticiário mostra três viaturas que foram queimadas na delegacia de polícia, a uns cinco minutos de carro da nossa casa. Um posto de gasolina perto da rodovia é saqueado, e o dono, um indiano, cambaleia de um lado para o outro, cheio de sangue, dizendo que não teve nada a ver com a morte de Khalil. Uma fileira de policiais protege o Walmart no lado leste.

Meu bairro é uma zona de guerra.

Chris me manda uma mensagem para saber se estou bem, e me sinto péssima na mesma hora por evitá-lo, por bancar a Beyoncé e por tudo mais. Eu pediria desculpas, mas escrever "me desculpe" por mensagem junto com todos os emojis do mundo não é a mesma coisa que dizer cara a cara. Respondo que estou bem.

Maya e Hailey ligam, perguntam sobre o mercado, a casa, minha família, sobre mim. Nenhuma delas menciona o drama do frango frito. É estranho falar com elas sobre Garden Heights. Nós nunca falamos. Sempre tenho medo de uma delas chamar de "gueto".

Eu sei. Garden Heights é um gueto, então não seria mentira, mas é como quando eu tinha 9 anos e Seven e eu tivemos uma das nossas brigas. Ele deu um golpe baixo e me chamou de Tampinha Baixinha. É um xingamento idiota agora, quando penso no assunto, mas me deixou arrasada na época. Eu sabia que havia uma possibilidade de eu ser baixa, todas as pessoas eram mais altas do que eu, e eu podia dizer que eu era baixa se quisesse. Virou uma verdade desconfortável quando Seven falou.

Eu posso chamar Garden Heights de gueto o quanto eu quiser. Ninguém mais pode.

Mamãe fica ao telefone, vendo como estão alguns vizinhos e recebendo ligações de outros, que querem saber como nós estamos. A Sra. Jones, do fim da rua, diz que ela e os quatro filhos estão na sala, como nós. O Sr. Charles, da casa ao lado, diz que, se faltar luz, nós podemos usar o gerador dele.

Tio Carlos também liga para saber como estamos. Vovó pega o telefone e manda mamãe nos levar para lá. Como se a gente fosse passar pela merda do tiroteio para sair daqui. Eu juro que ela é maluca. Papai liga e diz que está tudo bem no mercado. Isso não me impede de ficar tensa cada vez que o noticiário menciona que uma loja foi atacada.

O noticiário faz mais do que dar o nome de Khalil agora: eles também mostram a foto dele. Só me chamam de "testemunha". Às vezes, "a testemunha negra de 16 anos".

O chefe de polícia aparece na tela e diz o que eu tinha medo que ele dissesse:

— Levamos em consideração as provas, assim como o depoimento dado pela testemunha, e agora não vemos motivo para prender o policial.

Mamãe e Seven olham para mim. Não dizem nada com Sekani presente. Mas não precisam. Tudo isso é minha culpa. As manifestações, os tiros, o gás lacrimogênio, tudo é minha culpa. Eu esqueci de contar para a polícia que Khalil saiu com as mãos para o alto. Não mencionei que o policial apontou a arma para mim. Não falei a coisa certa, e agora aquele policial não vai ser preso.

Mas, enquanto as manifestações são minha culpa, o noticiário basicamente faz parecer que a culpa de Khalil ter morrido foi dele mesmo.

— Há múltiplos relatos de que uma arma foi encontrada no carro — alega o âncora. — Também existe a desconfiança de que a vítima era traficante de drogas, além de integrante de gangue. Os policiais ainda não confirmaram se esses fatos são verdadeiros.

A história da arma não pode ser verdade. Quando perguntei a Khalil se ele tinha alguma coisa no carro, ele disse que não.

Ele também não diria se era traficante ou não. E não mencionou a história de gangue.

Mas importa? Ele não merecia morrer.

Sekani e Tijolão estão respirando fundo ao mesmo tempo, dormindo. Eu não tenho essa opção com os helicópteros, os tiros e as sirenes. Mamãe e Seven também ficam acordados. Por volta das quatro da manhã, quando está mais silencioso, papai chega, com os olhos embaçados e bocejando.

— Não chegaram a Marigold — diz ele entre garfadas de carne de panela à mesa da cozinha. — Parece que estão ficando no lado leste, perto de onde ele foi morto. Ao menos por enquanto.

— Por enquanto — repete mamãe.

Papai passa a mão pelo rosto.

— É. Não sei o que vai impedi-los de virem para cá. Merda, por mais que eu entenda, tenho medo de que venham.

— Nós não podemos ficar aqui, Maverick — diz ela, sua voz está trêmula, como se estivesse segurando alguma coisa esse tempo todo e só soltasse agora. — Não vai melhorar. Só vai piorar.

Papai estica a mão para segurar a dela. Ela o deixa, e ele a puxa para o colo. Papai passa os braços ao redor dela e beija a parte de trás da sua cabeça.

— Nós vamos ficar bem.

Ele manda Seven e eu para a cama. De alguma forma, eu adormeço.

*Natasha entra correndo no mercado de novo.*

*— Starr, venha!*

*As tranças dela estão com terra, e as bochechas antes gordinhas estão afundadas. Tem sangue encharcando suas roupas.*

*Eu dou um passo para trás. Ela corre até mim e me segura. A mão dela está gelada, como estava no caixão.*

*— Venha. — Ela me puxa. — Venha!*

*Ela me leva até a porta, e meus pés se movem contra a minha vontade.*

— *Pare — peço. — Natasha, pare!*
*Uma mão surge na porta, segurando uma Glock.*
*Bang!*

Eu acordo assustada.

Seven bate com o punho na minha porta. Ele não manda mensagens normais e também não acorda as pessoas de jeitos normais.

— Vamos sair em dez minutos.

Meu coração dispara, como se quisesse sair do peito. *Você está bem*, eu digo para mim mesma. É só o idiota do Seven.

— Sair para quê? — pergunto a ele.

— Basquete no parque. É o último sábado do mês, né? Não é o que a gente sempre faz?

— Mas... as manifestações?

— Como papai falou, as coisas aconteceram no lado leste. Estamos bem aqui. Além do mais, o noticiário diz que está tranquilo hoje.

E se alguém souber que eu sou a testemunha? E se souberem que é minha culpa o policial não ter sido preso? E se encontrarmos policiais e eles souberem quem eu sou?

— Vai ficar tudo bem — afirma Seven, como se tivesse lido minha mente. — Eu prometo. Agora, levanta essa bunda preguiçosa da cama para eu poder dar um baile em você na quadra.

Se é possível ser um babaca fofo, Seven consegue. Eu saio da cama e coloco um short de basquete, uma camiseta de LeBron e meus tênis Thirteens, como Jordan usava antes de sair do Bulls. Prendo o cabelo em um rabo de cavalo. Seven me espera à porta da frente, girando a bola de basquete entre as mãos.

Eu a tiro dele.

— Como se você soubesse o que fazer com ela.

— Vamos ver se sei.

Grito para avisar mamãe e papai que mais tarde estamos de volta e saio.

Primeiro, Garden Heights parece igual, mas depois de dois quarteirões pelo menos cinco viaturas da polícia passam em disparada.

Tem fumaça parada no ar, fazendo tudo parecer borrado. Está fedendo também.

Chegamos ao Rose Park. Alguns King Lords estão sentados em um Escalade cinza do outro lado da rua, e tem um mais novo no carrossel do parque. Se não o incomodarmos, eles não vão fazer nada com a gente.

O Rose Park ocupa um quarteirão inteiro, e tem uma cerca alta de arame ao redor. Não sei bem o que está protegendo: a pichação na quadra de basquete, a ferrugem do parquinho, os bancos em que bebês demais foram feitos ou as garrafas de bebida, as guimbas de cigarro e o lixo que cobrem a grama.

Estamos perto das quadras de basquete, mas a entrada do parque fica do outro lado do quarteirão. Eu jogo a bola para Seven e pulo a cerca. Eu pulava lá do alto, mas uma queda e um tornozelo torcido me fizeram parar de fazer isso.

Quando passo por cima da cerca, Seven joga a bola para mim e sobe. Khalil, Natasha e eu pegávamos um atalho pelo parque depois da aula. Nós subíamos correndo por escorregas, girávamos no carrossel até ficarmos tontos e tentávamos nos balançar mais alto do que os outros.

Eu tento esquecer isso tudo quando jogo a bola para Seven.

— O primeiro a fazer trinta?

— Quarenta — diz ele, sabendo muito bem que vai ter sorte se conseguir fazer vinte pontos. Ele não sabe jogar, da mesma forma que o papai também não.

Como se para provar, Seven bate a bola usando a palma da mão. Tem que ser com as pontas dos dedos. Depois, esse idiota tenta uma cesta de três pontos.

A bola quica no aro. Claro. Eu a pego e olho para ele.

— Fraco! Você sabia que essa merda não ia entrar.

— E daí. Jogue a porcaria do jogo.

Depois de cinco minutos, marquei dez pontos e ele dois, e eu basicamente dei esses dois para ele. Finjo que vou para a esquerda, vou rapidamente para a direita em um movimento suave e tento a bola de três. A bola entra lindamente. Essa garota sabe jogar.

Seven faz um *T* com as mãos. Está mais ofegante do que eu, e era eu quem tinha asma.

— Tempo. Pausa para água.

Eu seco a testa com o braço. O sol já está brilhando na quadra.

— Que tal a gente parar por aqui mesmo?

— Ah, não. Ainda tem jogo aqui. Só preciso acertar os ângulos.

— Ângulos? Estamos jogando bola, Seven. Não tirando selfies.

— Ei, yo! — grita um garoto.

Nós nos viramos, e meu ar entala na garganta.

São dois. Eles parecem ter 13, 14 anos, e estão usando camisetas verdes do Celtics. Garden Disciples, sem dúvida. Eles atravessam a quadra e vêm direto para onde estamos.

O mais alto se aproxima de Seven.

— Negão, você é King?

Não consigo nem levar esse idiota a sério. A voz dele ainda está mudando. Papai diz que tem um truque para diferenciar os Gardens antigos dos jovens além da idade. Os Gardens antigos não começam nada, só terminam. Os jovens sempre começam as coisas.

— Não, sou neutro — responde Seven.

— King não é seu pai? — pergunta o mais baixo.

— Porra, não. Ele só anda metido com a minha mãe.

— Não importa. — O mais alto abre um canivete. — Passa suas coisas pra cá. Tênis, celular, tudo.

Regra de Garden: se não envolve você, não tem porra nenhuma a ver com você. Ponto. Os King Lords no Escalade veem tudo que está acontecendo. Como não declaramos ser da gangue deles, não existimos.

Mas o garoto no carrossel corre até nós e empurra os GDs para trás. Levanta a camiseta e mostra a arma.

— Tem algum problema aqui?

Eles recuam.

— É, tem, sim — diz o mais baixo.

— Tem certeza? Na última vez que cheguei, Rose Park era território dos Kings. — Ele olha para o Escalade. Os King Lords dentro assentem para nós, uma forma simples de perguntar se está tudo bem. Nós assentimos para eles.

— Beleza — diz o GD mais alto. — Entendemos.

Os GDs saem da mesma forma que chegaram.

O King Lord mais baixo bate na palma da mão de Seven.

— Tá tudo bem, mano? — pergunta ele.

— Tá. Valeu por ajudar a gente, Vante.

Não posso mentir, ele é bem bonitinho. Ei, não é porque eu tenho namorado que não posso olhar, e como Chris baba por Nicki Minaj, Beyoncé e Amber Rose, eu o desafio a ficar com raiva de mim por olhar.

Um comentário à parte: fica óbvio que meu namorado tem um tipo.

Esse Vante tem a minha idade, é um pouco mais alto, tem um black power alto e leves sinais de bigode. Tem lábios legais também. Carnudos e macios.

Já olhei demais. Ele os lambe e sorri.

— Eu tinha que garantir que você e sua gatinha aqui ficassem bem.

Isso estraga tudo. Não me chame por um apelido se não me conhece.

— Nós estamos bem — digo.

— Os GDs acabaram ajudando, de qualquer modo — diz ele para Seven. — Ela estava aqui arrasando com você.

— Ah, cara, cala a boca — diz Seven. — Essa é minha irmã, Starr.

— Ah, sim — diz o cara. — É você que trabalha no mercado do Big Mav, né?

Como falei, eu ouço isso o tempo todo.

— É. Sou eu.

— Starr, esse é DeVante — diz Seven. — É um dos rapazes de King.

— DeVante? — Então foi por esse cara que Kenya brigou.

— É, sou eu. — Ele me olha da cabeça aos pés e lambe os lábios de novo. — Você por acaso já ouviu falar de mim?

Ficar lambendo os lábios assim não é fofo.

— É, já ouvi falar de você. E acho que você devia comprar Chapstick se seus lábios estão secos assim, considerando que fica lambendo o tempo todo.

— Caramba, é assim?

— O que ela quer dizer é obrigado pela ajuda — diz Seven, apesar de não ter sido isso que eu quis dizer. — Nós agradecemos pelo que você fez.

— Está tudo tranquilo. Esses burros estão andando por aqui porque as manifestações estão acontecendo do outro lado. Está quente demais lá para eles.

— E o que você está fazendo no parque cedo assim? — pergunta Seven.

Ele enfia as mãos nos bolsos e dá de ombros.

— Estou de bobeira. Sabe como é.

Ele vende drogas. Caramba, Kenya sabe mesmo escolher. Se traficantes de gangues são seu tipo, você tem um problema e tanto. Bom, King é *pai* dela.

— Eu soube do seu irmão — diz Seven. — Sinto muito, cara. Dalvin era legal.

DeVante chuta uma pedra na quadra.

— Valeu. Minha mãe está com dificuldade de aceitar. É por isso que estou aqui. Eu tinha que sair de casa.

Dalvin? DeVante?

— Sua mãe escolheu o nome de vocês em homenagem aos caras daquele grupo antigo, Jodeci? — Só sei porque meus pais amavam esse Jodeci.

— Foi, e daí?

— Foi só uma pergunta. Não precisa responder assim.

Um Tahoe branco para do outro lado da cerca. O Tahoe de papai.

Ele baixa a janela. Está com camiseta mamãe sou forte e marcas de travesseiro no rosto. Rezo para ele não sair, porque, conhecendo papai, ele está com as pernas cinzentas de fora e está usando chinelos Nike de meias.

— O que vocês têm na cabeça de saírem de casa sem falar com ninguém? — grita ele.

Os King Lords do outro lado da rua caem na gargalhada. DeVante tosse na mão fechada como se quisesse rir. Seven e eu olhamos para todos os lados, menos para papai.

— Ah, vocês vão agir como se não estivessem me ouvindo? Respondam quando falo com vocês!

Os King Lords uivam de tanto rir.

— Pai, a gente só veio bater bola.

— Eu não ligo. Toda essa merda acontecendo e vocês saem? Entrem no carro!

— Droga — digo baixinho. — Sempre tem que agir como maluco.

— O que você disse? — grita ele.

Os King Lords riem mais alto. Eu quero sumir.

— Nada — digo.

— Não, você disse alguma coisa. E não pulem a cerca. Vão até a entrada. Aposto que chego lá primeiro.

Ele sai dirigindo.

Merda.

Eu pego a bola, e Seven e eu saímos correndo pelo parque. Na última vez que corri assim, a treinadora estava querendo massacrar a gente. Chegamos na entrada bem na hora que papai encosta. Entro no banco de trás, e Seven se senta no banco do passageiro.

Papai sai dirigindo.

— Vocês perderam a cabeça — diz ele. — As pessoas protestando, praticamente chamando a Guarda Nacional aqui, e vocês vão bater bola.

— Por que você precisa fazer a gente passar vergonha assim? — reclama Seven.

Estou tão feliz de estar no banco de trás. Papai se vira para Seven, para de olhar para a rua e resmunga:

— Você ainda não está velho demais.

Seven olha para a frente. Tem vapor praticamente saindo dele.

Papai olha para a rua de novo.

— Que coragem você tem de falar comigo assim só porque uns King Lords estavam rindo de você. Por acaso virou King agora?

Seven não responde.

— Estou falando com você, garoto!

— Não, senhor — responde ele.

— Então que importância tem o que eles pensam? Você quer tanto ser homem, mas homens não ligam para o que os outros pensam.

Ele para o carro na porta da nossa casa. Antes da metade do caminho até a entrada, vejo mamãe pela porta de tela de camisola, os braços cruzados e o pé descalço batendo no chão.

— Entrem em casa! — grita ela.

Ela anda de um lado para o outro da sala quando entramos. A pergunta não é se ela vai explodir, mas quando.

Seven e eu afundamos no sofá bom da mamãe.

— Onde vocês estavam? — pergunta ela. — E é melhor que não mintam.

— Na quadra de basquete — murmuro, olhando para os meus tênis.

Mamãe se inclina para perto de mim e leva a mão até o ouvido.

— O que você disse? Não ouvi direito.

— Fale mais alto, garota — diz papai.

— Na quadra de basquete — repito, mais alto.

— Na quadra de basquete. — Mamãe inclina o corpo e ri. — Ela disse na quadra de basquete. — A risada dela para, e a voz fica mais alta a cada palavra. — Estou andando de um lado para o outro aqui, morrendo de preocupação, e vocês estão na porcaria da quadra de basquete!

Alguém ri no corredor.

— Sekani, vá para o seu quarto! — Mamãe fala sem olhar para o corredor. Os pés dele soam apressadamente no corredor.

— Eu gritei e falei que estávamos saindo — digo.

— Ah, ela gritou — debocha papai. — Você ouviu alguém gritar, amor? Eu não ouvi.

Mamãe suga os dentes.

— Nem eu. Ela pode nos acordar para pedir dinheiro, mas não pode nos acordar para dizer que está indo para uma zona de guerra.

— É culpa minha — diz Seven. — Eu queria tirar ela de casa e fazer alguma coisa normal.

— Amorzinho, não existe normal agora! — diz mamãe. — Vocês estão vendo o que anda acontecendo. E foram malucos o bastante para sair assim?

— Está mais para burros — acrescenta papai.

Eu mantenho o olhar nos tênis.

— Me passem os celulares — diz mamãe.

— O quê? — eu berro. — Não é justo! Eu gritei e avisei...

— Starr Amara — diz ela entre dentes. Como meu primeiro nome tem uma sílaba só, ela tem que usar meu nome do meio para poder fazer a pausa. — Se você não me entregar seu celular, eu juro por Deus...

Eu abro a boca, mas ela diz:

— Diga mais alguma coisa! Eu desafio você a dizer mais alguma coisa! Vou tirar todos os seus Jordans também!

Que absurdo. Sério. Papai fica olhando; o cão de guarda dela, esperando que a gente faça um gesto errado. É assim que eles funcionam. Mamãe executa a primeira rodada e, se não for bem-sucedida, papai parte para o nocaute. E ninguém quer que o papai parta para o nocaute.

Seven e eu entregamos os celulares.

— Foi o que pensei — diz ela, e entrega os aparelhos para o papai. — Como vocês querem tanto uma vida "normal", vão buscar as coisas de vocês. Vamos passar o dia na casa de Carlos.

— Não, ele não. — Papai faz sinal para Seven levantar. — Ele vai para o mercado comigo.

Mamãe olha para mim e move a cabeça na direção do corredor.

— Vá. Eu devia fazer você tomar um banho, com esse cheiro...

— Quando estou indo, ela grita: — E não vá usando aquelas roupas pequenas para a casa de Carlos!

Ahh, ela me irrita. Chris mora na mesma rua que tio Carlos. Mas fico feliz de ela não ter dito mais nada na frente do papai.

Tijolão aparece à porta do meu quarto. Pula nas minhas pernas e tenta lamber meu rosto. Eu tinha umas quarenta caixas de sapato empilhadas em um canto, e ele derrubou todas.

Eu coço atrás das orelhas dele.

— Cachorro estabanado.

Eu o levaria com a gente, mas não permitem pitbulls no bairro do tio Carlos. Ele se acomoda na minha cama e me vê arrumar as coisas. Só preciso do meu biquíni e de sandálias, mas mamãe pode decidir ficar lá o fim de semana todo por causa das manifestações. Pego duas mudas de roupa e a mochila da escola. Coloco cada mochila em um ombro.

— Vem, Tijolão.

Ele me segue até o lugar dele no quintal, e eu o prendo na corrente. Enquanto encho as tigelas de comida e água, papai se agacha perto das rosas e examina as pétalas. Ele as rega sempre, mas por algum motivo elas parecem secas.

— Parem com isso — diz ele. — Vocês têm que se sair melhor do que isso.

Mamãe e Sekani estão me esperando no Camry. Acabo indo no banco do carona. É infantilidade, mas não quero sentar tão perto dela agora. Infelizmente, é isso ou ir ao lado do Sekani Peidão. Estou olhando para a frente, e com o canto do olho eu a vejo me olhando. Ela faz um som de quem vai falar, mas as palavras decidem sair em forma de suspiro.

Que bom. Também não quero falar. Estou sendo mesquinha, mas não ligo.

Seguimos para a rodovia e passamos pelo conjunto habitacional de Cedar Groves, onde morávamos. Chegamos à Magnolia Avenue, a rua mais movimentada de Garden Heights, onde fica a maior parte do comércio. Normalmente, nas manhãs de sábado, os homens do bairro exibem seus carros, dirigindo de um lado para o outro da rua e apostando corrida.

Hoje, a rua está bloqueada. Tem uma multidão marchando. As pessoas seguram cartazes e pôsteres com o rosto de Khalil e cantarolam:

"Justiça para Khalil!"

Eu devia estar lá com elas, mas não posso entrar no protesto só por saber que sou um dos motivos pelos quais as pessoas estão protestando e se rebelando.

— Você sabe que nada disso é culpa sua, né? — pergunta mamãe. Como foi que ela fez isso?

— Eu sei.

— Estou falando sério, amorzinho. Não é. Você fez tudo certo.

— Mas às vezes o certo não é suficiente, né?

Ela segura minha mão, e apesar da minha irritação, eu deixo. É a coisa mais próxima que tenho de uma resposta por um tempo.

O trânsito de sábado de manhã na rodovia segue tranquilamente em comparação ao trânsito dos dias de semana. Sekani coloca os fones de ouvido e brinca no tablet. Tem músicas de R&B dos anos 1990 tocando no rádio, e mamãe canta junto baixinho. Quando entra totalmente na música, tenta cantar uns trechos e diz:

— Isso, garota! Isso!

Do nada, ela diz:

— Você não estava respirando quando nasceu.

É a primeira vez que ouço isso.

— É mesmo?

— Aham. Eu tinha 18 anos quando tive você. Ainda era um bebê, mas me achava adulta. Não admitia para ninguém que estava morrendo de medo. Sua avó achava que não tinha como eu ser uma boa mãe. Não a louca da Lisa.

"Eu estava determinada a provar que ela estava errada. Parei de beber e fumar, fui a todas as minhas consultas, me alimentei bem, tomei vitaminas, tudo. Caramba, eu até botava Mozart para tocar e colocava os fones de ouvido na barriga. Estamos vendo de que adiantou isso. Você não terminou nem o primeiro mês de aula de piano."

Eu dou uma gargalhada.

— Desculpa.

— Tudo bem. Como eu estava dizendo, eu fiz tudo certo. Eu me lembro de estar na sala de parto e, quando te puxaram, esperei que você chorasse. Mas você não chorou. Todo mundo começou a correr de um lado para o outro, e seu pai ficava perguntando o que havia de errado. Finalmente, a enfermeira disse que você não estava respirando.

"Eu surtei. Seu pai não conseguia me acalmar. Ele também não estava muito calmo. Depois do minuto mais longo da minha vida, você chorou. Acho que chorei mais do que você. Eu sabia que tinha feito alguma coisa errada. Mas uma das enfermeiras segurou minha mão — a mamãe segura a minha mão de novo —, me olhou nos olhos e disse: 'Às vezes, você pode fazer tudo certo, e mesmo assim as coisas dão errado. O importante é nunca parar de fazer o certo.'"

Ela segura minha mão durante todo o caminho.

Eu costumava achar que o sol brilhava mais forte no bairro do tio Carlos, mas hoje está mesmo brilhando mais forte; não tem fumaça e o ar está mais fresco. Todas as casas têm dois andares. Crianças brincam em calçadas e nos jardins amplos. Tem barraquinhas de limonada, vendas de garagem e muita gente correndo. Mesmo com tudo que está acontecendo, está bem tranquilo.

Passamos pela casa de Maya, a algumas ruas da que o tio Carlos mora. Eu mandaria uma mensagem para ver se podia ir lá, mas, sabe como é, não estou com meu celular.

— Você não vai poder visitar sua amiguinha hoje — avisa mamãe, lendo meus pensamentos de novo. — Está de castigo.

Minha boca se escancara.

— Mas ela pode ir até a casa de Carlos para ver você.

Ela olha para mim pelo canto do olho com um meio sorriso. Esse é o momento em que tenho que abraçá-la e agradecer e dizer que ela é a melhor.

Não vai rolar. Eu digo:

— Legal. Beleza. — E me encosto.

Ela cai na gargalhada.

— Você é tão teimosa!

— Não sou, não!

— É, sim — diz ela. — Que nem seu pai.

Assim que paramos em frente à casa do tio Carlos, Sekani salta do carro. Nosso primo Daniel acena para ele da calçada com alguns outros garotos, todos de bicicleta.

— Até mais, mãe — diz Sekani. Ele passa correndo pelo tio Carlos, que está saindo da garagem, e pega a bicicleta dele. Sekani ganhou de Natal, mas deixa na casa de tio Carlos porque mamãe não vai deixá-lo pedalar por Garden Heights. Ele pedala pelo caminho da garagem.

Mamãe salta do carro e grita para ele:

— Não vá muito longe!

Eu saio, e tio Carlos me cumprimenta com seu abraço perfeito: sem ser apertado demais, mas firme o bastante para me dizer o quanto ele me ama em poucos segundos.

Ele beija o topo da minha cabeça duas vezes e pergunta:

— Como você está, gatinha?

— Bem. — Eu fungo. Tem fumaça no ar. Mas do tipo bom. — Está fazendo churrasco?

— Acabei de acender a churrasqueira. Vou fazer uns hambúrgueres e frango de almoço.

— Espero que a gente não acabe com intoxicação alimentar — provoca mamãe.

— Ah, olha quem está tentando ser comediante — diz ele. — Você vai comer suas palavras junto com tudo que vou preparar, irmãzinha, porque vou arrasar. Não fico nada atrás do Food Network. — E levanta a gola.

Meu Deus. Ele é tão brega às vezes.

Tia Pam cuida da churrasqueira no quintal. Minha priminha, Ava, chupa o dedão e abraça a perna da tia Pam. Assim que me vê, ela vem correndo.

— Starr-Starr!

O rabo de cavalo balança conforme corre, e ela se joga nos meus braços. Eu a giro e a faço gargalhar.

— Como está minha garotinha de 3 anos favorita do mundo?

— Bem! — Ela coloca o polegar enrugado e úmido na boca de novo. — Oi, tia Lele.

— Oi, linda. Você está boazinha?

Ava assente várias vezes. Não tem como ela ter sido *tão* boazinha. Tia Pam deixa tio Carlos cuidando da churrasqueira e cumprimenta mamãe com um abraço. Ela tem pele marrom-escura e cabelo grande e encaracolado. Vovó gosta dela porque vem de uma "boa família". A mãe dela é advogada e o pai é o primeiro cirurgião-chefe negro do mesmo hospital onde tia Pam trabalha como cirurgiã. Huxtables da vida real, eu juro.

Coloco Ava no chão, e tia Pam me abraça com muita força.

— Como você está, lindinha?

— Bem.

Ela diz que entende, mas ninguém entende.

Vovó sai pela porta de trás com os braços abertos.

— Minhas meninas!

Esse é o primeiro sinal de que tem alguma coisa acontecendo. Ela nos abraça e nos beija na bochecha. Vovó nunca nos beija e nunca deixa que a beijemos. Ela diz que não sabe por onde nossas bocas passaram. Ela coloca as mãos no meu rosto e fica falando:

— Graças ao Senhor. Ele poupou sua vida. Aleluia.

Um monte de alarmes disparam na minha cabeça. Não que ela não fosse ficar feliz de "o Senhor ter poupado minha vida", mas essa não é a vovó. Não mesmo.

Ela segura nós duas pelos pulsos e nos puxa para as espreguiçadeiras perto da piscina.

— Venham aqui falar comigo.

— Mas eu ia falar com Pam...

Vovó olha para mamãe e sibila:

— Cala essa boca, se senta e fala comigo, caramba.

*Essa* é a vovó. Ela se senta em uma espreguiçadeira e se abana dramaticamente. Ela é professora de teatro aposentada, então faz tudo de forma dramática. Mamãe e eu dividimos uma espreguiçadeira e sentamos lado a lado.

— O que foi? — pergunta mamãe.

— Quando... — começa ela, mas abre um sorriso falso quando Ava se aproxima com a boneca e um pente. Ava me entrega as duas coisas e vai brincar com outros brinquedos.

Eu penteio o cabelo da boneca. A menina me treinou bem. Não precisa dizer nada que eu já vou lá e faço.

Quando Ava se afasta, vovó diz:

— Quando vocês vão me levar de volta para a minha casa?

— O que aconteceu? — pergunta mamãe.

— Fale baixo! — Ironicamente, ela não está falando baixo. — Ontem de manhã, tirei um bagre para fazer no jantar. Ia fritar com bolinhos de milho, batatas fritas, serviço completo. Saí para fazer umas coisinhas.

— Que tipo de coisinhas? — pergunto só por perguntar.

Vovó me lança "o olhar" e é como ver mamãe em trinta anos, com algumas rugas e fios grisalhos que ela deixou passar quando pintou o cabelo (ela bateria no meu traseiro por dizer isso).

— Eu sou adulta, garotinha — diz ela. — Não me pergunte o que eu faço. Enfim, eu voltei para casa e aquela *mulher* tinha coberto meu peixe de flocos de milho e assado!

— Flocos de milho? — pergunto, dividindo o cabelo da boneca.

— Sim! Falando que "é mais saudável assim". Se eu quiser comer comida saudável, eu como uma salada.

Mamãe cobre a boca, e os cantos dos lábios dela estão virados para cima.

— Achei que você e Pam se davam bem.

— Nós nos dávamos bem. Até ela se meter na minha comida. Eu já aguentei muita coisa desde que cheguei aqui. Mas isso — ela levanta um dedo — é ir longe demais. Prefiro morar com você e com aquele ex-presidiário a aguentar isso.

Mamãe se levanta e beija a testa da vovó.

— Você vai ficar bem.

Vovó ignora o que ela diz. Quando mamãe sai, ela olha para mim.

— Você está bem, garotinha? Carlos me disse que você estava no carro com aquele garoto quando ele foi morto.

— Sim, senhora, estou bem.

— Que bom. E, se não estiver, vai ficar. Somos fortes assim.

Eu faço que sim, mas não acredito. Pelo menos, não sobre mim mesma.

A campainha toca. Eu digo que vou atender, coloco a boneca de Ava no chão e entro.

Bosta. Chris está do outro lado da porta. Quero pedir desculpas para ele, mas, droga, preciso de tempo para me preparar.

Mas é estranho. Ele está andando de um lado para o outro. Da mesma forma que faz quando estudamos para provas ou antes de um jogo importante. Ele está com medo de falar comigo.

Eu abro a porta e me encosto no batente.

— Oi.

— Oi. — Ele sorri, e, apesar de tudo, eu também sorrio.

— Eu estava lavando um dos carros do meu pai e vi vocês chegando — diz ele. Isso explica a camiseta regata, os chinelos e o short. — Você está bem? Sei que disse na mensagem que estava, mas eu queria ter certeza.

— Estou bem — digo.

— O mercado do seu pai não foi atingido, foi? — pergunta ele.

— Não.

— Que bom.

Olhares e silêncio.

Ele suspira.

— Olha, se o problema é aquela camisinha, eu nunca mais vou comprar nenhuma.

— Nunca?

— Bom, só quando você quiser. — Ele acrescenta rapidamente: — Mas não precisa ser logo. Na verdade, você não precisa dormir comigo nunca. Nem me beijar. Caramba, se você não quiser que eu toque em você, eu...

— Chris, Chris — digo, levantando as mãos para fazer com que ele vá mais devagar e sufocando uma gargalhada. — Está tudo bem. Eu sei o que você quer dizer.

— Tudo bem.

— Tudo bem.

Outra rodada de olhares e silêncio.

— Na verdade, eu quero pedir desculpas — digo, me mexendo com desconforto. — Por dar um gelo em você. Não foi por causa da camisinha.

— Ah... — Ele franze as sobrancelhas. — Então o que foi?

Eu suspiro.

— Não estou com vontade de falar.

— Então você pode ficar com raiva de mim, mas não pode nem me dizer por quê?

— Não tem nada a ver com você.

— Tem, sim, se você está dando um gelo em *mim* — argumenta ele.

— Você não entenderia.

— Talvez você devesse me deixar determinar isso — diz ele. — Eu corro atrás, fico ligando, mandando mensagem, tudo, e você não pode nem me dizer por que está me ignorando? Isso é meio desprezível, Starr.

Eu olho para ele de um jeito que me faz ter a forte sensação de que fico parecida com mamãe e vovó e com o olhar delas de "Sei que você não disse isso".

— Eu já falei, você não entenderia. Deixa pra lá.

— Não. — Ele cruza os braços. — Eu vim até aqui...

— Até aqui? Mano, até aqui *de onde*? Da mesma rua?

A Starr de Garden Heights veio com tudo na minha voz agora.

— É, da mesma rua — diz ele. — E, quer saber? Eu não tinha que fazer isso. Mas fiz. E você não pode nem me dizer o que está acontecendo!

— Você é branco, tá? — grito. — Você é branco!

Silêncio.

— Eu sou branco? — pergunta ele, como se estivesse ouvindo pela primeira vez. — Que porra isso tem a ver com as coisas?

— Tudo! Você é branco, eu sou negra. Você é rico, eu não sou.

— Isso não importa! — diz ele. — Não ligo para esse tipo de coisa, Starr. Eu gosto de você.

— Esse tipo de coisa é parte de mim!

— Tudo bem, e...? Não é nada de mais. Meu Deus, é sério? É com isso que você está irritada? É por *isso* que você está me dando gelo?

Eu olho para ele e sei, *sei* que estou parecendo Lisa Janae Carter. Minha boca está levemente aberta como a dela quando eu ou meus irmãos "bancamos os espertinhos", como ela diz, eu projetei um pouco o queixo e minhas sobrancelhas estão erguidas. Merda, estou até com a mão no quadril.

Chris dá um passinho para trás, como meus irmãos e eu fazemos.

— É que... não faz sentido para mim, tá? Só isso.

— Então, como eu falei, você não entende. Entende?

Bam. Se estou agindo como a minha mãe, esse é um dos momentos de "eu te disse" dela.

— Não, acho que não — diz ele.

Outra rodada de silêncio.

Chris coloca as mãos nos bolsos.

— Talvez você possa me ajudar a entender, então? Não sei. Mas sei que não ter você na minha vida é pior do que não fazer meu som e não jogar basquete. E você sabe o quanto eu gosto de fazer meu som e jogar basquete, Starr.

Eu dou um sorrisinho.

— Você chama isso de cantada?

Ele morde o lábio inferior e dá de ombros. Eu dou uma gargalhada. Ele também.

— Cantada ruim, é? — pergunta ele.

— Péssima.

Ficamos em silêncio de novo, mas é o tipo de silêncio que não me incomoda. Ele estica a mão para segurar a minha.

Ainda não sei se estou traindo quem eu sou ao namorar Chris, mas senti tanta falta dele que dói. Mamãe acha que ir para a casa do tio Carlos é normal, mas Chris é o tipo de normal que eu realmente quero. O normal em que não tenho que escolher que Starr ser. O normal onde ninguém diz o quanto sente muito nem fala sobre "Khalil, o traficante". Só... normal.

É por isso que não posso contar para Chris que sou a testemunha.

Eu seguro a mão dele, e tudo parece bem de repente. Sem caretas e sem flashbacks.

— Entre — digo. — Tio Carlos já deve ter terminado de preparar os hambúrgueres.

Nós vamos para o quintal de mãos dadas. Ele está sorrindo e, surpreendentemente, eu também.

# DEZ

Passamos a noite na casa do tio Carlos porque as manifestações começaram de novo, assim que o sol se pôs. De alguma forma, o mercado foi poupado. Devíamos ir à igreja agradecer a Deus por isso, mas mamãe e eu estamos cansadas demais para ficarmos sentadas durante uma hora por qualquer razão. Sekani quer passar outro dia na casa de tio Carlos, então no domingo de manhã voltamos para Garden Heights sem ele.

Assim que saímos da rodovia, somos recebidas por um bloqueio policial. Só tem uma pista livre, e os policiais falam com os motoristas antes de deixarem que passem.

De repente, parece que alguém pega meu coração e aperta.

— A gente pode... — Eu engulo em seco. — Podemos contornar?

— Duvido. Deve ter isso por todo o bairro. — Mamãe olha para mim e franze a testa. — Boquinha? Você está bem?

Eu seguro a maçaneta da porta. Eles podem pegar as armas a qualquer momento e nos deixarem como Khalil. O sangue nos nossos corpos se acumulando na rua para todo mundo ver. Nossas bocas bem abertas. Nossos olhos virados para o céu, procurando Deus.

— Ei. — Mamãe segura minha bochecha. — Ei, olhe para mim.

Eu tento, mas meus olhos estão cheios de lágrimas. Estou tão cansada de ser fraca. Khalil pode ter perdido a vida, mas eu também perdi uma coisa, e isso me irrita muito.

— Está tudo bem — diz mamãe. — A gente dá conta disso, tá? Feche os olhos se precisar.

Eu fecho.

*Mantenha as mãos à vista.*

*Nada de movimentos repentinos.*

*Só fale quando falarem com você.*

Os segundos se arrastam como horas. Os policiais pedem a identificação e comprovante de seguro de mamãe, e imploro ao Jesus Negro que nos leve para casa, torcendo para não haver um tiro enquanto ela procura na bolsa.

Nós finalmente vamos embora.

— Está vendo, amorzinho — diz ela. — Está tudo bem.

As palavras dela tinham poder. Se ela dissesse que estava tudo bem, estava tudo bem. Mas, depois de segurar duas pessoas dando seus últimos suspiros, palavras assim não querem mais dizer merda nenhuma.

Eu ainda não soltei a maçaneta da porta do carro quando paramos na entrada da nossa casa.

Papai sai e bate na minha janela. Mamãe abre para mim.

— Aqui estão as minhas meninas. — Ele sorri, mas o sorriso vira uma expressão de testa franzida. — O que foi?

— Está indo para algum lugar, amor? — pergunta mamãe, o que quer dizer que eles precisam conversar mais tarde.

— Vou, tenho que ir ao armazém fazer compras. — Ele bate no meu ombro. — Quer sair com o papai? Posso comprar sorvete. Um daqueles grandões, que vai demorar um mês pra acabar.

Dou uma risada, apesar de não estar com vontade. Papai é talentoso assim.

— Não preciso de tanto sorvete assim.

— Eu não falei que você precisava. Quando a gente voltar, pode ver aquela bosta de Harry Potter de que você gosta tanto.

— Nãããããão.

— O quê? — pergunta ele.

— Papai, você é a pior pessoa para ver Harry Potter junto. O tempo todo você fica falando... — Eu deixo a voz grave: — "Por que eles não atiram naquele negão do Voldemort?"

— É, não faz sentido naqueles filmes e livros todos ninguém ter pensado em dar um tiro nele.

— Se não é isso — diz mamãe —, você vem com sua teoria de "Harry Potter é sobre gangues".

— Mas é! — diz ele.

Tudo bem, é uma boa teoria. Papai alega que as casas de Hogwarts são gangues, na verdade. Têm suas próprias cores, seus esconderijos e estão sempre brigando umas com as outras, como gangues. Harry, Rony e Hermione nunca deduram um ao outro, assim como integrantes de gangues. Os Comensais da Morte têm tatuagens iguais. E veja Voldemort. Eles têm medo de dizer o nome dele. Falando sério, o papo de "Aquele Que Não Pode Ser Nomeado" é a mesma coisa que dar um nome de rua para ele. É coisa de gangue mesmo.

— Você sabe que faz sentido — diz papai. — Não é porque eles estavam na Inglaterra que aquilo não é coisa de gangue. — Ele olha para mim. — E aí, quer sair com seu coroa hoje ou não?

Eu sempre quero sair com ele.

Nós seguimos pelas ruas, com Tupac tocando nos subwoofers. Ele está cantando sobre manter a cabeça erguida, e papai olha para mim enquanto canta, como se estivesse me dizendo a mesma coisa que Tupac.

— Sei que você está cansada, gatinha — ele faz carinho no meu queixo —, mas mantenha a cabeça erguida.

Ele canta com o refrão que as coisas vão ficar mais fáceis, e não sei se tenho vontade de chorar porque isso quer dizer muita coisa agora ou se caio na gargalhada por papai estar cantando tão mal.

Papai diz:

— Esse cara era profundo. Muito profundo. Não fazem mais rappers assim.

— Você está denunciando a idade, pai.

— Eu não ligo. É a verdade. Os rappers de agora só ligam para dinheiro, mulheres e roupas.

— Está denunciando a idade — sussurro.

— Pac cantava sobre essas coisas também, é verdade, mas também queria botar o povo negro para cima — diz papai. — Ele pegou a palavra *"nigga"* e deu um significado novo para ela: *Never Ignorant Getting Goals Accomplished*, ou "nunca ignorante na hora de alcançar objetivos". E dizia que *Thug Life*, "vida bandida", queria dizer...

— *The Hate U Give Little Infants F...s Everybody*, ou "o ódio que você passa pras criancinhas f... com todo mundo". — Eu censuro o que falo. Estou falando com meu pai, né?

— Você sabe sobre isso?

— Sei. Khalil me contou o que achava que queria dizer. Estávamos ouvindo Tupac logo antes... você sabe.

— Tudo bem, e o que você acha que quer dizer?

— Você não sabe? — pergunto.

— Eu sei. Quero saber o que *você* pensa.

Aí vem ele. Remexendo meu cérebro.

— Khalil disse que é sobre o que a sociedade semeia em nós quando pequenos e como isso volta e os morde depois — digo. — Mas acho que é mais do que quando pequenos. Acho que é o ódio que semeiam, ponto.

— Nós quem? — pergunta ele.

— As pessoas negras, as minorias, os pobres. Todo mundo na parte de baixo da sociedade.

— Os oprimidos — diz papai.

— É. A corda sempre arrebenta para o nosso lado, mas somos quem eles mais temem. Foi por isso que o governo mirou nos Panteras Negras, certo? Porque tinha medo dos Panteras?

— Aham — responde papai. — Os Panteras educavam e davam poder às pessoas. Mas a tática de fortalecer o oprimido é de antes dos Panteras. Cite uma.

Ele está falando sério? Ele sempre me faz pensar. Demoro um segundo para responder essa.

— A rebelião de escravos de 1831 — digo. — Nat Turner fortaleceu e ensinou outros escravos, e isso levou a uma das maiores revoltas de escravos da história.

— Tudo bem, tudo bem. É isso aí. — Ele bate com o punho fechado no meu. — E qual é o ódio que estão semeando para as "criancinhas" na sociedade de hoje?

— Racismo?

— Você tem que me dar mais detalhes do que isso. Pense em Khalil e na situação toda. Antes de ele morrer.

— Ele era traficante. — Dói falar. — E possivelmente membro de uma gangue.

— Por que ele era traficante de drogas? Por que tantas pessoas do nosso bairro são traficantes?

Eu me lembro do que Khalil disse: ele se cansou de escolher entre a luz e a comida.

— Eles precisam de dinheiro — digo. — E não têm muitas outras formas de ganhar dinheiro.

— Certo. Falta de oportunidades — diz papai. — Os Estados Unidos corporativos não trazem empregos para nossas comunidades, e claro que não nos contratam com facilidade. Aí, merda, mesmo que você tenha diploma do ensino médio, muitas das escolas nos nossos bairros não nos preparam bem o bastante. Foi por isso que, quando sua mãe falou sobre mandar você e seus irmãos para Williamson, eu concordei. Nossas escolas não recebem os recursos para equipar vocês como a Williamson recebe. É mais fácil conseguir crack do que uma boa escola por aqui.

"Agora, pense nisso. Como as drogas chegaram ao nosso bairro? Estamos falando de uma indústria de muitos bilhões de dólares, filha. Essa merda vem voando para as nossas comunidades, mas não conheço ninguém que tenha jatinho particular. Você conhece?"

— Não.

— Exatamente. As drogas vêm de algum lugar e estão destruindo nossa comunidade — diz ele. — Tem gente como Brenda, que acha que precisa delas para sobreviver, e tem os Khalils, que acham que precisam vendê-las para sobreviver. As Brendas não conseguem emprego se não estiverem limpas, e não podem pagar reabilitação se não tiverem emprego. Quando os Khalils são presos por venderem drogas, eles passam a maior parte da vida na prisão, outra indústria de bilhões de dólares, ou têm uma dificuldade enorme para conseguir um emprego e muitas vezes acabam vendendo drogas de novo. Esse é o ódio que estão semeando, filha, um sistema elaborado contra nós. Essa é a vida bandida, a vida marginal, a *Thug Life*.

— Eu entendo, mas Khalil não *tinha* que vender drogas — eu digo. — Você parou.

— Verdade, mas se você não se colocar na posição dele, não o julgue. É mais fácil cair nessa vida do que sair dela, principalmente em uma situação como a dele. Agora, mais uma pergunta.

— Sério? — Caramba, ele já mexeu demais com a minha cabeça.

— É, sério. — Ele fala debochando, com voz aguda. Eu nem falo assim. — Depois de tudo que eu falei, como a vida bandida se aplica às manifestações e badernas?

Preciso pensar sobre isso por um minuto.

— Todo mundo está com raiva porque Um-Quinze não foi acusado — explico —, mas também porque ele não é o primeiro a fazer uma coisa assim e se safar. Sempre acontece, e as pessoas vão continuar se rebelando até mudar. Então, o sistema ainda está semeando ódio, e todo mundo ainda está se fodendo?

Papai ri e me dá um soco na mão.

— Minha menina. Olha a boca suja, mas, é, é isso. E a gente nunca vai parar de se foder enquanto isso não mudar. Essa é a chave. Tem que mudar.

Um nó se forma na minha garganta quando a verdade me atinge Com força.

— É por isso que as pessoas estão se manifestando, né? Porque não vai mudar se a gente não disser nada.

— Exatamente. Nós não podemos ficar calados.

— Então *eu* não posso ficar calada.

Papai para. Olha para mim.

Vejo o dilema nos olhos dele. Eu sou mais importante para ele do que o movimento. Sou o bebê dele, e sempre serei, e se ficar calada significar minha segurança, ele é a favor.

Mas isso é maior do que eu e maior do que Khalil. É relevante para Nós, com N maiúsculo; todo mundo que se parece conosco, se sente como nós e está sentindo essa dor conosco, apesar de não me conhecer e de não conhecer Khalil. Meu silêncio não está Nos ajudando.

Papai fixa o olhar na rua novamente. Ele assente.

— É. Não pode ficar calada.

O armazém é um inferno.

Tem todas essas pessoas empurrando caminhões de um lado para o outro, e já é difícil de manobrar, só que fica mais difícil quando estão lotados de mercadoria. Quando vamos embora, tenho a sensação de que o Jesus Negro me arrancou das profundezas do inferno. Mas papai compra meu sorvete.

Comprar as coisas é só o primeiro passo. Descarregamos no mercado, colocamos nas prateleiras e nós (nada de nós, *eu*) etiquetamos todos aqueles sacos de batata, biscoitos e doces. Eu devia ter pensado nisso antes de ter aceitado sair com o papai. Enquanto eu trabalho pesado, ele paga contas na sala dele.

Estou colocando etiqueta em Hot Fries quando alguém bate na porta.

— Estamos fechados — grito sem olhar. Tem uma plaquinha, a pessoa não sabe ler?

Obviamente, não. A pessoa bate de novo.

Papai aparece à porta da sala dele.

— Estamos fechados!

Outra batida.

Papai desaparece na sala e volta com a Glock. Ele não devia portar nenhuma arma por ser ex-presidiário, mas diz que tecnicamente não a porta. Só a deixa guardada na sala dele.

Ele olha para a pessoa do outro lado da porta.

— O que você quer?

— Estou com fome — diz um cara. — Posso comprar alguma coisa?

Papai destranca a porta e a segura aberta.

— Você tem cinco minutos.

— Obrigado — diz DeVante quando entra. O cabelo black power desgrenhado. Ele está com expressão de louco, e não digo isso por causa do cabelo, mas por causa dos olhos. Estão inchados e vermelhos e não param quietos. Ele mal assente para mim quando passa.

Papai espera no caixa com a arma.

DeVante olha para o lado de fora. Olha para os salgadinhos.

— Fritos, Cheetos ou Dori... — A voz some quando ele olha novamente para fora. Ele repara que estou olhando e se concentra nos salgadinhos. — Doritos.

— Seus cinco minutos estão passando — diz papai.

— Porra, cara. Tudo bem! — DeVante pega um saco de Fritos. — Posso pegar uma bebida?

— Anda logo.

DeVante vai até as geladeiras. Vou até o caixa ficar com papai. Está óbvio que tem alguma coisa acontecendo. DeVante fica esticando o pescoço para olhar para fora. Os cinco minutos dele passam pelo menos três vezes. Ninguém precisa de tanto tempo para escolher entre Coca, Pepsi ou Faygo. Não mesmo.

— Chega, Vante. — Papai faz sinal para ele se aproximar do caixa. — Você está tentando arrumar coragem para me assaltar ou está fugindo de alguém?

— Caramba, não, eu não estou tentando assaltar você. — Ele tira um rolo de dinheiro e bota no balcão. — Vou pagar. E sou um King, não fujo de ninguém.

— Não, você se esconde no mercado — digo.

Ele me olha com irritação, mas papai diz:

— Ela está certa. Você está se escondendo de alguém. Kings ou GDs?

— Não são aqueles GDs do parque, são? — pergunto.

— Por que você não cuida da sua vida? — diz ele com rispidez.

— Você entrou no mercado do meu pai, então eu estou cuidando da minha vida.

— Chega! — ordena papai. — Mas, falando sério, de quem você está se escondendo?

DeVante olha para os All Stars tão surrados que estão além da capacidade do meu kit de limpeza.

— King — murmura ele.

— Dos Kings ou do King? — pergunta papai.

— Do King — repete DeVante, mais alto. — Ele quer que eu cuide dos caras que mataram meu irmão. Mas não quero isso nas minhas mãos.

— É, eu soube sobre Dalvin — diz papai. — Sinto muito. O que aconteceu?

— A gente estava na festa de Big D quando uns GDs encararam ele. Eles começaram a brigar, e um dos covardes atirou nas costas dele.

Ah, droga. Foi a mesma festa em que eu e Khalil estávamos. Foram os tiros que nos fizeram ir embora.

— Big Mav, como você saiu do esquema? — pergunta DeVante.

Papai coça o cavanhaque e observa DeVante.

— Do jeito difícil — acaba dizendo ele. — Meu pai era um King Lord. Adonis Carter. Um dos originais.

— Yo! — diz DeVante. — É seu pai? Big Don?

— É. O maior traficante que essa cidade já viu.

— Yo! Cara, que foda. — DeVante está tendo um ataque de fã agora. — Eu soube que tinha até polícia trabalhando pra ele. Ele ganhava uma grana alta.

Eu soube que meu avô vivia tão ocupado ganhando uma grana alta que não tinha tempo para o papai. Tem muitas fotos de papai quando era pequeno usando casacos de marca, brincando com brinquedos caros, exibindo joias, mas vovô Don não está em nenhuma delas.

— Provavelmente — diz papai. — Eu não tinha como saber muito sobre isso. Ele foi preso quando eu tinha 8 anos. Continua lá. Sou o único filho dele. Todo mundo esperava que eu tomasse o lugar dele.

"Virei King Lord aos 12 anos. Merda, era o único jeito de sobreviver. Alguém sempre tentava me atingir por causa do meu pai, mas se eu fosse um King Lord, tinha gente pra cuidar de mim. Ser King virou a minha vida. Eu estava pronto para morrer por isso, se necessário."

Ele olha para mim.

— Aí, me tornei pai e percebi que essa merda de King Lord não valia minha morte. Eu quis sair. Mas você sabe como as coisas são, não é tão fácil fazer quanto falar. King era o chefe e era meu amigo, mas não podia me deixar sair assim. E eu ganhava uma grana alta, era difícil pensar em pular fora.

— É, King diz que você foi um dos melhores traficantes que ele conheceu — diz DeVante.

Papai dá de ombros.

— Eu herdei do meu pai. Mas eu só era bom porque nunca fui pego. Um dia, eu e King fomos fazer uma coleta e fomos pegos. A polícia queria saber de quem eram as armas. King já tinha ficha, e aquela acusação significaria prisão perpétua. Eu não tinha ficha criminal, então assumi a culpa e fiquei alguns anos preso com direito a condicional. Leal até o fim.

"Foram os três anos mais difíceis da minha vida. Quando era pequeno, eu sentia raiva do meu pai por ter sido preso e me abandonar. E ali estava eu, na mesma prisão que ele, perdendo a vida dos meus filhos."

As sobrancelhas de DeVante se unem.

— Você esteve preso com seu pai?

Papai assente.

— Durante toda a minha vida, as pessoas falavam dele como se fosse um verdadeiro rei, sabe como é? Uma lenda. Mas ele era um velho fraco, arrependido do tempo que perdeu longe do filho. A coisa mais real que ele me disse foi: "Não repita meus erros." — Papai olha para mim de novo. — E eu estava fazendo isso. Perdi seus primeiros dias de aula, essas coisas. Minha filha quis chamar outra pessoa de papai porque eu não estava lá.

Eu desvio o olhar. Ele sabe como tio Carlos e eu ficamos próximos.

— Eu não queria mais saber daquela merda de King Lord, daquela merda de drogas, e de mais nada — diz papai. — E como assumi a acusação das armas, King aceitou me deixar sair. Fez aqueles três anos valerem a pena.

Os olhos de DeVante se apagam, como acontece quando ele fala sobre o irmão.

— Você teve que ir para a prisão para sair?

— Eu sou a exceção, não a regra — diz papai. — Quando as pessoas dizem que é pela vida toda, é pela vida toda. Você tem que estar disposto a morrer fazendo o que faz ou morrer pelo que faz. Você quer sair?

— Eu não quero ser preso.

— Não foi isso que ele perguntou — digo. — Ele perguntou se você quer sair.

DeVante fica quieto por um tempo. Ele olha para papai e diz:

— Eu só quero ficar vivo, cara.

Papai coça o cavanhaque. E suspira.

— Tudo bem. Eu ajudo. Mas juro que, se voltar a traficar ou a fazer parte da gangue, você vai desejar que King tivesse pegado você quando eu terminar o serviço. Você estuda?

— Estudo.

— Como são suas notas? — pergunta papai.

Ele dá de ombros.

— Que porra é essa? — Papai imita o movimento de ombros de DeVante. — Você sabe as notas que tira, então, como são?

— Ah, eu tiro uns A's e B's aí — diz DeVante. — Não sou burro.

— Tá, tudo bem. Vamos garantir que você fique na escola também.

— Cara, eu não posso voltar para Garden High — diz DeVante. — Todos os King Lords estudam lá. Você sabe que é pedir pra morrer, né?

— Eu não disse que você ia pra lá. Vamos dar um jeito. Enquanto isso, você pode trabalhar aqui no mercado. Você tem passado a noite em casa?

— Não. King botou uns garotos me esperando lá.

— Claro que botou — murmura papai. — Vamos dar um jeito nisso também. Starr, mostra pra ele como fazer as etiquetas de preço.

— Você vai mesmo contratar ele, assim, do nada? — pergunto.

— De quem é o mercado, Starr?

— Seu, mas...

— Isso basta. Mostre como fazer as etiquetas de preço.

DeVante dá uma risadinha. Sinto vontade de dar um soco na garganta dele.

— Vem — murmuro.

Nós nos sentamos de pernas cruzadas no corredor dos salgadinhos. Papai tranca a porta e volta para a sala dele. Eu pego um saco enorme de Hot Cheetos e grudo um adesivo de 99 centavos.

— Você tem que me mostrar como se faz — diz DeVante.

— Estou mostrando. Olha.

Eu pego outro saco. Ele chega bem perto do meu ombro. Perto demais. Está até respirando no meu ouvido. Eu afasto a cabeça e olho para ele.

— Ei, com licença?

— Qual é seu problema comigo? — pergunta ele. — Você ficou cheia de coisa ontem, assim que eu cheguei perto. Eu não fiz nada pra você.

Eu grudo um adesivo em um saco de Doritos.

— Não, mas fez pra Denasia. E Kenya. E quem sabe quantas outras garotas em Garden Heights.

— Espera aí, eu não fiz nada pra Kenya.

— Você pediu o número dela, não pediu? Apesar de estar com Denasia.

— Eu não estou com Denasia. Só dancei com ela naquela festa — explica ele. — Ela que queria agir como se fosse minha namorada e ficou com raiva porque eu estava falando com a Kenya. Se eu não estivesse resolvendo o problema delas, eu poderia... — Ele engole em seco. — Poderia ter ajudado Dalvin. Quando cheguei até ele, ele já estava no chão, sangrando. Só pude ficar abraçado nele.

Eu também me vejo em uma poça de sangue.

— E tentou dizer pra ele que ficaria tudo bem, apesar de saber...

— Não tinha a menor chance de ficar tudo bem.

Nós ficamos em silêncio.

Mas tenho um daqueles momentos estranhos de déjà-vu. Eu me vejo sentada de pernas cruzadas, como estou agora, mas estou mostrando a Khalil como fazer com as etiquetas de preço.

Nós não pudemos ajudar Khalil antes de ele ser morto. Talvez possamos ajudar DeVante.

Eu passo um saco de Hot Fries para ele.

— Só vou explicar uma vez como usar a etiquetadora, e é melhor que você preste atenção.

Ele sorri.

— Minha atenção é toda sua, gatinha.

Mais tarde, quando eu deveria estar dormindo, minha mãe diz para o meu pai no corredor:

— Então ele está se escondendo de King, e você acha que ele devia se esconder aqui?

DeVante. Parece que papai não conseguiu "resolver" e decidiu que DeVante devia ficar com a gente. Papai nos deixou aqui duas horas atrás, antes de voltar para o mercado para protegê-lo dos baderneiros. Ele acabou de chegar. Disse que nossa casa é o único lugar onde King não vai procurar DeVante.

— Eu tinha que fazer alguma coisa — diz papai.

— Eu entendo isso e sei que você pensa que é sua compensação por Khalil...

— Não é bem assim.

— É, sim — diz ela baixinho. — Eu entendo, amor. Tenho um milhão de arrependimentos sobre Khalil. Mas isso? É perigoso para a nossa família.

— É só hoje. DeVante não pode ficar em Garden Heights. O bairro não é bom para ele.

— Espere. Não é bom para ele, mas é para os nossos filhos?

— Pare com isso, Lisa. Está tarde. Não quero ouvir isso agora. Passei a noite no mercado.

— E eu passei a noite acordada, preocupada com você! Preocupada com meus bebês neste bairro.

— Eles estão bem! Não se meteram com gangues nem nada disso. Mamãe dá uma risadinha debochada.

— É, então tudo bem eu ter que dirigir quase uma hora para levá-los para uma escola decente. E que Deus não permita que Sekani queira brincar lá fora. Eu tenho que ir até a casa do meu irmão, onde não preciso me preocupar de ele levar um tiro, como aconteceu com gente próxima à irmã dele.

É horrível pensar que ela podia estar falando de Khalil ou de Natasha.

— Tudo bem, digamos que a gente se mude — diz papai. — E aí? A gente vai ser como todos os outros traidores, que vão embora e dão as costas para o bairro. Nós podemos mudar as coisas aqui, mas em vez disso preferimos fugir? É isso que você quer ensinar aos nossos filhos?

— Quero que meus filhos apreciem a vida! Eu entendo, Maverick, você querer ajudar seu povo. Eu também quero. É por isso que me arrebento todo dia naquela clínica. Mas sair do bairro não vai significar que você não é real e não vai significar que você não pode ajudar essa comunidade. Você precisa decidir o que é mais importante, sua família ou Garden Heights. Eu já fiz minha escolha.

— O que você está dizendo?

— Estou dizendo que vou fazer o que for preciso pelos meus bebês.

Passos soam, e uma porta se fecha.

Fico acordada boa parte da noite, pensando no que isso quer dizer para eles. Para nós. Tá, tudo bem, nós já conversamos sobre mudar de bairro, mas eles nunca discutiram assim antes da morte de Khalil.

Se eles se separarem, vai ser mais uma coisa que Um-Quinze vai tirar de mim.

# ONZE

Na manhã de segunda, assim que entro na Williamson, percebo que tem algo acontecendo. As pessoas estão muito quietas. Bom, estão sussurrando, amontoadas em grupinhos nos corredores e no átrio, como se estivessem discutindo jogadas em um jogo de basquete.

Hailey e Maya me encontram antes de eu encontrá-las.

— Recebeu a mensagem? — pergunta Hailey.

Essa é a primeira coisa que ela diz. Não oi nem nada. Não estou com meu celular, então digo:

— Que mensagem?

Ela me mostra o dela. Tem uma mensagem enviada para um grupo grande, com uns cem nomes. O irmão mais velho de Hailey, Remy, mandou a primeira.

Protesto hoje 1º tempo.

Luke, do cabelo encaracolado e covinhas, respondeu:

Isso aí. Dia livre. Eu topo.

E Remy respondeu com:

Esse é o objetivo, imbecil.

Parece que alguém apertou um botão de pausa no meu coração.

— Vão protestar por causa de Khalil?

— Vão — diz Hailey, toda eufórica. — E o horário é perfeito. Não estudei para aquela prova de história. Foi a primeira vez que

Remy teve uma ideia boa para fugir da aula. É meio bizarro a gente protestar por causa da morte de um *traficante*, mas...

Todas as minhas regras da Williamson evaporam no ar, e a Starr de Garden Heights aparece.

— Que porra isso tem a ver?

As duas abrem a boca em Os perfeitos.

— Quero dizer... se ele era traficante — diz Hailey —, isso explica por que...

— Ele foi morto apesar de não estar fazendo porra nenhuma. Só que não tem problema ele ter sido morto? Achei que vocês iam protestar.

— A gente vai! Meu Deus, pega leve, Starr — diz ela. — Achei que você ia curtir isso, considerando sua obsessão no Tumblr ultimamente.

— Quer saber? — eu digo, a um segundo de *realmente* explodir. — Me deixem em paz. Divirtam-se no seu protesto.

Quero brigar com todo mundo por quem passo, no estilo Floyd Mayweather. Está todo mundo tão empolgado de ter um dia sem aula. Khalil está em um túmulo. Ele não pode ter um dia livre disso. E eu revivo todo aquele dia também.

Na sala, atiro a mochila no chão e me jogo na cadeira. Quando Hailey e Maya entram, olho de cara feia para elas e as desafio silenciosamente a me dizerem qualquer coisa.

Estou violando todas as minhas regras da Starr da Williamson e pouco me fodendo.

Chris chega na sala antes de o sinal tocar, os fones de ouvido pendurados no pescoço. Ele vem pelo meu corredor e aperta meu nariz, dizendo "Fom fom", porque, por algum motivo, ele acha isso hilário. Eu costumo rir e dar um tapa nele, mas hoje... É, não estou com humor para isso. Só dou um tapa. E com força.

Ele fala "ai" e balança a mão.

— O que você tem?

Eu não respondo. Se abrir a boca, vou explodir.

Ele se agacha ao lado da carteira e balança minha coxa.

— Starr? Está tudo bem?

Nosso professor, o atarracado e calvo Sr. Warren, limpa a garganta.

— Sr. Bryant, minha aula não é o *Love Connection*. Por favor, sente-se.

Chris se senta na carteira ao lado da minha.

— O que ela tem? — sussurra ele para Hailey.

Ela se faz de desentendida e diz:

— Sei lá.

O Sr. Warren nos manda pegar nossos MacBooks e começa a aula sobre literatura britânica. Não se passam nem cinco minutos e alguém diz:

— Justiça para Khalil.

— Justiça para Khalil — ecoam os outros. — Justiça para Khalil.

O Sr. Warren manda que parem, mas as pessoas falam mais alto e batem os punhos nas mesas.

Tenho vontade de vomitar, gritar e chorar.

Meus colegas correm para a porta. Maya é a última a sair. Ela olha para mim e depois para Hailey, que faz sinal para ela ir. Maya vai atrás.

Acho que não vou mais seguir Hailey.

No corredor, os gritos por Khalil soam como sirenes. Diferentemente de Hailey, alguns podem não se importar de ele ser traficante. Podem estar quase tão chateados quanto eu. Mas como sei *por que* Remy teve a ideia do protesto, permaneço no meu lugar.

Chris também fica, por algum motivo. A mesa dele arranha o chão até se encostar na minha. Ele limpa minhas lágrimas com o polegar.

— Você conhecia ele, né? — pergunta ele.

Eu faço que sim.

— Ah — diz o Sr. Warren. — Sinto muito, Starr. Você não precisa... você pode ligar para os seus pais, sabe?

Eu limpo o rosto. A última coisa que quero é mamãe dando show porque não consigo lidar com isso tudo. Pior, não quero ser incapaz de lidar.

— Você pode continuar a aula, professor? — peço. — A distração me faria bem.

Ele dá um sorriso triste e faz o que eu peço.

Em alguns minutos, Chris e eu somos os únicos na aula. Às vezes, uma ou duas outras pessoas se juntam a nós. As pessoas se esforçam para me dizer que acham a morte de Khalil um absurdo, mas que a motivação de Remy para o protesto também é absurda. Tem uma aluna do primeiro ano que fala comigo no corredor e explica que apoia a causa, mas que decidiu voltar para a aula depois de saber por que as pessoas estavam protestando.

As pessoas agem como se eu fosse a representante oficial da raça negra e me devessem uma explicação. Mas acho que entendo. Se eu ficar de fora de um protesto, é uma declaração, mas se eles ficarem de fora de um protesto, vão parecer racistas.

No almoço, Chris e eu vamos para nossa mesa perto das máquinas de lanche. Jess, com o corte curto perfeito, é a única que está ali, comendo batata com queijo e lendo alguma coisa no celular.

— Ei? — Eu mais pergunto do que digo. Estou surpresa de ela estar ali.

— E aí? — Ela faz sinal com a cabeça. — Podem se sentar. Como vocês podem ver, tem bastante espaço.

Eu me sento ao lado dela, e Chris se senta ao meu lado. Jess e eu jogamos basquete juntas há três anos, e ela apoia a cabeça no meu ombro há dois, mas tenho vergonha de admitir que não sei muita coisa sobre ela. Sei que ela é formanda, que os pais são advogados e que ela trabalha em uma livraria. Eu não sabia que ela não participaria do protesto.

Acho que estou olhando para ela com muita intensidade, porque ela diz:

— Eu não uso pessoas mortas para fugir da aula.

Se eu não fosse hétero, certamente sairia com ela só por ter dito isso. Desta vez, eu apoio a cabeça no ombro dela.

Ela faz carinho no meu cabelo e diz:

— Gente branca faz umas merdas burras às vezes.

Jess é branca.

Seven e Layla se juntam a nós com suas bandejas. Seven estica o punho para mim. Eu bato com o meu no dele.

— Se-ven — diz Jess, e eles também batem os punhos. Eu não fazia ideia de que eles eram descolados assim. — Concluo que estamos protestando contra o protesto para matar aula?

— É — diz Seven. — protestando contra o protesto para matar aula.

Seven e eu buscamos Sekani depois da aula, e ele não para de falar sobre as câmeras de televisão que viu da janela da sala, porque ele é Sekani e veio ao mundo procurando uma câmera. Tenho selfies demais dele no meu celular, fazendo carão os olhos apertados e as sobrancelhas erguidas.

— Vocês vão aparecer na televisão? — pergunta ele.

— Não — responde Seven. — A gente não precisa.

A gente poderia ir para casa, trancar a porta e brigar pela televisão como sempre, ou ajudar papai no mercado. Nós vamos para o mercado.

Papai está parado na entrada, vendo uma repórter e um operador de câmera à porta da barbearia do Sr. Lewis. Claro que, assim que Sekani vê a câmera, ele diz:

— Aaah, eu quero aparecer na TV!

— Cala a boca — digo. — Não quer, não.

— Quero, sim. Você não sabe o que eu quero!

O carro para, e Sekani empurra meu banco, fazendo meu queixo bater no painel quando salta para fora.

— Papai, eu quero aparecer na televisão!

Eu esfrego o queixo. A energia dele vai acabar me matando um dia.

Papai segura Sekani pelos ombros.

— Calma, cara. Você não vai aparecer na televisão.

— O que está acontecendo? — pergunta Seven quando saímos.

— Uns policiais foram atacados ali na esquina — diz papai, um braço no peito de Sekani para fazer com que fique parado.

— Atacados? — pergunto.

— É. Foram tirados da viatura e levaram uma surra. Garotos Cinzentos.

O codinome dos King Lords. Droga.

— Eu soube o que aconteceu na sua escola — diz papai. — Tudo bem?

— Tudo. — Eu dou a resposta fácil. — A gente está bem.

O Sr. Lewis ajeita as roupas e passa a mão pelo cabelo. A repórter diz alguma coisa, e ele solta uma gargalhada alta.

— O que esse tolo vai dizer? — Papai se pergunta.

— Vamos entrar ao vivo em cinco — diz o operador de câmera, e só consigo pensar: *Não coloquem o Sr. Lewis ao vivo na televisão.*

— Quatro, três, dois, um.

— Isso mesmo, Joe — diz a repórter. — Estou aqui com o Sr. Cedric Lewis Junior, que testemunhou o incidente envolvendo os policiais hoje. Você pode nos contar o que viu, Sr. Lewis?

— Ele não testemunhou nada — diz papai. — Estava dentro da loja o tempo todo. Eu que contei pra ele o que aconteceu!

— Claro que posso — diz o Sr. Lewis. — Os garotos puxaram os policiais de dentro do carro. E eles não estavam fazendo nada. Só estavam sentados ali, e levaram uma surra de cachorro. Ridículo! Está ouvindo? Ri-dí-culo!

Alguém tem que transformar o Sr. Lewis em meme. Ele está fazendo papel de idiota e nem sabe.

— Você acha que foi retaliação pelo caso de Khalil Harris? — pergunta a repórter.

— Claro que acho! O que é uma besteira. Esses bandidos aterrorizam Garden Heights há anos, como é que vão ficar com raiva agora? Só porque não foram eles que o mataram? O presidente e todo mundo tem procurado por terroristas, mas posso citar um agora se eles quiserem vir buscar.

— Não faça isso, Sr. Lewis — reza papai. — Não faça isso.

Claro que ele faz.

— O nome dele é King e ele mora bem aqui em Garden Heights. Deve ser o maior traficante da cidade. Ele manda naquela gangue King Lords. Venham pegar ele se quiserem pegar alguém. Foram os garotos dele que fizeram aquilo com os policiais. Estamos cansados disso! Alguém tem que fazer alguma coisa!

Papai cobre os ouvidos de Sekani. Todos os palavrões que soam em seguida equivalem a um dólar cada no cofre de Sekani se ele ouvir.

— Merda — sussurra papai. — Merda, merda, merda. Esse filho da...

— Ele dedurou — diz Seven.

— Ao vivo, na televisão — acrescento.

Papai fica dizendo:

— Merda, merda, merda.

— Você acha que o toque de recolher que o prefeito anunciou hoje vai impedir incidentes como esse? — pergunta a repórter ao Sr. Lewis.

Eu olho para papai.

— Que toque de recolher?

Ele tira as mãos dos ouvidos de Sekani.

— Todos os estabelecimentos em Garden Heights têm que fechar às nove. E ninguém pode estar na rua depois das dez. É a hora de as luzes se apagarem, como na prisão.

— Então você vai ficar em casa hoje à noite, papai? — pergunta Sekani.

Papai sorri e o puxa para perto.

— Vou, cara. Depois que você fizer seu dever, posso mostrar umas jogadas no Madden.

A repórter encerra a entrevista. Papai espera que ela e o operador de câmera saiam e vai até o Sr. Lewis.

— Você está maluco? — pergunta ele.

— Por quê? Só porque falei a verdade? — responde o Sr. Lewis.

— Cara, não se aparece na TV dedurando os outros assim. Você está morto, só não deitou ainda. Você sabe, né?

— Eu não tenho medo daquele negão! — diz o Sr. Lewis bem alto, para todo mundo ouvir. — Você tem medo dele?

— Não, mas sei como o esquema funciona.

— Estou velho demais para esquemas! Você também devia estar!

— Sr. Lewis, escuta...

— Que nada, escuta você, garoto. Eu lutei em uma guerra, voltei e lutei em uma aqui. Está vendo isso? — Ele levanta a perna da calça e revela uma meia xadrez cobrindo uma prótese. — Perdi na guerra. Está vendo isso? — Ele puxa a camisa até quase a axila. Tem uma cicatriz rosada das costas até a barriga protuberante. — Ganhei quando uns garotos brancos me cortaram porque eu bebi da fonte deles. — Ele solta a camisa. — Já enfrentei coisa muito pior do que esse tal de King. A única coisa que ele pode fazer é me matar, e se for assim que eu tiver que partir, por ter falado a verdade, é assim que eu vou.

— Você não entende — diz papai.

— Ah, entendo. E entendo você. Você anda por aqui, fica dizendo que não é mais de gangue, alega que está tentando mudar as coisas, mas ainda segue essa merda de "não dedurar". E está ensinando a mesma coisa pra essas crianças, não está? King ainda controla você, mas você é burro demais para perceber.

— Burro? Como você pode me chamar de burro se é você que está entregando os caras na televisão ao vivo!

Um som de *whoop-whoop* familiar nos deixa em alerta.

Oh, Deus.

A viatura com luzes piscando passa pela rua. Para ao lado de papai e do Sr. Lewis.

Dois policiais saem dela. Um negro, um branco. As mãos ficam perto das armas na cintura.

Não, não, não.

— Tem algum problema aqui? — pergunta o negro, olhando diretamente para papai. Ele é careca como papai, mas mais velho, mais alto, maior.

— Não, senhor, policial — diz papai. As mãos que estavam antes nos bolsos da calça jeans estão agora visíveis nas laterais do corpo.

— Tem certeza disso? — pergunta o branco, mais novo. — Não foi o que pareceu.

— Nós só estávamos conversando, policiais — diz o Sr. Lewis, com a voz bem mais baixa do que minutos antes. As mãos também estão nas laterais do corpo. Os pais devem ter tido a conversa com ele quando ele tinha 12 anos.

— A mim pareceu que esse homem estava agredindo o senhor — diz o negro, ainda olhando para o papai. Ele não olhou para o Sr. Lewis ainda. Eu me pergunto se é porque o Sr. Lewis não está usando uma camiseta do NEA. Ou porque não tem tatuagens nos braços. Ou porque não está de calça larga e boné virado para trás.

— Está com seus documentos? — pergunta o policial negro ao papai.

— Senhor, eu estava voltando para o meu mercado...

— Eu perguntei se você está com documentos.

Minhas mãos tremem. O café da manhã, o almoço e tudo mais se reviram no meu estômago, prontos para subir pela garganta. Vão tirar papai de mim.

— O que está acontecendo?

Eu me viro. Tim, sobrinho do Sr. Reuben, anda até nós. As pessoas pararam na calçada do outro lado da rua.

— Eu vou pegar minha identidade — diz papai. — Está no meu bolso de trás. Tudo bem?

— Papai... — digo.

Papai fica com os olhos grudados no policial.

— Entrem no mercado, tá? Está tudo bem.

Mas nós não nos mexemos.

A mão de papai segue lentamente até o bolso de trás, e olho das mãos dele para as dos policiais, para ver se vão pegar as armas.

Papai pega a carteira, a de couro que dei para ele no Dia dos Pais, com as iniciais dele gravadas. Ele a mostra para os dois.

— Estão vendo? Minha carteira de identidade está aqui.

A voz dele nunca soou tão baixa.

O policial negro pega a carteira e abre.

— Ah — diz ele. — *Maverick Carter.*

Ele troca um olhar com o parceiro.

Os dois olham para mim.

Meu coração para de bater.

Eles se deram conta de que eu sou a testemunha.

Deve haver um arquivo com os nomes dos meus pais. Ou os detetives falaram, e agora todo mundo na delegacia sabe nossos nomes. Ou eles podem ter obtido com tio Carlos, de alguma maneira. Não sei como aconteceu, mas aconteceu. E, se alguma coisa acontecer com papai...

O policial negro olha para ele.

— No chão, mãos nas costas.

— Mas...

— No chão, a cara para baixo! — grita ele. — Agora!

Papai olha para nós. A expressão dele pede desculpas por termos que ver isso.

Ele se apoia em um joelho e vai até o chão, com o rosto virado para baixo. Coloca as mãos nas costas e entrelaça o dedo.

Onde está aquele cinegrafista agora? Por que isso não pode sair no noticiário?

— Espere um minuto, policial — diz o Sr. Lewis. — Eu e ele só estávamos conversando.

— Senhor, entre — diz o policial branco para ele.

— Mas ele não fez nada! — diz Seven.

— Garoto, entre! — ordena o policial negro.

— Não! Ele é meu pai e...

— Seven! — grita papai.

Apesar de estar deitado no concreto, tem autoridade suficiente na voz para fazer Seven calar a boca.

O policial negro revista papai enquanto o parceiro olha ao redor, para ver quem está olhando. Tem muitos de nós agora. A Sra. Yvette e duas clientes dela estão à porta, com toalhas nos ombros. Um carro parou na rua.

— Pessoal, voltem a cuidar das suas vidas — diz o policial branco.

— Não, senhor — diz Tim. — Isso é a nossa vida.

O policial negro mantém o joelho nas costas de papai enquanto o revista. Procura uma vez, duas, três vezes, como Um-Quinze fez com Khalil. Nada.

— Larry — diz o policial branco.

O negro, que deve ser Larry, olha para ele e para todas as pessoas ao redor.

Larry tira o joelho das costas do papai e se levanta.

— De pé — diz ele.

Lentamente, papai fica de pé.

Larry olha para mim. Sinto bile na boca. Ele se vira para papai e diz:

— Estou de olho em você, cara. Lembre-se disso.

Papai contrai o maxilar com força.

Os policiais vão embora. O carro que tinha parado na rua vai embora, e todos que observavam seguem com suas vidas. Uma pessoa grita:

— Está tudo bem, Maverick.

Papai olha para o céu e pisca, do jeito como eu faço quando não quero chorar. Ele abre e fecha as mãos.

O Sr. Lewis toca nas costas dele.

— Venha, filho.

Ele guia papai na nossa direção, mas eles passam por nós e entram no mercado. Tim vai atrás.

— Por que trataram papai daquele jeito? — pergunta Sekani, baixinho. Ele olha para mim e para Seven com lágrimas nos olhos.

Seven passa um braço ao redor dele.

— Não sei, cara.

Eu sei.

Eu entro no mercado.

DeVante está apoiado em uma vassoura perto do caixa, usando um daqueles aventais verdes feios que papai tenta fazer com que eu e Seven usemos quando trabalhamos no mercado.

Sinto uma pontada no peito. Khalil também usou um.

DeVante está falando com Kenya, que está segurando uma cesta cheia de compras. Quando o sino da porta toca atrás de mim, os dois olham.

— Ei, o que aconteceu? — pergunta DeVante.

— Era a polícia lá fora? — pergunta Kenya.

De onde estou, vejo o Sr. Lewis e Tim à porta de escritório do papai. Ele deve estar lá dentro.

— Era — respondo a Kenya, e vou para os fundos. Kenya e DeVante me seguem, fazendo 50 milhões de perguntas que não tenho tempo para responder.

Tem papéis espalhados por todo o chão da sala. Papai está curvado sobre a mesa, as costas subindo e descendo a cada respiração.

Ele soca a mesa.

— Porra!

Papai me disse uma vez que tem uma fúria que é passada para todos os negros pelos ancestrais, gerada no momento em que eles não conseguiram impedir que os donos de escravos machucassem suas famílias. Papai também disse que não tem nada mais perigoso do que a hora em que essa fúria é ativada.

— Bote para fora, filho — diz o Sr. Lewis.

— Que se fodam aqueles porcos — diz Tim. — Eles só fizeram aquela merda porque sabem sobre Starr.

Espere. O quê?

Papai olha para trás. Os olhos estão inchados e molhados, como os de quem estava chorando.

— De que você está falando, Tim?

— Um amigo viu você, Lisa e sua garotinha entrando em uma ambulância na cena do crime naquela noite — diz Tim. — O boato se espalhou pelo bairro, e todo mundo acha que ela é a testemunha de quem estão falando na televisão.

Ah.

Merda.

— Starr, vá passar os produtos de Kenya — diz papai. — Vante, termine de limpar o chão.

Eu vou para o caixa e passo por Seven e Sekani

O bairro sabe.

Passo os produtos de Kenya com o estômago em um nó. Se o bairro sabe, não vai demorar para que as pessoas fora de Garden Heights saibam. E aí?

— Você passou isso aí duas vezes — diz Kenya

— Hã?

— O leite. Você passou duas vezes, Starr.

— Ah.

Cancelo um dos leites e coloco a caixa em uma sacola. Kenya provavelmente vai cozinhar para ela e Lyric à noite. Às vezes, ela faz isso. Eu registro os demais produtos, pego o dinheiro e dou o troco.

Ela olha para mim por um segundo e diz:

— Era mesmo você quem estava com ele?

Minha garganta está áspera.

— Importa?

— Importa, sim. Por que você não fala nada sobre isso? Parece que está se escondendo ou algo do tipo.

— Não fale desse jeito.

— Mas é desse jeito. Não é?

Eu suspiro.

— Kenya, pare. Você não entende, tá?

Kenya cruza os braços.

— O que tem pra entender?

— Um monte de coisas! — Não quero gritar, mas, droga. — Não posso sair contando aquela merda pras pessoas.

— Por quê?

— Porque sim! Você não viu o que os policiais fizeram com meu pai só porque sabem que eu sou a testemunha.

— Então você vai deixar a polícia impedir que você fale por Khalil? Achei que você gostava bem mais dele do que isso.

— Eu gosto. — Eu gosto mais do que ela pode imaginar. — Eu já falei com a polícia, Kenya. Não aconteceu nada. O que mais eu posso fazer?

— Apareça na TV, sei lá — diz ela. — Conte pra todo mundo o que realmente aconteceu naquela noite. Não estão nem contando o lado dele da história. Você está deixando que falem mal dele...

— Espere... Como é que estou deixando que façam qualquer coisa?

— Você ouve tudo que dizem dele nos noticiários, que o chamam de bandido e tal, e sabe que esse não era Khalil. Aposto que, se ele fosse um dos seus amigos da escola particular, você estaria na TV, defendendo ele e essas merdas todas.

— Você está falando sério?

— Ah, estou — responde ela. — Você o largou pelos garotos burgueses e sabe muito bem disso. Provavelmente, teria me largado se eu não aparecesse por causa do meu irmão.

— Não é verdade!

— Tem certeza?

Eu não tenho.

Kenya balança a cabeça.

— Sabe qual é a parte mais errada disso tudo? O Khalil que eu conheço teria pulado na televisão em um segundo e dito pra todo mundo o que tinha acontecido naquela noite se fosse pra defender você. E você não consegue fazer o mesmo por ele.

É uma surra verbal. E do pior tipo, porque é verdade.

Kenya pega as sacolas.

— Só estou falando, Starr. Se eu pudesse mudar o que acontece na minha casa com minha mãe e meu pai, eu mudaria. E aqui está você, com uma chance de ajudar a mudar o que acontece *no nosso bairro todo*, mas fica calada. Como uma covarde.

Kenya vai embora. Tim e o Sr. Lewis vão logo atrás. Tim faz o punho do movimento black power para mim na saída. Mas não mereço.

Vou para a sala do papai. Seven está à porta e papai está sentado na mesa. Sekani está ao lado dele, assentindo para o que papai está dizendo, mas com uma expressão triste. Faz com que eu lembre a vez em que papai e mamãe tiveram a conversa comigo. Acho que papai decidiu não esperar Sekani fazer 12 anos.

Papai me vê.

— Sev, vá cuidar do caixa. Leve Sekani com você. Está na hora de ele aprender.

— Ah, cara — resmunga Sekani. Eu não o culpo. Quanto mais coisa você aprende a fazer no mercado, mais tem o que fazer no mercado.

Papai dá um tapinha no espaço vazio ao lado dele na mesa. Eu salto e me sento ali. A sala dele tem espaço só para a mesa e para um arquivo. Fotos emolduradas cobrem as paredes, como a dele e da mamãe no cartório no dia em que casaram, a barriga dela (ou seja, eu) grande e redonda; fotos minhas e dos meus irmãos quando bebês e uma foto de uns sete anos atrás, quando meus pais levaram nós três para o shopping, todos com roupas iguais de camisetas esportivas, calças jeans largas e tênis Timberland. Brega.

— Está tudo bem? — pergunta papai.

— Está com você?

— Eu vou ficar — responde ele. — Só odeio que você e seus irmãos tenham tido que ver aquela merda.

— Só fizeram aquilo por minha causa.

— Não, amorzinho. Eles começaram antes de saber sobre você.

— Mas não ajudou. — Olho para meus tênis enquanto balanço os pés. — Kenya me chamou de covarde por não me posicionar.

— Ela não falou sério. Está passando por muita coisa, só isso. King fica jogando Iesha de um lado para o outro como uma boneca de pano todas as noites.

— Mas ela está certa. — Minha voz falha. Estou quase chorando. — Sou covarde. Depois de ver o que fizeram com você, não quero mesmo dizer merda nenhuma agora.

— Ei. — Papai segura meu queixo, e não tenho outra escolha a não ser olhar para ele. — Não caia nessa armadilha. É o que eles querem. Se você não quiser falar, isso é problema seu, mas não deixe que seja assim porque está com medo deles. Quem eu digo que você tem que temer?

— Ninguém além de Deus. E você e mamãe. Principalmente mamãe quando está muito irritada.

Ele ri.

— É. A lista termina aí. Você não tem que temer nada nem ninguém. Está vendo isso? — Ele puxa a manga da camisa e mostra a tatuagem da foto de quando eu era bebê no braço. — O que diz embaixo?

— Algo pelo qual viver, algo pelo qual morrer — digo, sem nem olhar. Vi isso a vida toda.

— Exatamente. Você e seus irmãos são algo pelo qual viver e algo pelo qual morrer, e eu faria o que fosse preciso para proteger vocês. — Ele beija minha testa. — Se você estiver pronta para falar, amorzinho, fale. Estou com você.

# DOZE

Estou chamando Tijolão para entrar quando ele passa na frente de casa.

Por um longo tempo observo-o descer lentamente pela rua até me dar conta de que devo alertar alguém.

— Pai!

Ele para de arrancar ervas daninhas dos pimentões e levanta a cabeça.

— Aquilo é sério?

O tanque parece os que aparecem na televisão quando falam da guerra no Oriente Médio. É do tamanho de dois Hummers. As luzes frontais azuis e brancas deixam a rua quase tão iluminada quanto durante o dia. Leva um policial no topo, de colete e capacete. Ele aponta o fuzil para a frente.

Uma voz estrondeia do veículo blindado.

— Todas as pessoas encontradas violando o toque de recolher serão detidas.

Papai arranca mais ervas daninhas.

— Que babaquice.

Tijolão segue o pedaço de mortadela que balanço até o lugar dele na cozinha. Fica sentado todo contente, comendo junto com o restante da comida. Tijolão não age como louco quando papai está em casa.

Nós todos somos como Tijolão, na verdade. Papai em casa quer dizer que mamãe não vai passar a noite acordada, Sekani não vai se encolher toda hora e Seven não vai ter que ser o homem da casa. Eu também durmo melhor.

Papai entra, limpando a terra das mãos.

— As rosas estão morrendo. Tijolão, você anda mijando nas minhas rosas?

Tijolão levanta a cabeça. Ele olha nos olhos do papai, mas acaba baixando a cabeça.

— É melhor eu não pegar você fazendo isso — ameaça papai. — Senão a gente vai ter um problema.

Tijolão baixa os olhos novamente.

Pego uma toalha de papel e uma fatia de pizza na caixa sobre a bancada. É minha quarta fatia hoje. Mamãe trouxe duas pizzas enormes do Sal's, que fica do outro lado da rodovia. É de italianos, então a pizza é fina, cheia de temperos e gostosa.

— Já terminou o dever? — pergunta papai.

— Terminei. — Mentira.

Ele lava as mãos na pia da cozinha.

— Tem alguma prova essa semana?

— De trigonometria na sexta.

— Estudou pra ela?

— Estudei. — Outra mentira.

— Que bom. — Ele pega as uvas da geladeira. — Você ainda tem aquele laptop velho? O que tinha antes de comprarmos aquele caro, da fruta?

Dou uma risada.

— É um MacBook da Apple, pai.

— Não custou o preço de uma maçã. Mas você ainda tem o velho?

— Tenho.

— Que bom. Dê para Seven. Mande que ele dê uma olhada para ver se está bom. Quero que fique com DeVante.

— Por quê?

— Você paga as contas?

— Não.

— Então não preciso responder isso.

É assim que ele escapa de quase todas as discussões comigo. Eu devia fazer uma daquelas assinaturas baratas de revista e dizer: "Tá, eu pago uma coisa, sim, e daí?" Mas não vai fazer diferença.

Vou para o meu quarto depois que termino a pizza. Papai já foi para o quarto deles. A televisão está ligada, e os dois estão deitados de barriga para baixo, uma das pernas dela na dele enquanto ela digita algo no laptop. É estranhamente adorável. Às vezes, fico olhando para eles para ter uma ideia do que quero ter um dia.

— Ainda está com raiva de mim por causa de DeVante? — pergunta papai. Ela não responde, mantém o olhar no laptop. Ele franze o nariz e vai para a frente dela. — Ainda está com raiva de mim? Hã? Ainda está com raiva de mim?

Ela ri e o empurra de um jeito brincalhão.

— Sai daqui, cara. Não. Não estou com raiva de você. Agora, me dá uma uva.

Ele sorri e dá uma uva para ela, e eu não aguento. É fofura demais. É, eles são meus pais, mas são meu casal perfeito. É sério.

Papai olha o que ela está fazendo no computador e dá uma uva para ela cada vez que come uma. Ela deve estar upando as fotos mais recentes da família no Facebook, para os parentes de fora da cidade. Com tudo que está acontecendo, o que ela pode dizer? "Sekani viu um policial agredir o pai, mas está indo bem na escola. #maeorgulhosa." Ou "Starr viu o melhor amigo morrer, orem por ela, mas minha filhinha entrou na lista dos melhores da escola de novo. #abençoada." Ou até "Tem tanques passando lá fora, mas Seven foi aceito em seis faculdades até agora. #elevailonge."

Vou para o meu quarto. Meu laptop velho e o novo estão na minha escrivaninha, que está uma bagunça. Tem um par enorme de tênis do papai ao lado do meu laptop velho. As solas amareladas estão viradas para o abajur, e uma camada de filme plástico protege minha mistura de detergente e pasta de dente que vai acabar limpando tudo.

Ver solas amarelas ficarem brancas de novo é tão satisfatório quanto espremer um cravo e tirar toda a gosma. In-crí-vel.

De acordo com a mentira que contei para o papai, meu dever já devia estar feito, mas estou em uma "pausa no Tumblr", ou seja, não comecei meu dever e passei as duas últimas horas no Tumblr. Comecei um blog novo: *O Khalil que eu conheço*. Não tem meu nome, só fotos dele. Na primeira, ele tem 13 anos e está com o cabelo black power. Tio Carlos nos levou para um rancho, para termos "um gostinho da vida no interior", e Khalil está olhando de lado para um cavalo. Eu me lembro dele dizendo: "Se essa coisa fizer um movimento errado, saio correndo!"

No Tumblr, botei uma legenda na foto: "O Khalil que eu conheço tinha medo de animais". Botei uma tag com o nome dele. Uma pessoa marcou como favorito e repostou. Depois, outra e outra.

Isso me fez postar mais fotos, como uma nossa em uma banheira quando tínhamos 4 anos. Não dá para ver nossas partes íntimas por causa da espuma, e eu estou olhando para longe da câmera. A Sra. Rosalie está sentada na lateral da banheira, sorrindo para nós, e Khalil está sorrindo para ela. Escrevi: "O Khalil que eu conheço amava banhos de espuma quase tanto quanto amava a avó."

Em duas horas, centenas de pessoas marcaram como favoritas e repostaram as fotos. Sei que não é a mesma coisa que ir para a TV, como Kenya falou, mas espero que ajude. Está me ajudando, pelo menos.

Outras pessoas postaram sobre Khalil, fizeram artes para ele, postaram fotos dele que aparecem no noticiário. Acho que repostei todas.

Mas é engraçado: alguém postou um videoclipe do Tupac de antigamente. Tudo bem, todos os vídeos do Tupac são de antigamente. Ele está com um garotinho no colo e usa um boné para trás, o que seria descolado agora. Ele explica a *Thug Life* como Khalil disse que ele fazia: "o ódio que você passa pras criancinhas fode com todo mundo". Pac soletra "fode" porque o garotinho está olhando bem para a cara dele. Quando Khalil me disse o que queria dizer, eu entendi mais ou menos. Mas agora entendi bem.

Assim que pego meu laptop velho, meu celular toca na mesa. Mamãe devolveu mais cedo, aleluia, obrigada, Jesus Negro. Ela disse que é só para o caso de haver outro problema na escola. Mas estou com ele novamente e não ligo para o motivo. Estou torcendo para que seja uma mensagem de Kenya. Mandei o link do meu novo Tumblr para ela mais cedo. Achei que ia gostar de ver, porque foi ela quem me deu o estímulo.

Mas é de Chris. Ele aprendeu direitinho com Seven, e todas as mensagens estão em caixa-alta.

OMG!
ESSE EPISÓDIO DE UM *MALUCO NO PEDAÇO*
O PAI DE WILL NÃO LEVOU ELE JUNTO
O BABACA VOLTOU E LARGOU ELE DE NOVO
AGORA ELE ESTÁ CHORANDO COM O TIO PHIL
MEUS OLHOS ESTÃO SUANDO

É compreensível. É o episódio mais triste do mundo. Eu respondo:
Lamento :( E seus olhos não estão suando. Você está chorando, amor.
Ele responde:
MENTIRAS!
Eu digo:
Você não vai mentir, Craig. Você não vai mentir.
Ele responde:
VOCÊ USOU MESMO UMA FALA DE *SEXTA-FEIRA EM APUROS* COMIGO???

Ver filmes dos anos 1990 é uma coisa que a gente também curte. Eu respondo:
Aham ;)
Ele responde:
BYE, FELICIA!

Levo o laptop para o quarto de Seven, o celular na mão caso Chris tenha outra crise de *Um maluco no pedaço*. Sou recebida por reggae no corredor, seguido de Kendrick Lamar cantando um rap sobre ser hipócrita. Seven está sentado no beliche de baixo, uma torre de computador aberta aos pés. Com a cabeça baixa, os dreads caem soltos e formam uma cortina na frente da cara dele. DeVante está sentado de pernas cruzadas no chão. O cabelo sacode com a música.

Uma versão zumbi de Steve Jobs os observa de um pôster na parede, ao lado de todos aqueles super-heróis e personagens de *Star Wars*. Tem um edredom da Sonserina na cama de baixo que juro que vou roubar um dia. Seven e eu somos fãs de Harry Potter ao contrário: gostamos primeiro dos filmes e depois dos livros. Viciei Khalil e Natasha também. Mamãe encontrou o primeiro filme por um dólar em um brechó quando a gente morava no conjunto de Cedar Grove. Seven e eu dizíamos que éramos da Sonserina porque quase todos eram ricos. Quando você é criança e mora em um apartamento de um quarto em um conjunto habitacional, rico é a melhor coisa que alguém pode ser.

Seven tira uma caixa prateada do computador e a examina.

— Nem é tão velha.

— O que você está fazendo? — pergunto.

— Big D me pediu para consertar o computador dele. Precisa de uns drives novos de DVD. Ele queimou os dele fazendo toda aquela pirataria.

Meu irmão é o técnico não oficial de Garden Heights. Senhoras idosas, vendedores de pirataria e todo mundo entre as duas coisas pagam para que ele conserte seus computadores e celulares. Ele ganha um bom dinheiro assim.

Tem um saco preto de lixo encostado no pé da beliche, com umas roupas aparecendo no alto. Alguém jogou por cima da cerca no nosso jardim. Seven, Sekani e eu o encontramos quando voltamos do mercado. Achamos que podiam ser de DeVante, mas Seven olhou, e tudo pertencia a ele. As coisas que ele tinha na casa da mãe.

Ele ligou para Iesha. Ela disse que o estava botando para fora. Que King mandou.

— Seven, sinto muito...

— Tudo bem, Starr.

— Mas ela não devia...

— Eu falei que está tudo bem. — Ele olha para mim. — Tá? Não esquenta.

— Tudo bem — digo, e meu celular vibra. Entrego o laptop para DeVante e olho a mensagem. Ainda não recebi nenhuma resposta de Kenya. Mas é uma mensagem de Maya.

Você está com raiva da gente?

— Para que isso? — pergunta DeVante, olhando para o laptop.

— Papai quer que eu dê para você. Mas disse para deixar Seven dar uma olhada primeiro — digo enquanto respondo para Maya.

O que vc acha?

— Por que ele quer que eu fique com isso? — pergunta DeVante.

— Talvez queira saber se você sabe mesmo usar um — respondo para DeVante.

— Eu sei usar um computador — diz DeVante. Ele dá um soco em Seven, que está rindo.

Meu celular vibra três vezes. Maya respondeu.

Definitivamente.

Nós 3 podemos conversar?

As coisas andam estranhas.

Típico de Maya. Se Hailey e eu temos qualquer tipo de discordância, ela tenta consertar. Ela deve saber que esse não vai ser um momento Kumbaya. Eu respondo:

Tá. Aviso quando estiver no meu tio.

Tiros soam em velocidade rápida ao longe. Eu me encolho.

— Metralhadoras de merda — diz papai. — As pessoas ficam agindo como se aqui fosse o Irã.

— Nada de palavrões, papai! — diz Sekani da sala.

— Foi mal, cara. Vou botar um dólar no cofre.

— Dois! Você disse a palavra com m.

— Tá, dois. Starr, venha até a cozinha um segundo.

Na cozinha, mamãe fala com a "outra voz" no celular.

— Sim, senhora. Nós queremos a mesma coisa. — Ela me vê. — E aqui está minha adorável filha agora. Você pode esperar, por favor?

— Ela cobre o fone. — É a promotora pública. Ela quer falar com você essa semana.

Não é o que eu esperava.

— Ah...

— É — diz mamãe. — Olha, amorzinho, se você não estiver à vontade...

— Eu estou. — E olho para papai. Ele assente. — Eu consigo.

— Ah — diz ela, olhando de mim para o papai e para mim de novo. — Tudo bem. Desde que você tenha certeza. Mas acho que devíamos nos encontrar com a Sra. Ofrah primeiro. E possivelmente aceitar a oferta dela de representar você.

— Definitivamente — diz papai. — Não confio nas pessoas da promotoria.

— Que tal irmos vê-la amanhã e deixamos a promotora mais para o final dessa semana? — pergunta mamãe.

Pego outra fatia de pizza e dou uma mordida. Está fria agora, mas pizza fria é a melhor pizza.

— Dois dias sem escola?

— Ah, você vai à escola — diz ela. — E você comeu salada, já que está comendo tanta pizza?

— Comi legumes. Esses pimentões pequenininhos.

— Não contam quando são tão pequenos.

— Contam, sim. Se bebês contam como humanos quando são pequenos, legumes contam como legumes quando são pequenos.

— Essa lógica não funciona comigo. Então vamos nos encontrar com a Sra. Ofrah amanhã e com a promotora na quarta. Parece um bom plano?

— Parece, menos a parte da escola.

Mamãe tira a mão do telefone.

— Me desculpe pela demora. Podemos ir na quarta-feira pela manhã.

— Enquanto isso, diga para o prefeito e o chefe de polícia tirarem as merdas desses tanques do meu bairro — diz papai em voz alta. Mamãe bate nele, mas ele não para. — Alegam que as pessoas precisam agir pacificamente, mas andam por aqui como se estivéssemos em guerra.

— Dois dólares, papai — diz Sekani.

Quando mamãe desliga, eu digo:

— Eu não ia morrer por faltar um dia de aula. Não quero estar lá se eles tentarem aquela história de protesto de novo. — Eu não ficaria surpresa se Remy tentasse cavar uma semana toda de folga por causa de Khalil. — Eu preciso de dois dias, só isso. — Mamãe levanta as sobrancelhas. — Tudo bem, um e meio. Por favor.

Ela respira fundo e solta lentamente.

— Vamos ver. Mas nem uma palavra sobre isso para os seus irmãos, ouviu?

Basicamente, ela disse sim sem dizer abertamente. Por mim, tudo bem.

O pastor Eldridge disse uma vez no sermão que "Fé não é só acreditar, mas dar passos na direção da crença". Então, quando meu despertador toca na terça de manhã, eu não levanto por fé, acreditando que mamãe não vai me obrigar a ir à escola.

E, para citar o pastor Eldridge, aleluia, Deus aparece e mostra o caminho. Mamãe não me obriga a me levantar. Eu fico na cama, escutando todo mundo se arrumar. Sekani faz questão de dizer para mamãe que eu ainda não levantei.

— Não se preocupe com ela — diz ela. — Se preocupe com você.

A TV na sala exibe um noticiário matinal, e mamãe cantarola pela casa, quando Khalil e Um-Quinze são mencionados, alguém diminui o volume e não aumenta novamente até começar uma notícia sobre política.

Meu celular vibra embaixo do travesseiro. Eu o pego e olho. Kenya finalmente mandou uma resposta à minha mensagem sobre o novo Tumblr. Ela me fez esperar horas para responder e o comentário é o mais curto possível:

Legal.

Eu reviro os olhos. É o mais próximo que vou chegar de um elogio da parte dela. Respondo:

Eu também te amo

A resposta dela?

Eu sei ☺

Ela é tão mesquinha. Parte de mim se questiona se ela não respondeu ontem à noite por causa do drama na casa dela. Papai disse que King ainda bate em Iesha. Às vezes, bate em Kenya e em Lyric também. Kenya não é do tipo que fala sobre isso, então eu pergunto:

Tudo bem?

O de sempre.

Resposta curta, mas suficiente. Não tem muito o que eu possa fazer, então só lembro a ela:

Estou aqui se você precisar

A resposta dela?

É bom que esteja

Está vendo? Mesquinha.

A parte ruim de faltar aula: você fica se perguntando o que estaria fazendo se tivesse ido. Às oito, penso que Chris e eu estaríamos chegando à aula de história, pois é nossa primeira aula às terças. Mando uma mensagem de texto rápida para ele.

Não vou à escola hoje.

Dois minutos depois, ele responde.

Você está doente? Precisa de beijinho pra melhorar? Pisca pisca

Ele digitou mesmo "pisca pisca" em vez de botar dois emojis de piscadela. Admito que dou um sorriso. Respondo:

E se for contagioso?

Ele diz:

Não importa. Beijo em qualquer lugar. Pisca pisca

Eu respondo:

É outra cantada?

Ele responde em menos de um minuto.

É o que você quiser que seja. Te amo, Maluca no Pedaço.

Pausa. A palavra com "A" me pega totalmente desprevenida, como um jogador do outro time roubando a bola na hora que você vai fazer uma cesta. Tira todo seu impulso, e você passa uma semana se perguntando como a roubada aconteceu.

É. Chris dizendo "te amo" é assim, só que não posso passar uma semana pensando nisso. Ao não responder, estou respondendo, se é que isso faz sentido. O relógio da cesta está correndo, e preciso dizer alguma coisa.

Mas o quê?

Ao não dizer "eu" antes de "te amo", ele está deixando tudo mais casual. Falando sério, "te amo" e "eu te amo" são diferentes. Mesmo time, jogadores diferentes. "Te amo" não é tão direto e agressivo como "eu te amo". "Te amo" pode escapar, claro, mas não é uma porrada na cara. É mais um tapinha de leve.

Dois minutos se passam. Preciso dizer alguma coisa.

Também te amo.

É tão distante quanto uma palavra em espanhol que ainda não aprendi, mas o engraçado é que vem com facilidade.

Recebo um emoji de piscadela em resposta.

O Just Us for Justice ocupa o antigo Taco Bell na Magnolia Avenue, entre a lavadora de carros e a loja de crédito financeiro. Papai me levava junto com Seven ao Taco Bell todas as sextas-feiras e comprava tacos de 99 centavos, pãozinho de canela e um refrigerante para dividir. Foi logo depois que ele saiu da prisão, quando não tinha muito dinheiro. Ele costumava ficar nos olhando comer. Às vezes, pedia à gerente, uma das amigas da mamãe, para ficar de olho na gente e ia à loja de crédito financeiro ao lado. Quando fiquei mais velha e descobri que presentes não simplesmente "aparecem", me dei conta de que papai sempre ia lá perto dos nossos aniversários e do Natal.

Mamãe toca a campainha do Just Us, e a Sra. Ofrah abre para nós.

— Peço desculpas por isso — diz ela, trancando a porta. — Estou sozinha aqui hoje.

— Ah — diz mamãe. — Onde estão seus colegas?

— Alguns estão na Garden Heights High, em uma mesa-redonda. Outros estão organizando uma marcha na Carnation, onde Khalil foi assassinado.

É estranho ouvir alguém dizer "Khalil foi assassinado" com a facilidade com que a Sra. Ofrah diz. Ela não morde a língua nem hesita.

Cubículos com paredes baixas ocupam a maior parte do restaurante. Eles têm quase tantos pôsteres quanto Seven, mas do tipo que papai amaria, como Malcolm X de pé junto a uma janela segurando um fuzil, Huey Newton na prisão com o punho erguido do movimento black power e fotos dos Panteras Negras em manifestações e dando café da manhã para crianças.

A Sra. Ofrah nos leva para o cubículo dela, ao lado da janela do drive-thru. É engraçado, porque tem um copo do Taco Bell na mesa dela.

— Muito obrigada por virem — diz ela. — Fiquei muito feliz quando você ligou, Sra. Carter.

— Por favor, me chame de Lisa. Há quanto tempo vocês estão neste espaço?

— Quase dois anos. E, se quer saber, sim, de tempos em tempos aparece um palhaço que abre a janela e diz que quer uma *chalupa*.

Nós rimos. A campainha toca.

— Deve ser meu marido — diz minha mãe. — Ele estava a caminho.

A Sra. Ofrah se afasta, e em pouco tempo a voz de papai ecoa pelo escritório, com ele andando logo atrás dela. Meu pai pega uma terceira cadeira em outro cubículo e coloca entre a sala da Sra. Ofrah e o corredor. O cubículo dela é muito pequeno.

— Me desculpem o atraso. Tive que atualizar DeVante sobre a situação do Sr. Lewis.

— Sr. Lewis? — pergunto.

— É. Como estou aqui, pedi para ele deixar DeVante ajudar na loja. O Sr. Lewis precisa de alguém de olho naquele traseiro burro. Dedurando na televisão ao vivo.

— Você está falando do cavalheiro que deu a entrevista sobre os King Lords? — pergunta a Sra. Ofrah.

— É, ele — diz papai. — Ele é dono da barbearia ao lado da minha loja.

— Ah, uau. Aquela entrevista fez as pessoas falarem. Na última vez que vi, havia um milhão de visualizações online.

Eu sabia. O Sr. Lewis virou um meme.

— É preciso muita coragem para ser direto como ele foi. Eu falei sério no funeral de Khalil, Starr. Foi muita coragem sua falar com a polícia.

— Não me sinto corajosa. — Com Malcolm X me olhando da parede, não posso mentir. — Não estou soltando a língua na TV como o Sr. Lewis.

— E não tem problema — diz a Sra. Ofrah. — Tive a impressão de que o Sr. Lewis falou impulsivamente, com raiva e frustração. Em um caso como o de Khalil, eu preferiria que você falasse de uma forma mais deliberada e planejada. — Ela olha para mamãe. — Você disse que a promotora ligou ontem?

— É. Querem se encontrar com Starr esta semana.

— Faz sentido. O caso foi passado para a promotoria, e eles estão se preparando para levar a um grande júri.

— O que isso quer dizer? — pergunto.

— Um júri vai decidir que acusações devem ser feitas contra o policial Cruise.

— E Starr vai ter que testemunhar para o grande júri — diz papai.

A Sra. Ofrah assente.

— É um pouco diferente de um julgamento normal. Não haverá juiz nem advogado de defesa presentes e a promotora vai fazer perguntas a Starr.

— Mas e se eu não puder responder todas?

— O que você quer dizer? — pergunta a Sra. Ofrah.

— Eu... aquela coisa de arma no carro. No noticiário disseram que podia haver uma arma no carro, como se isso mudasse tudo. Eu sinceramente não sei se havia.

A Sra. Ofrah abre uma pasta na mesa, pega uma folha de papel e o empurra na minha direção. É uma fotografia da escova preta de cabelo de Khalil, a que ele usou no carro.

— Isso é a suposta arma — explica a Sra. Ofrah. — O policial Cruise alega que a viu na porta do carro e supôs que Khalil estava indo pegar. O cabo era grosso e preto o bastante para ele supor que era uma arma.

— E Khalil era preto o bastante — acrescenta papai.

Uma escova de cabelo.

Khalil morreu por causa da porra de uma escova de cabelo.

A Sra. Ofrah coloca a foto na pasta.

— Vai ser interessante ver como o pai dele fala disso na entrevista de hoje.

Espere.

— Entrevista? — pergunto.

Mamãe se mexe um pouco na cadeira.

— Hum... o pai do policial vai dar uma entrevista que vai passar esta noite.

Eu olho dela para o papai.

— E ninguém me contou?

— Porque não vale a pena falar disso, amorzinho — diz papai.

Eu olho para a Sra. Ofrah.

— Então o pai dele pode apresentar para o mundo a versão do filho da história e eu não posso apresentar a minha e de Khalil? Ele vai fazer todo mundo pensar que Um-Quinze é a vítima.

— Não necessariamente — diz a Sra. Ofrah. — Às vezes, essas coisas saem pela culatra. E, no fim das contas, o tribunal da opinião pública não tem peso nenhum. O grande júri é que decide. Se eles virem provas suficientes, coisa que deveriam, o policial Cruise vai ser acusado e julgado.

— Se — repito.

Uma onda de silêncio constrangedor se espalha. O pai de Um-Quinze é a voz dele, mas eu sou a de Khalil. O único jeito de as pessoas conhecerem o lado dele da história é se eu falar.

Olho pela janela do drive-thru para o lava a jato ao lado. Água jorra de uma mangueira, fazendo um arco-íris no sol como fazia seis anos atrás, pouco antes de as balas levarem Natasha.

Eu me viro para a Sra. Ofrah.

— Quando eu tinha 10 anos, vi minha outra melhor amiga ser morta por um tiro que saiu de um carro que estava passando.

Engraçado como *morta* saiu fácil agora.

— Ah. — A Sra. Ofrah se encosta. — Eu não... Sinto muito, Starr.

Eu olho para os dedos e os mexo. Lágrimas se formam nos meus olhos.

— Eu tentei esquecer, mas me lembro de tudo. Dos tiros e da expressão no rosto de Natasha. Nunca pegaram a pessoa que fez aquilo. Acho que não importava o bastante. Mas importava. *Ela* importava. — Eu olho para a Sra. Ofrah, mas mal consigo vê-la em meio às lágrimas. — E quero que todo mundo saiba que Khalil importava também.

A Sra. Ofrah pisca. Muito.

— Sem dúvida. Eu... — Ela limpa a garganta. — Eu gostaria de representar você, Starr. Sem cobrar, na verdade.

Mamãe assente e também está com os olhos cheios de lágrimas.

— Vou fazer o que puder para ter certeza de que você seja ouvida, Starr. Porque, assim como Khalil e Natasha importavam, você importa e sua voz importa. Posso começar tentando conseguir uma entrevista na televisão. — Ela olha para os meus pais. — Se vocês concordarem.

— Desde que não revelem a identidade dela, sim — diz papai.

— Isso não deve ser um problema — diz ela. — No que diz respeito à promotora, posso marcar de irmos amanhã.

Um zumbido baixo vem da direção do papai. Ele pega o celular e atende. A pessoa do outro lado grita alguma coisa, mas não consigo entender.

— Ei, calma, Vante. Fale de novo. — A resposta faz papai se levantar. — Estou indo. Ligou para a emergência?
— O que foi? — pergunta mamãe.
Ele faz sinal para o seguirmos.
— Fique com ele, tá? Estamos a caminho.

# **TREZE**

O olho esquerdo do Sr. Lewis está fechado de tão inchado, e o sangue de um corte no rosto pinga na camisa, mas ele se recusa a ir para o hospital.

A sala de papai virou consultório, e mamãe cuida do Sr. Lewis com a ajuda do papai. Fico encostada na porta e observo. DeVante fica mais distante, no meio do mercado.

— Eles precisaram de cinco para me derrubar — diz o Sr. Lewis. — Cinco! Contra um homenzinho. Não é incrível?

— É realmente incrível você estar vivo — digo. Quem dedura leva atadura não se aplica aos King Lords. Está mais pra quem dedura vai pro caixão.

Mamãe inclina a cabeça do Sr. Lewis para olhar o corte.

— Ela está certa. Você teve sorte, Sr. Lewis. Nem precisa de pontos.

— Foi o próprio King quem fez isso — conta ele. — Ele só veio quando os outros estavam no chão. Aquele velho covarde, parece um boneco da Michelin negro.

Eu dou uma risada.

— Não é engraçado — diz papai. — Eu falei que ele viria atrás de você.

— E eu falei que não tenho medo! Se isso é o pior que eles puderam fazer, não fizeram nada!

— Não, isso não é o pior — discorda papai. — Podiam ter matado você!

— Não sou eu que eles querem morto! — Ele estica o dedo gordo na minha direção, mas olha além de mim, para DeVante. — É com aquele ali que você precisa se preocupar! Eu fiz ele se esconder antes de eles entrarem, mas King disse que sabe que você está ajudando o garoto e que vai matá-lo se o encontrar.

DeVante recua, os olhos arregalados.

Eu juro, em uns dois segundos, papai pega DeVante pelo pescoço e o bate com força no freezer.

— O que foi que você fez?

DeVante chuta e se contorce e tenta tirar as mãos de papai do pescoço.

— Papai, pare!

— Cala a boca! — O olhar de raiva não sai do rosto de DeVante. — Eu levei você para a minha casa e você não foi sincero sobre o motivo de estar se escondendo? King não ia querer você morto se você não tivesse feito nada, então o que você fez?

— Mav-rick! — Mamãe divide o nome dele direitinho. — Solta ele. Ele não pode explicar nada com você o sufocando.

Papai o solta, e DeVante se inclina para a frente, ofegante.

— Não coloque suas mãos em mim! — diz ele.

— Senão o quê? — provoca papai. — Pode começar a falar.

— Cara, olha, não é nada de mais. King está viajando.

Esse cara existe?

— O que você fez? — pergunto.

DeVante escorrega até o chão e tenta recuperar o fôlego. Pisca muito rápido por vários segundos. O rosto se contrai. De repente, ele começa a chorar como um bebê.

Não sei mais o que fazer, então me sento na frente dele. Quando Khalil chorava assim porque a mãe tinha feito besteira, eu levantava a cabeça dele.

Eu levanto a cabeça de DeVante.

— Está tudo bem — digo.

Isso sempre funcionou com Khalil. Funciona com DeVante também. Ele para de chorar tanto e diz:

— Roubei uns 5 mil de King.

— Droga! — resmunga papai. — Mas que merda, cara?

— Eu tinha que tirar minha família daqui! Eu ia cuidar dos caras que mataram Dalvin e tudo, mas isso só ia fazer uns GDs virem atrás de mim. Eu já era um morto que esqueceu de deitar. Não queria que minha mãe e minhas irmãs ficassem metidas nisso. Eu comprei passagens de ônibus e tirei todas da cidade.

— Foi por isso que não conseguimos falar com sua mãe no telefone — diz mamãe.

Lágrimas caem ao redor dos lábios dele.

— Ela não queria mesmo que eu fosse. Disse que eu ia fazer com que elas morressem. Me colocaram pra fora de casa antes de irem embora. — Ele olha para o papai. — Big Mav, desculpa. Eu devia ter contado, no outro dia. Mas mudei mesmo de ideia sobre matar os caras, só que agora King me quer morto. Por favor, não me leve até ele. Faço qualquer coisa. Por favor.

— É melhor não fazer isso! — O Sr. Lewis sai mancando da sala do papai. — Ajude esse garoto, Maverick!

Papai olha para o teto como se fosse falar um palavrão para Deus.

— Pai — peço.

— Tudo bem. Venha, Vante.

— Big Mav — choraminga ele. — Me desculpa, por favor...

— Não vou levar você para King, mas temos que tirar você daqui. Agora.

Quarenta minutos depois, mamãe e eu paramos atrás de papai e DeVante na entrada de carros de tio Carlos.

Fico surpresa por papai saber o caminho. Ele nunca vai com a gente. Nun-ca. Festas, aniversários, a nada disso. Acho que não quer ter que enfrentar a vovó e a boca inquieta dela.

Mamãe e eu saímos do carro dela na mesma hora em que papai e DeVante saem da picape.

— É para cá que você o traz? — pergunta mamãe. — Para a casa do meu irmão?

— É — diz papai, como se não fosse nada de mais.

Tio Carlos sai da garagem limpando graxa das mãos com uma das toalhas boas da tia Pam. Não era para ele estar em casa. Estamos no meio de um dia útil, e ele nunca falta nem por doença. Meu tio para de limpar as mãos, mas os nós dos dedos ainda estão escuros.

DeVante aperta os olhos na luz do sol e olha ao redor, como se o tivéssemos levado para outro planeta.

— Droga, Big Mav. Onde a gente tá?

— Onde nós estamos? — corrige tio Carlos e oferece a mão. — Carlos. Você deve ser DeVante.

DeVante olha para a mão dele. Esse cara não tem modos.

— Como você sabe meu nome?

Tio Carlos leva com constrangimento a mão para a lateral do corpo.

— Maverick me falou de você. Combinamos de trazê-lo para cá.

— Ah! — diz mamãe com uma gargalhada oca. — Maverick falou sobre trazê-lo para cá. — Ela aperta os olhos para papai. — Estou surpresa de você saber chegar aqui, Maverick.

As narinas de papai se dilatam.

— Depois conversamos.

— Entre — diz tio Carlos. — Vou mostrar seu quarto.

DeVante olha para a casa com olhos enormes.

— O que você faz para morar em uma casa assim?

— Mas como você é xereta — digo.

Tio Carlos ri.

— Tudo bem, Starr. Minha mulher é cirurgiã e eu sou detetive.

DeVante para na mesma hora. Vira-se para papai.

— Que merda é essa, cara? Você me trouxe para um policial?

— Olha a boca — diz papai. — E eu trouxe você para uma pessoa que quer mesmo ajudar.

— Mas da polícia? Se meus amigos descobrirem, vão achar que estou dedurando.

— Eles não são seus amigos se você tem que se esconder deles — digo. — Além do mais, tio Carlos não pediria a você para dedurar.

— Ela está certa — diz tio Carlos. — Maverick está falando sério sobre tirar você de Garden Heights.

Mamãe ri com deboche. Alto.

— Quando ele nos contou a situação, quisemos ajudar — continua tio Carlos. — E parece que você precisa mesmo da nossa ajuda.

DeVante suspira.

— Cara, isso não é legal.

— Olha, eu estou de licença — diz tio Carlos. — Você não precisa ter medo de eu tirar informação de você.

— Licença? — pergunto. Isso explica o moletom no meio do dia. — Por que botaram você de licença?

Ele olha de mim para mamãe, e ela não deve saber que a vejo balançar a cabeça rapidamente.

— Não se preocupe com isso, gatinha — diz ele, colocando o braço sobre meus ombros. — Eu precisava de férias.

É tão, tão óbvio. Colocaram-no de licença por minha causa.

Vovó nos encontra à porta da frente. Como a conheço, sei que estava olhando pela janela desde que chegamos. Ela está com um braço dobrado e dá uma tragada no cigarro com o outro. Sopra a fumaça na direção do teto enquanto olha para DeVante.

— Quem é esse aí?

— DeVante — responde tio Carlos. — Ele vai ficar com a gente.

— O que você quer dizer com vai ficar com a gente?

— O que eu falei. Ele se meteu em confusão em Garden Heights e precisa ficar aqui.

Ela faz um ruído de desdém, e sei de onde mamãe tirou esse som.

— Em confusão, é? Fale a verdade, garoto. — Ela baixa a voz e pergunta com olhos desconfiados e apertados: — Você matou alguém?

— Mãe! — diz a minha mãe.

— O quê? É melhor perguntar antes que vocês me façam dormir em uma casa com um assassino e eu acorde morta.

Mas que...

— Não dá para acordar morta — digo.

— Garotinha, você sabe o que eu quero dizer! — Ela se afasta da porta. — Vou acordar na cara de Jesus tentando entender o que aconteceu!

— Como se você fosse para o céu — resmunga papai.

Tio Carlos mostra a casa para DeVante. O quarto dele é do tamanho do meu e de Seven juntos. Não parece certo ele só ter uma mochila pequena para botar lá dentro, e quando vamos para a cozinha, tio Carlos faz com que ele a entregue.

— Tem algumas regras para você morar aqui — diz tio Carlos. — Primeiro, siga as regras. Em segundo — ele tira a Glock da mochila de DeVante —, nada de armas nem de drogas.

— Eu não sabia que você tinha levado isso para a minha casa, Vante — diz papai.

— King deve ter pedido uma recompensa na minha cabeça. Claro que comprei uma arma.

— Regra três. — Tio Carlos fala acima da voz dele. — Nada de palavrões. Tenho uma criança de 8 anos e uma de 3. Elas não precisam ouvir isso.

Porque já ouvem o suficiente da vovó. A nova palavra favorita de Ava é "Desgraça!"

— Regra quatro — diz tio Carlos —, frequente a escola.

— Cara — resmunga DeVante. — Já falei para Big Mav que não posso voltar para Garden High.

— Nós sabemos — diz papai. — Quando fizermos contato com sua mãe, vamos matricular você em um programa on-line. A mãe de Lisa é professora aposentada. Ela pode dar aulas para você terminar o ano.

— Mas não vou mesmo! — diz vovó. Não sei onde ela está, mas não fico surpresa de ela estar ouvindo.

— Mãe, pare de ser xereta! — reclama tio Carlos.

— Pare de me voluntariar para fazer merda!

— Pare de falar palavrão — diz ele.

— Me diga o que fazer de novo e veja o que vai acontecer.

O rosto e o pescoço do tio Carlos ficam vermelhos.

A campainha toca.

— Carlos, atenda a campainha — diz vovó de onde quer que esteja se escondendo.

Ele repuxa os lábios e vai atender. Quando volta, consigo ouvi-lo falando com alguém. Esse alguém ri, e conheço essa gargalhada, porque também me faz rir.

— Vejam quem encontrei — diz tio Carlos.

Chris está atrás dele, com a camisa branca da Williamson e o short cáqui. Está usando os tênis Jordan Twelves vermelhos e pretos que MJ usou quando teve gripe durante as finais de 1997. Caramba, isso deixa Chris ainda mais atraente, por algum motivo. Ou sou eu que tenho fetiche por Jordans.

— Oi. — Ele sorri sem mostrar os dentes.

— Oi. — Eu também dou um sorriso.

Esqueço que papai está aqui e que tenho um grande problema em potencial nas mãos. Mas isso só dura uns dez segundos, porque papai pergunta:

— Quem é você?

Chris oferece a mão para papai.

— Christopher, senhor. É um prazer conhecê-lo.

Papai o olha de cima a baixo duas vezes.

— Você conhece minha filha, por acaso?

— Conheço. — Chris fala meio devagar e olha para mim. — Nós dois estudamos na Williamson?

Eu faço um sinal afirmativo. Boa resposta.

Papai cruza os braços.

— Bom, estuda ou não estuda? Você parece meio inseguro sobre isso.

Mamãe dá um abraço rápido em Chris. O tempo todo, papai fica olhando de cara feia para ele.

— Como você está, querido? — pergunta ela.

— Estou bem. Eu não pretendia interromper nem nada. Vi seu carro, e como Starr não foi à escola hoje, queria saber como ela está.

— Está tudo bem — diz mamãe. — Diga para os seus pais que eu mando lembranças. Como eles estão?

— Esperem aí — diz papai. — Vocês todos agem como se já conhecessem esse cara faz tempo. — Papai se vira para mim. — Por que eu nunca ouvi falar dele?

Vou precisar de muita coragem para me expor por Khalil. O tipo de coragem similar a "uma vez, contei para meu pai negro militante sobre meu namorado branco". Se não consigo enfrentar papai e falar sobre Chris, como vou poder defender Khalil?

Papai sempre me diz para nunca morder a língua para ninguém. Isso inclui ele mesmo.

Então, eu falo.

— Ele é meu namorado.

— Namorado? — papai repete.

— É, namorado! — diz vovó de onde quer que esteja. — Oi, Chris querido.

Chris olha ao redor, confuso.

— Hã, oi, Sra. Montgomery.

Vovó foi a primeira a descobrir sobre Chris, graças à sua capacidade superior de xeretar. Ela me disse: "Vá em frente, café com leite é legal." Depois, me contou um monte de coisas sobre suas aventuras com homens brancos, sobre as quais eu não precisava saber.

— Mas como assim, Starr? — pergunta papai. — Você está namorando um garoto branco?

— Maverick! — corta mamãe.

— Calma, Maverick — diz tio Carlos. — Ele é um bom menino e a trata bem. É isso que importa, não é?

— Você sabia? — pergunta papai. Ele olha para mim, e não sei se é raiva ou mágoa o que vejo nos olhos dele. — *Ele* sabia e eu não?

Isso acontece quando se tem dois pais. Um deles acaba sendo magoado, e você acaba se sentindo meio merda por isso.

— Vamos lá para fora — diz mamãe, com a voz tensa. — Agora.

Papai olha de cara feia para Chris e segue mamãe até o jardim. As portas têm vidro grosso, mas ainda consigo ouvi-la dando bronca nele.

— Venha, DeVante — diz tio Carlos. — Vou te mostrar o porão e a lavanderia.

DeVante avalia Chris.

— Namorado — diz ele com uma risadinha e olha para mim. — Eu devia saber que *você* ia namorar um branco.

Ele sai com tio Carlos. O que ele quis dizer?

— Desculpe — digo para Chris. — Meu pai não devia ter perdido a cabeça daquele jeito.

— Podia ter sido pior. Ele podia ter me matado.

Verdade. Faço sinal para ele se sentar à bancada enquanto pego bebidas.

— Quem era o cara que me olhou daquele jeito estranho? — pergunta ele.

Tia Pam não tem um refrigerante sequer aqui. Tem suco, água natural e água com gás. Mas aposto que vovó tem um estoque de Sprite e Coca no quarto dela.

— DeVante — respondo, pegando duas caixinhas de suco de maçã. — Ele se meteu numas coisas de King Lords, e papai o trouxe para morar com o tio Carlos.

— Por que ele ficou me olhando daquele jeito?

— Aceite, Maverick. Ele é branco! — grita mamãe no jardim. — Branco, branco, branco!

Chris fica vermelho. E mais e mais vermelho.

Eu entrego uma caixa de suco para ele.

— Foi por *isso* que DeVante olhou para você daquele jeito. Você é branco.

— É? — Ele mais pergunta do que diz. — É uma dessas coisas de negros que não vou entender?

— Olha, amor, falando sério? Se você fosse outra pessoa, eu fuzilaria você com os olhos por falar isso.

— Falar o quê? Coisa de negros?

— É.

— Mas não é exatamente isso?

— Não — respondo. — Esse tipo de coisa não é exclusividade de pessoas negras, sabe? O argumento pode ser diferente, mas só isso. Seus pais não tiveram problema com nosso namoro?

— Eu não chamaria de problema — diz Chris —, mas nós tivemos que conversar sobre o assunto.

— Então não é uma coisa de negros, né?

— Entendido.

Nós nos sentamos à bancada, e eu o ouço contando como foi o dia na escola. Ninguém saiu de sala porque a polícia estava lá, esperando qualquer espetáculo.

— Hailey e Maya perguntaram sobre você — diz ele. — Eu falei que você estava doente.

— Elas podiam ter me mandado mensagem perguntando.

— Acho que se sentiram culpadas por causa de ontem. Principalmente Hailey. Culpa de branco. — Ele pisca.

Eu dou uma gargalhada. Meu namorado branco falando sobre culpa de branco.

Mamãe grita:

— E adoro como você insiste para tirar o filho de outra pessoa de Garden Heights, mas quer que os nossos fiquem naquele buraco!

— Você os quer no subúrbio, com toda essa merda falsa? — diz papai.

— Se isso é falso, amor, aceito no lugar do real agora mesmo. Estou cansada disso! As crianças estudam aqui, vamos à igreja aqui, os amigos delas estão aqui. Nós podemos pagar pela mudança. Mas você quer ficar naquele buraco!

— Porque pelo menos em Garden Heights as pessoas não vão tratá-los como merda.

— Já tratam! E espere até King não conseguir encontrar DeVante. Para quem você acha que ele vai olhar? Para nós!

— Já falei que vou cuidar disso — diz papai. — A gente não vai se mudar. Não está nem aberto à discussão.

— Ah, é?

— É.

Chris me dá um sorrisinho.

— Que constrangedor.

Minhas bochechas estão quentes, e fico feliz de ser marrom o suficiente para a cor não aparecer.

— É. Constrangedor.

Ele segura minha mão e bate com as pontas dos dedos nas pontas dos meus, uma de cada vez. Entrelaça nossas mãos, e balançamos os braços no espaço entre nós.

Papai entra e bate a porta. Olha direto para nossas mãos dadas. Chris não me solta. Ponto para o meu namorado.

— Vamos conversar mais tarde, Starr. — Papai sai da cozinha.

— Se isso fosse uma comédia romântica — diz Chris —, você seria Zoe Saldana e eu seria Ashton Kutcher.

— Hã?

Ele toma um pouco de suco.

— Tem um filme velho chamado *A família da noiva*. Vi quando estava gripado umas semanas atrás. Zoe Saldana namorava Ashton Kutcher. O pai dela não gostava que ela namorasse um cara branco. Somos nós.

— Só que isso não é engraçado — digo.

— Pode ser.

— Não. Engraçado é você ter visto uma comédia romântica.

— Ei! — grita ele. — Foi hilário. Mais comédia do que romance. Bernie Mac era o pai dela. O cara era hilário, era um dos *Verdadeiros reis da comédia*. Acho que não pode ser chamado de comédia romântica só porque ele participou.

— Tá, você ganha pontos por conhecer Bernie Mac e por saber que ele era um dos *Verdadeiros reis da comédia*...

— *Todo mundo* devia saber disso.

— Verdade, mas não adianta. Ainda era uma comédia romântica. Mas não vou contar pra ninguém.

Eu me inclino para beijá-lo no rosto, mas ele vira a cabeça e não me dá escolha além de um beijo na boca. Em pouco tempo, estamos aos beijos bem ali, na cozinha no meu tio.

— *Ram-ram!* — Alguém limpa a garganta. Chris e eu nos separamos rapidamente.

Achei que constrangimento era meu namorado ouvir meus pais discutirem. Mas, não. Constrangimento é minha mãe entrar e dar de cara com nós dois nos beijando. De novo.

— Vocês não acham que deviam deixar o outro respirar? — diz ela.

Chris fica vermelho até o pomo de adão.

— Melhor eu ir.

Ele vai embora com um adeus rápido para minha mãe.

Ela levanta as sobrancelhas para mim.

— Você está tomando pílula anticoncepcional?

— Mãe!

— Responda minha pergunta. Está?

— Estoooou — resmungo, baixando a cabeça e apoiando na bancada.

— Quando foi seu último ciclo?

Ah. Meu. Deus. Eu levanto a cabeça e dou o mais falso dos sorrisos.

— Está tudo bem. Eu juro.

— Vocês têm muita coragem. Seu pai mal saiu pela porta e vocês já estavam se agarrando. Você sabe como Maverick é doido.

— A gente vai ficar aqui hoje?

A pergunta a pega desprevenida.

— Por que você achou isso?

— Porque você e papai...

— Tivemos um desentendimento, só isso.

— Um desentendimento que o bairro todo ouviu. — E teve também o da outra noite.

— Starr, nós estamos bem. Não se preocupe. Seu pai está sendo... seu pai.

Do lado de fora, alguém buzina algumas vezes.

Mamãe revira os olhos.

— Falando no seu pai, acho que o senhor batedor de portas precisa que eu tire o carro da frente para poder ir embora. — Ela balança a cabeça e vai para a frente da casa.

Jogo o suco de Chris no lixo e mexo nos armários. Tia Pam até pode ser seletiva com as bebidas, mas sempre compra lanchinhos gostosos, e meu estômago está reclamando. Pego crackers e passo creme de amendoim. Tão bom.

DeVante entra na cozinha.

— Não acredito que você namora um garoto branco. — Ele se senta ao meu lado e rouba um sanduíche de biscoito. — E um que quer ser preto.

— Como é? — Eu falo com a boca cheia de creme de amendoim. — Ele não é branco que quer parecer negro.

— Pelo amor de Deus! O sujeito estava usando tênis Jordan. Garotos brancos usam All Star e Vans, e só usam Js quando estão tentando parecer negros.

É sério?

— Foi mal. Eu não sabia que eram os tênis que determinavam a raça de alguém.

Ele não tem resposta para isso. Como eu achava.

— O que você vê nele? De verdade? Todos os caras de Garden Heights iam ficar com você na mesma hora e você procura o Justin Bieber?

Eu aponto para a cara dele.

— Não o chame assim. E que caras? Ninguém em Garden Heights é a fim de mim. Quase ninguém sabe meu nome. Até você me chamou de filha de Big Mav que trabalha no mercado.

— Porque você não aparece — diz ele. — Eu nunca vi você em festas nem nada.

Sem pensar, eu digo:

— Você está falando de festas em que as pessoas levam tiros? — Assim que sai da minha boca, eu me sinto péssima. — Ah, meu Deus, me desculpe. Eu não devia ter dito isso.

Ele olha para a bancada.

— Tudo bem. Não esquenta.

Mastigamos os biscoitos em silêncio.

— Hum... — digo. O silêncio é brutal. — Tio Carlos e tia Pam são legais. Acho que você vai gostar daqui.

Ele come outro biscoito.

— Eles podem ser meio bregas às vezes, mas são legais. Vão cuidar de você. Conheço tia Pam e sei que ela vai tratar você como trata Ava e Daniel. Acho que tio Carlos vai ser mais durão. Se você seguir as regras, vai ficar bem.

— Khalil falava de você às vezes — diz DeVante.

— Hã?

— Você disse que ninguém te conhece, mas Khalil falava de você. Eu não sabia que era a filha de Big Mav que... eu não sabia que era você — diz ele. — Mas ele falava sobre a amiga Starr. Dizia que era a garota mais legal que ele conhecia.

Um pouco de creme de amendoim entala na minha garganta, mas não é o único motivo para eu engolir em seco.

— Como você sabia... ah. Vocês dois eram King Lords.

Juro por Deus, sempre que penso em Khalil entrando naquela vida, é como vê-lo morrer de novo. É, Khalil importa, e não as coisas que ele fez, mas não posso mentir e dizer que não me incomoda e que não é decepcionante. Ele sabia que não devia.

DeVante diz:

— Khalil não era King Lord, Starr.

— Mas, no funeral, King colocou a bandana nele...

— Pra não passar vergonha — diz DeVante. — Ele tentou convencer Khalil a entrar, mas Khalil não aceitou. Aí, o policial o matou, e você sabe, todos os caras estão defendendo ele agora. King não vai admitir que Khalil disse não pra ele. Então fez todo mundo pensar que Khalil era dos King Lords.

— Espera — peço. — Como você sabe que ele disse não para o King?

— Khalil me contou no parque um dia. A gente estava vendendo.

— Então vocês vendiam drogas juntos?

— É. Para o King.

— Ah.

— Ele não queria vender drogas, Starr — conta DeVante. — Ninguém quer fazer uma merda dessas. Mas Khalil não tinha muita escolha.

— Tinha, sim — digo com irritação.

— Não tinha, não. Olha, a mãe dele roubou umas merdas de King. King queria ela morta. Khalil descobriu e começou a vender pra pagar a dívida.

— O quê?

— É. Foi o único motivo pra ele começar a fazer aquela merda. Pra tentar salvar a mãe.

Não consigo acreditar.

Por outro lado, era a cara de Khalil. Não importava o que a mãe fizesse, ele era o cavaleiro dela e sempre a protegeria.

Isso é pior do que renegá-lo. Eu pensei o pior dele. Como todo mundo.

— Não fique com raiva dele — diz DeVante, e é engraçado, porque consigo ouvir Khalil me pedindo para não ficar com raiva.

— Eu não... — Suspiro. — Tudo bem, eu estava com um pouco de raiva. Só odeio o fato de ele estar sendo chamado de bandido e tudo quando as pessoas não sabem a história toda. Você mesmo falou, ele não era gângster, e se todo mundo soubesse por que ele vendia drogas, então...

— Não achariam que ele é um bandido, como eu?

Ah, droga.

— Eu não quis dizer...

— Tudo bem — diz ele. — Eu entendo. Acho que sou mesmo um bandido, sei lá. Eu fiz o que tinha que fazer. Os King Lords eram a coisa mais próxima que Dalvin e eu tínhamos de família.

— Mas sua mãe e suas irmãs... — digo eu.

— Elas não podiam cuidar de nós como os King Lords cuidam — diz ele. — Eu e Dalvin cuidávamos delas. Com os King Lords, tínhamos um monte de gente prestando ajuda, em qualquer situação. Eles compravam roupas e outras merdas que nossa mãe não podia pagar e sempre garantiam que a gente comesse. — Ele olha para a bancada. — Era legal ter alguém cuidando da gente em vez do contrário.

— Ah. — Uma resposta de merda, eu sei.

— Como eu falei, ninguém gosta de vender drogas — diz ele. — Eu odiava aquela merda. De verdade. Mas odiava ver minha mãe e minhas irmãs passarem fome, sabe?

— Não sei. — Eu nunca tive que saber. Meus pais cuidavam disso.

— A vida é boa pra você — diz ele. — Mas lamento que estejam falando de Khalil assim. Ele era um cara bom. Espero que um dia descubram a verdade.

— É — digo baixinho.

DeVante. Khalil. Nenhum dos dois achava que tinha outra escolha. Se eu fosse eles, não sei se faria uma muito melhor.

Acho que isso me torna bandida também.

— Vou dar uma volta — digo, e me levanto. Estou muito confusa. — Pode ficar com o resto dos biscoitos e do creme de amendoim.

Eu saio. Não sei para onde vou. Não sei mais nada direito.

# CATORZE

Acabo indo para a casa de Maya. Para falar a verdade, é o mais longe que posso ir no bairro de tio Carlos antes de as casas começarem a ficar todas iguais.

É aquele horário esquisito entre dia e noite, quando o céu parece estar em chamas e os mosquitos estão caçando; todas as luzes da casa dos Yang já estão acesas, e são muitas luzes. A casa deles é grande o bastante para minha família toda ir morar com eles e ainda sobrar espaço. Tem um Infiniti Coupe azul com para-choque amassado na entrada circular. Hailey dirige mal pra cacete.

Sem mentiras, dói um pouco saber que elas passam tanto tempo juntas sem mim. É o que acontece quando se mora tão longe das amigas. Não posso ficar com raiva. Com ciúmes, talvez. Não com raiva.

Mas aquela merda de protesto? Aquilo me dá raiva. Raiva o bastante para tocar a campainha. Além do mais, falei para Maya que nós três podíamos conversar, então, tudo bem, vamos conversar.

A Sra. Yang atende, o fone bluetooth no pescoço.

— Starr! — Ela sorri e me abraça. — Que bom ver você. Como estão todos?

— Bem — respondo.

Ela anuncia minha chegada para Maya e me deixa entrar. O aroma da lasanha de frutos do mar da Sra. Yang me recebe no saguão.

— Espero que eu não tenha chegado em um momento ruim — digo.

— De jeito nenhum, querida. Maya está lá em cima. Hailey também. Você é mais do que bem-vinda para jantar com a gente... Não, George, eu não estava falando com você — diz ela no microfone bluetooth, e fala para mim só com movimentos labiais: — *Meu assistente.* — Ela revira os olhos de leve.

Dou um sorriso e tiro meus tênis Nike. Na casa Yang, tirar os sapatos é em parte tradição chinesa, em parte a Sra. Yang querendo que as pessoas fiquem à vontade.

Maya desce a escada correndo, usando uma camiseta enorme e um short de basquete que vai quase até os tornozelos.

— Starr!

Ela chega ao pé da escada, e tem esse momento estranho em que os braços dela estão esticados, como se ela quisesse me abraçar, mas depois começa a baixá-los. Eu a abraço mesmo assim. Faz um tempo que não ganho um bom abraço de Maya. O cabelo dela tem perfume cítrico e ela me abraça apertado e de um jeito maternal.

Maya me leva até o quarto dela. Há luzes brancas de Natal penduradas no teto. Uma prateleira para jogos de videogame. Objetos de *Hora da aventura* para todo lado, e Hailey em um pufe, concentrada nos jogadores de basquete que está controlando na TV de tela plana de Maya.

— Olha quem chegou, Hails — diz Maya.

Hailey olha para mim.

— Oi.

— Oi.

É a Central do Constrangimento aqui.

Passo por cima de uma lata vazia de Sprite e de um saco de Doritos e me sento no outro pufe. Maya fecha a porta. Um pôster antigo de Michael Jordan, na famosa pose saltando, está preso na parede dos fundos do quarto.

Maya se deita de bruços na cama e pega o controle no chão.

— Quer entrar no jogo, Starr?

— Quero.

Ela me passa um terceiro controle, e começamos uma nova partida: nós três contra um time controlado por computador. É parecido com quando jogamos na vida real, uma combinação de ritmo, química, habilidade, mas o constrangimento no quarto é tão denso que é difícil ignorar.

Elas ficam olhando para mim. Eu mantenho o olhar na tela. A plateia animada comemora quando a jogadora de Hailey faz uma cesta de três pontos.

— Boa cesta — elogio.

— Tá, chega de palhaçada. — Hailey pega o controle remoto e desliga o jogo, mudando para um programa de detetives. — Por que você está com raiva da gente?

— Por que vocês protestaram? — Como ela quer acabar com a palhaçada, vamos direto ao assunto.

— Porque sim — diz ela, como se fosse motivo suficiente. — Não vejo qual o problema nisso, Starr. Você disse que não conhecia ele.

— Por que isso faz diferença?

— Um protesto não é uma coisa boa?

— Não se você só participa dele para matar aula.

— Então você quer que a gente peça desculpas apesar de todo mundo também ter participado? — pergunta Hailey.

— Não é porque todo mundo fez que é uma coisa boa.

Merda. Estou falando como a minha mãe.

— Galera, para! — diz Maya. — Hailey, se Starr quer que a gente peça desculpas, tudo bem, podemos pedir desculpas. Starr, me desculpe por ter protestado. Foi idiotice usar uma tragédia só pra matar aula.

Nós olhamos para Hailey. Ela se encosta e cruza os braços.

— Não vou pedir desculpas se não fiz nada de errado. Na verdade, ela que devia pedir desculpas por me acusar de ser racista semana passada.

— Uau — digo.

Uma coisa que me irrita profundamente em Hailey? O jeito como ela transforma uma discussão e se faz de vítima. Ela é a mestre dessa merda. Eu sempre caía, mas agora?

— Eu não vou pedir desculpas pelo que senti — digo. — Não importa qual foi sua intenção, Hailey. Aquele comentário do frango frito me pareceu racista.

— Tudo bem — diz ela. — Assim como eu acho que foi bom protestar. Como não vou pedir desculpas pelo que senti e você não vai pedir desculpas pelo que sentiu, acho que vamos só ficar vendo TV.

— Tudo bem.

Maya resmunga como se precisasse se esforçar muito para não nos esganar.

— Querem saber? Se vocês duas querem ser cabeças-duras assim, tudo bem.

Maya fica mudando de canal. Hailey faz aquela cara imbecil de quando se olha para uma pessoa de canto de olho, mas não quer que a pessoa saiba que você se importa em olhar, então desvia os olhos. A essas altura, não faz diferença. Achei que tinha ido conversar, mas a verdade é que eu queria um pedido de desculpas.

Eu olho para a TV. Uma competição de cantoras, um reality show, Um-Quinze, uma dança de celebridades... espere.

— Volta, volta — peço para Maya.

Ela vai voltando os canais e, quando ele aparece de novo, eu digo:

— Aí!

Já visualizei tanto o rosto dele. Vê-lo novamente é diferente. Minha memória é bem precisa: tem uma cicatriz fina e irregular acima do lábio, sardas que cobrem o rosto e o pescoço.

Meu estômago se revira e minha pele fica arrepiada, e quero me afastar de Um-Quinze. Meus instintos não ligam de ser uma foto mostrada na TV. Ele usa um pingente de cruz prateada pendurada no pescoço, como se estivesse dizendo que Jesus apoia o que ele fez. Ele deve acreditar em um Jesus diferente.

O que parece uma versão mais velha dele aparece na tela, mas esse homem não tem a cicatriz sobre o lábio e tem mais rugas no pescoço do que sardas. Ele tem cabelo branco, embora ainda haja mechas castanhas.

— Meu filho temia pela própria vida — diz ele. — Só queria voltar para casa, para a esposa e para os filhos.

Fotos surgem na tela. Um-Quinze sorri com os braços na cintura de uma mulher desfocada. Aparece pescando com duas crianças pequenas e desfocadas. Mostram o sujeito com um golden retriever sorridente, com seu pastor e alguns outros religiosos, todos desfocados, depois usando uniforme da polícia.

— O policial Brian Cruise Jr. está na polícia há 16 anos — diz o narrador, e mais fotos dele como policial são exibidas.

Ele é policial pelo mesmo tempo que Khalil viveu, e eu me pergunto se em alguma virada doentia do destino, Khalil só nasceu para esse homem o matar.

— Boa parte desses anos foi passada servindo em Garden Heights — continua a narração —, um bairro notório por gangues e traficantes de drogas.

Fico tensa quando imagens do meu bairro, do meu lar, são mostradas. Parece que escolheram as piores partes: os viciados em drogas vagando pelas ruas, o conjunto habitacional Cedar Grove, em péssimo estado, membros de gangues fazendo sinais, corpos nas calçadas com lençóis brancos em cima. E a Sra. Rooks e seus bolos? E o Sr. Lewis e seus cortes de cabelo? O Sr. Reuben? A clínica? A minha família?

Eu?

Sinto os olhos de Hailey e Maya em mim. Não consigo olhar para elas.

— Meu filho amava trabalhar no bairro — alega o pai de Um-Quinze. — Sempre quis fazer a diferença nas vidas de lá.

Engraçado. Os senhores de escravos também achavam que estavam fazendo a diferença na vida dos negros. Que os estavam salvando do "jeito selvagem africano". Mesma merda, século diferente. Eu queria que pessoas como eles parassem de pensar que gente como eu precisa ser salva.

Um-Quinze Pai fala sobre a vida do filho antes dos tiros. Que era um bom garoto e que nunca se meteu em confusão, sempre queria ajudar os outros. Bem parecido com Khalil. Mas ele também fala das outras coisas que Um-Quinze fez e que Khalil nunca vai poder fazer, como ir para a faculdade, se casar e ter uma família.

O entrevistador pergunta sobre aquela noite.

— Aparentemente, Brian fez o garoto parar porque o farol traseiro estava quebrado e ele estava em alta velocidade.

Khalil não estava em alta velocidade.

— Ele me disse: "Pai, assim que o fiz parar, tive uma sensação ruim" — diz Um-Quinze Pai.

— E por quê? — pergunta o entrevistador.

— Ele disse que o garoto e a amiga começaram a xingá-lo na mesma hora...

Nós nunca o xingamos.

— E que ficavam se olhando, como se estivessem tramando alguma coisa. Brian disse que foi nessa hora que ele ficou com medo, porque eles podiam derrubá-lo se se juntassem.

Eu não podia derrubar ninguém. Estava com medo demais. Ele nos faz parecer super-humanos. Nós somos adolescentes.

— Por mais medo que sinta, meu filho sempre vai fazer o trabalho dele — diz ele. — E foi isso que ele quis fazer naquela noite.

— Houve relatos de que Khalil Harris estava desarmado quando o incidente aconteceu — diz o entrevistador. — Seu filho disse por que tomou a decisão de atirar?

— Brian disse que estava de costas para o garoto e que ouviu o garoto dizer "Você vai pro além".

Não, não, não. Khalil perguntou se eu estava bem.

— Brian se virou e viu uma coisa na porta do carro. Achou que era uma arma...

Era uma escova de cabelo.

Os lábios dele tremem. Meu corpo treme. Ele cobre a boca para segurar o choro. Eu cubro a minha para não vomitar.

— Brian é um bom garoto — diz ele, em lágrimas. — Só queria voltar para casa e para a família, e as pessoas estão fazendo com que ele pareça um monstro.

Era só isso que eu e Khalil queríamos, e é você quem está *nos* fazendo parecer monstros.

Não consigo respirar, parece que estou me afogando nas lágrimas que me recuso a derramar. Não vou dar a Um-Quinze e nem ao pai dele a satisfação de chorar. Esta noite, eles também atiraram em mim, mais de uma vez, e mataram uma parte de mim. Infelizmente para eles, acabou a hesitação que eu sentia sobre me pronunciar.

— Como seu filho mudou desde que isso aconteceu? — pergunta o entrevistador.

— As nossas vidas andam um inferno, na verdade — alega o pai. — Brian é uma pessoa sociável, mas agora está com medo de sair em público, mesmo para fazer coisas simples como comprar leite. Houve ameaças à vida dele, à vida da nossa família. A esposa teve que pedir demissão. Ele chegou a ser atacado por colegas policiais.

— Física ou verbalmente? — pergunta o entrevistador.

— As duas coisas — diz ele.

Eu me dou conta de uma coisa. Os dedos machucados do tio Carlos.

— Que horror — diz Hailey. — Pobre família.

Ela está olhando para Um-Quinze Pai com uma solidariedade que pertencem a Brenda e à Sra. Rosalie.

Eu pisco várias vezes.

— O quê?

— O filho dele perdeu tudo porque estava tentando fazer o trabalho dele e se proteger. A vida dele também importa, sabe?

Não consigo agora. Não consigo. Eu me levanto, caso contrário vou dizer ou fazer alguma coisa muito burra. Tipo dar um soco nela.

— Eu preciso... é. — É tudo que consigo dizer e vou para a porta, mas Maya segura meu casaco.

— Opa, opa. Vocês ainda não resolveram isso — diz ela.

— Maya — digo o mais calmamente possível. — Por favor, me deixe ir. Não posso falar com ela. Você não ouviu o que ela disse?

— Você está falando sério? — pergunta Hailey. — Qual é o problema dizer que a vida dele também importa?

— A vida dele sempre importa mais! — Minha voz sai rouca e minha garganta está espremida. — Esse é o problema!

— Starr! Starr! — Maya está tentando chamar minha atenção. Eu olho para ela. — O que está acontecendo? Você anda com a raiva de Harry na *Ordem da Fênix* ultimamente.

— Obrigada! — diz Hailey. — Ela anda uma vaca há semanas, mas quer me culpar.

— Como é?

Alguém bate na porta.

— Meninas, está tudo bem? — pergunta a Sra. Yang.

— Estamos bem, mãe. É coisa de videogame. — Maya olha para mim e baixa a voz. — Por favor, se sente. Por favor.

Eu me sento na cama dela. Na TV, passam comerciais no lugar de Um-Quinze Pai, e ocupam o vazio de silêncio que criamos.

Eu falo de repente:

— Por que você parou de me seguir no Tumblr?

Hailey se vira para mim.

— O quê?

— Você parou de me seguir no Tumblr. Por quê?

Ela olha para Maya. É bem rápido, mas eu percebo. E diz:

— Não sei do que você está falando.

— Para de baboseira, Hailey. Você parou de me seguir. Meses atrás. Por quê?

Ela não diz nada.

Eu engulo em seco.

— Foi por causa da foto de Emmett Till?

— Ah, meu Deus — diz ela, se levantando. — Lá vamos nós de novo. Não vou ficar aqui deixando você me acusar de uma coisa, Starr...

— Você não me manda mais mensagens — digo. — Você surtou por causa daquela foto.

— Você ouviu o que ela disse? — diz Hailey para Maya. — Mais uma vez me chamando de racista.

— Eu não estou chamando você de nada. Estou fazendo uma pergunta e dando exemplos.

— Está insinuando!

— Eu nem falei em raça.

O silêncio surge entre nós.

Hailey balança a cabeça. Os lábios estão apertados.

— Inacreditável. — Ela pega o casaco na cama de Maya e vai para a porta. Para, ainda de costas para mim. — Quer saber por que eu parei de seguir você, Starr? Porque não sei mais quem você é.

Ela bate a porta ao sair.

O programa recomeça na televisão. Mostram imagens de protestos por todo o país, não só em Garden Heights. Espero que nenhum tenha usado a morte de Khalil para matar aula ou trabalho.

Do nada, Maya diz:

— Não foi por isso.

Ela está olhando para a porta fechada, os ombros meio contraídos.

— Hã? — digo.

— Ela mentiu — diz Maya. — Não foi por isso que ela parou de seguir você. Ela disse que não queria ver aquela merda na tela dela.

Eu imaginava.

— A foto de Emmett Till, né?

— Não. Todas as "coisas negras", ela disse. As petições. As fotos dos Panteras Negras. Aquela postagem sobre as quatro garotinhas que foram mortas naquela igreja. Aquelas coisas sobre aquele tal Marcus Garvey. A dos Panteras Negras que levaram tiros do governo.

— Fred Hampton e Bobby Hutton — digo.

— É. Eles.

Uau. Ela prestou atenção.

— Por que você não me contou?

Ela olha para o Finn de pelúcia no chão.

— Eu torcia para que ela mudasse de ideia antes de você descobrir. Mas eu devia ter percebido. Não foi a primeira merda que ela falou.

— De que você está falando?

Maya engole em seco.

— Você se lembra daquela vez que ela me perguntou se minha família comeu gato no jantar de Ação de Graças?

— O quê? Quando?

Os olhos dela estão brilhando.

— No nono ano. Primeiro tempo. Na aula de biologia da Sra. Edwards. Nós tínhamos acabado de voltar do feriado de Ação de Graças. A aula ainda não tinha começado, e estávamos falando sobre o que fizemos no dia de Ação de Graças. Eu contei que meus avós vieram nos visitar e que foi a primeira vez deles comemorando esse feriado. Hailey perguntou se comemos gato. Porque somos chineses.

Pu-ta merda. Estou revirando a mente agora. O nono ano ainda é ensino fundamental; tem uma enorme possibilidade de eu ter dito ou feito alguma coisa muito burra. Tenho medo de saber, mas pergunto:

— E o que eu falei?

— Nada. Você ficou com uma cara de que não conseguia acreditar que ela tinha dito aquilo. Ela disse que era piada e riu. Eu ri, e depois você riu. — Maya pisca. Muito. — Eu só ri porque achei que tinha que rir. Me senti péssima o resto da semana.

— Ah.

— É.

*Eu* me sinto péssima agora. Não consigo acreditar que deixei Hailey dizer aquilo. Ou ela sempre fez piada assim? Eu sempre ri porque achava que tinha que rir?

Esse é o problema. Nós deixamos as pessoas dizerem coisas, e elas dizem tanto que se torna uma coisa natural para elas e normal para nós. Qual é o sentido de ter voz se você vai ficar em silêncio nos momentos que não deveria?

— Maya — digo.

— O quê?

— A gente não pode mais deixar ela falar coisas assim, tá?
Ela abre um sorriso.
— Aliança de minorias?
— Ah, é — digo, e damos uma gargalhada.
— Tudo bem. Combinado.

Um jogo da NBA 2K15 depois (dei uma surra em Maya), estou voltando para a casa do tio Carlos com um prato com lasanha de frutos do mar coberto de papel alumínio. A Sra. Yang nunca me deixa sair de mãos vazias, e eu nunca recuso comida.

Postes de luz de ferro se enfileiram na calçada, e vejo tio Carlos algumas casas antes de chegar, sentado nos degraus de entrada, no escuro. Ele está bebendo alguma coisa, e, quando chego mais perto, vejo que é uma Heineken.

Coloco o prato no degrau e me sento ao lado dele.

— Espero que você não esteja chegando da casa daquele seu namoradinho — diz ele.

Senhor. Chris é sempre "namoradinho" para ele, e eles têm quase a mesma altura.

— Não, eu estava na casa de Maya. — Estico as pernas e bocejo. O dia foi bem longo. — Não consigo acreditar que você esteja bebendo — digo no meio do bocejo.

— Não estou bebendo. É uma cerveja.

— Era isso que vovó dizia?

Ele olha para mim.

— Starr.

— Tio Carlos — digo com a mesma firmeza.

Fazemos uma batalha de olhares.

Ele coloca a cerveja no chão. O problema é o seguinte: vovó é alcoólatra. Não está tão mal quanto antigamente, mas basta uma bebida destilada e ela vira a "outra" vovó, ainda mais maluca. Ouvi histórias das fúrias da época que ficava bêbada. Ela culpava mamãe e tio Carlos pelo pai deles ter voltado para a esposa e para os outros filhos. Ela os trancava fora de casa, xingava, fazia um monte de coisas.

Então, não. Uma cerveja não é uma cerveja para o tio Carlos, que sempre foi contra álcool.

— Desculpe — diz ele. — Está sendo uma noite daquelas.

— Você viu a entrevista, não viu? — pergunto.

— Vi. Estava torcendo para você não ter visto.

— Eu vi. Minha mãe viu...?

— Ah, viu. Pam também. E sua avó. Eu nunca estive em uma sala com tantas mulheres furiosas na minha vida. — Ele olha para mim. — Como você está encarando tudo isso?

Eu dou de ombros. É, estou com raiva, mas, sinceramente?

— Eu já esperava que o pai fosse pintar o filho como a vítima.

— Eu também. — Ele apoia o rosto na palma da mão, o cotovelo apoiado no joelho. Não está muito escuro nos degraus. Consigo ver bem os machucados na mão dele.

— Então... — digo, batendo nos joelhos. — De licença, é?

Ele olha para mim como se estivesse tentando entender aonde quero chegar.

— É.

Silêncio.

— Você brigou com ele, tio Carlos?

Ele endireita o corpo.

— Não, eu tive uma discussão com ele.

— Você quer dizer que seu punho conversou com o olho dele. Ele disse alguma coisa sobre mim?

— Ele apontou a arma para você. Isso foi mais do que suficiente.

A voz dele tem uma aspereza incomum. É inadequado, mas dou uma gargalhada. Tenho que botar a mão na barriga de tanto rir.

— O que é tão engraçado? — pergunta ele.

— Tio Carlos, você deu um soco em uma pessoa!

— Ei, eu sou de Garden Heights. Sei brigar.

Estou uivando de tanto rir.

— Não é engraçado! — diz ele. — Eu não devia ter perdido a cabeça assim. Não foi profissional. Agora, dei um mau exemplo para você.

— Deu mesmo, Muhammad Ali.

Ainda estou rindo. Agora, ele está rindo.

— Shhh — sussurra ele.

Nossas gargalhadas diminuem gradualmente, e faz muito silêncio. Não havia nada para fazer além de olhar para o céu e para as estrelas. Tem tantas hoje. É possível que eu não repare quando estou em casa, por causa de todas as outras coisas. Às vezes, é difícil acreditar que Garden Heights e Riverton Hills compartilham o mesmo céu.

— Você se lembra do que eu dizia para você? — pergunta tio Carlos.

Eu vou para mais perto dele.

— Que meu nome não é por causa das estrelas, as estrelas que têm esse nome por minha causa. Você estava mesmo tentando me deixar convencida, né?

Ele ri.

— Não, eu queria que você soubesse como é especial.

— Especial ou não, você não devia ter arriscado seu emprego por mim. Você ama seu trabalho.

— Mas amo você mais. Você é um dos motivos de eu ter virado policial, gatinha. Porque eu amo você e toda aquela gente do nosso bairro.

— Eu sei. É por isso que não quero que você ponha seu emprego em risco. Nós precisamos dos que são como você.

— Os que são como eu. — Ele dá uma gargalhada seca. — Sabe, fiquei furioso ouvindo aquele homem falar sobre você e Khalil daquele jeito, mas me fez considerar os comentários que fiz sobre Khalil naquela noite, na cozinha dos seus pais.

— Que comentários?

— Eu sei que você estava escutando, Starr. Não venha bancar a tonta.

Eu dou um sorrisinho. Tio Carlos disse "tonta".

— Você está falando de quando chamou Khalil de traficante?

Ele faz que sim.

— Mesmo que fosse, eu conhecia aquele garoto. Eu o vi crescer com você. Ele era mais do que qualquer decisão ruim que tomou — diz ele. — Odeio saber que me permiti cair nesse raciocínio de tentar racionalizar a morte dele. E, no fim das contas, não se mata alguém por abrir uma porta de carro. Quem faz isso não devia ser policial.

Meus olhos enchem de lágrimas. É bom ouvir meus pais e a Sra. Ofrah dizerem isso e ver todos os manifestantes gritarem isso. Mas ouvir do meu tio policial? É um alívio, mesmo fazendo tudo doer um pouco mais.

— Falei isso para Brian — diz ele, olhando para os dedos. — Depois que dei o soco nele. Falei para o chefe de polícia também. Na verdade, acho que gritei alto o bastante para todo mundo da delegacia ouvir. Mas isso não diminui o que eu fiz. Eu pisei na bola com Khalil.

— Não, não pisou...

— Pisei, sim — diz ele. — Eu o conhecia, sabia a situação da família dele. Depois que ele parou de andar com você, sumiu de vista e da minha cabeça, e não tem desculpa para isso.

Também não tem desculpa para mim.

— Acho que todos nós sentimos o mesmo — murmuro. — Foi um dos motivos para papai estar determinado a ajudar DeVante.

— É — diz ele. — Eu também.

Olho para todas as estrelas de novo. Papai diz que me deu o nome Starr porque eu era a luz na sua escuridão. Preciso de luz na minha própria escuridão agora.

— Eu não teria matado Khalil, a propósito — diz tio Carlos. — Não sei muita coisa, mas sei disso.

Meus olhos ardem, minha garganta aperta. Eu virei uma chorona mesmo. Chego mais perto do tio Carlos e espero que isso diga tudo que não consigo dizer.

## QUINZE

Uma pilha intocada de panquecas faz mamãe dizer:
— Tudo bem, Boquinha. O que está acontecendo?

Temos uma mesa só nossa no IHOP. É bem cedo e o restaurante está quase vazio, exceto por nós e uns caminhoneiros barrigudos e barbudos enchendo a cara de comida em uma cabine. Graças a eles, tem música country tocando no jukebox.

Eu enfio o garfo nas minhas panquecas.
— Não estou com fome.

Um pouco mentira, um pouco verdade. Estou tendo uma ressaca emocional séria. Tem aquela entrevista. Tio Carlos. Hailey. Khalil. DeVante. Meus pais.

Mamãe, Sekani e eu passamos a noite na casa do tio Carlos, e sei que foi mais porque mamãe está com raiva de papai do que por causa das manifestações. Na verdade, o noticiário de ontem dizia que foi a primeira noite um pouco mais pacífica no Garden. Só protestos, sem baderna. Mas a polícia ainda estava jogando gás lacrimogênio.

Se eu mencionar a briga dos meus pais, mamãe vai dizer "Fique fora dos problemas dos adultos". Era de se pensar que, como é em parte culpa minha eles terem brigado, é da minha conta, mas, não.

— Não sei quem vai acreditar que *você* não está com fome — diz mamãe. — Você sempre foi gulosa.

Eu reviro os olhos e bocejo. Ela me acordou cedo demais e disse que íamos ao IHOP, só nós duas, como fazíamos antes de Sekani nascer e estragar tudo. Ele tem um uniforme adicional na casa do tio Carlos e pode ir para a escola com Daniel. Eu só tinha moletons e uma camiseta do Drake, nada apropriado para a sala da promotora. Tenho que ir em casa trocar de roupa.

— Obrigada por me trazer aqui — agradeço. Com meu péssimo humor, tenho que agradecer.

— Disponha, amorzinho. A gente não sai juntas faz um tempo. Alguém decidiu que eu não era mais descolada. Embora eu ainda me achasse descolada, sei lá. — Ela toma um gole de café da caneca. — Você está com medo de falar com a promotora?

— Não. — Mas reparo que o relógio está a apenas três horas e meia da nossa reunião.

— É aquela entrevista de M? Aquele filho da mãe.

Lá vamos nós de novo.

— Mamãe...

— Botou o maldito pai na TV contando mentiras — diz ela. — E quem vai acreditar que um homem adulto estava com medo de duas *crianças*?

As pessoas na internet estão dizendo a mesma coisa. O Twitter negro está caindo na pele do pai do policial Cruise, alegando que o nome dele devia ser Tom Cruise por causa daquela atuação dele. No Tumblr também. Tenho certeza de que tem gente que acredita nele, Hailey acreditou, mas a Sra. Ofrah estava certa: saiu pela culatra. Gente que não me conhece e que não conhece Khalil está dizendo que foi um monte de merda.

Então, apesar de a entrevista me incomodar, não me afeta *tanto*.

— Não é exatamente a entrevista — digo. — São outras coisas também.

— Tipo?

— Khalil — respondo. — DeVante me contou algumas coisas sobre ele, e me sinto culpada.

— Coisas como o quê? — pergunta ela.

— Por que ele vendia drogas. Ele estava tentando ajudar a Sra. Brenda a pagar uma dívida com King.

Mamãe arregala os olhos.

— O quê?

— É. E ele não era um King Lord. Khalil disse não para o King, e King está mentindo para não passar vergonha.

Mamãe balança a cabeça.

— Por que não estou surpresa? É a cara do King fazer uma coisa dessas.

Eu olho para as minhas panquecas.

— Eu já devia saber. Deveria conhecer *Khalil* melhor.

— Você não tinha como saber, amorzinho — diz ela.

— A questão é essa. Se eu estivesse mais presente, eu...

— Não poderia ter impedido Khalil. Ele era quase tão teimoso quanto você. Sei que você gostava muito dele, até mais do que como amigo, mas não pode se culpar por isso.

Eu olho para ela.

— O que você quer dizer com "gostava dele até mais do que como amigo"?

— Não se faça de boba, Starr. Vocês se gostaram por muito tempo.

— Você acha que ele também gostava de mim?

— Senhor! — Mamãe revira os olhos. — Entre nós duas, eu sou a velha...

— Você acabou de se chamar de velha.

— *Mais* velha — corrige ela, e me lança um olhar feio. — Eu vi. Como foi que você não viu?

— Sei lá. Ele sempre falava sobre outras garotas, não sobre mim. Mas é estranho. Eu achava que tinha superado o sentimento, mas às vezes não sei.

Mamãe passa o dedo pela borda da caneca.

— Boquinha — diz ela, um suspiro vem em seguida. — Amor, olha. Você está sofrendo, certo? Isso pode deixar suas emoções exageradas e fazer você sentir coisas que não sentia havia muito tempo. Mesmo que você tenha sentimentos por Khalil, não tem nada de errado nisso.

— Apesar de eu estar com Chris?

— Sim. Você tem 16 anos. Tem permissão de ter sentimentos por mais de uma pessoa.

— Então você está dizendo que posso ser piranha?

— Garota! — Ela aponta para mim. — Não me faça chutar você por baixo da mesa. Estou dizendo para você não se torturar por isso. Sofra o quanto quiser por Khalil. Sinta falta dele, permita-se sentir saudade do que poderia ter acontecido, deixe seus sentimentos fugirem de controle. Mas, como eu falei, não pare de viver. Tá?

— Tá.

— Que bom. Mas são duas coisas — diz ela. — O que mais anda acontecendo?

O que não anda acontecendo? Minha cabeça está espremida, como se meu cérebro estivesse sobrecarregado. Estou supondo que ressacas emocionais sejam bem parecidas com ressacas alcoólicas.

— Hailey — digo.

Ela dá um gole no café. Alto.

— O que aquela garotinha fez agora?

Lá vem ela com isso.

— Mãe, você nunca gostou dela.

— Não, eu nunca gostei de como você andava atrás dela como se não fosse capaz de pensar sozinha. É diferente.

— Eu não...

— Não minta! Se lembra daquela bateria que você me implorou para comprar? Por que você a queria, Starr?

— Hailey queria formar uma banda, mas eu também gostava da ideia.

— Mas espere aí. Você me disse que queria tocar guitarra nessa "banda", mas Hailey disse que você devia tocar bateria não foi?

— É, mas...

— E aqueles garotos Jonas — diz ela. — De qual você gostava de verdade?

— De Joe.

— Mas quem disse que você devia ficar com o de cabelo encaracolado?

— Hailey, mas Nick era lindo de qualquer modo, e isso é coisa de fundamental II...

— Aham! Ano passado, você me implorou para deixar você pintar o cabelo de roxo. Por quê, Starr?

— Eu queria...

— Não. *Por quê*, Starr? — diz ela. — O verdadeiro motivo.

Droga. Tem um padrão aqui.

— Porque Hailey queria que eu, ela e Maya tivéssemos cabelo igual.

— E-xa-ta-men-te. Amorzinho, eu te amo, mas você tem histórico de deixar suas vontades de lado para fazer o que aquela garotinha quer. Me desculpe se não gosto dela.

Com tudo apresentado dessa forma, eu digo:

— Estou vendo o motivo.

— Que bom. Perceber é o primeiro passo. E o que ela fez agora?

— Nós tivemos uma discussão ontem — respondo. — Eu já achava que as coisas estavam estranhas havia um tempo. Ela parou de me mandar mensagens e deixou de me seguir no Tumblr.

Mamãe estica o garfo até meu prato e corta um pedaço de panqueca.

— O que é Tumblr mesmo? É tipo o Facebook?

— Não, e você está proibida de fazer uma conta. Pais não são permitidos. Vocês já tomaram conta do Facebook.

— Você ainda não aceitou meu pedido de amizade.

— Eu sei.

— Preciso de vidas no Candy Crush.

— É por isso que eu nunca vou aceitar.

Ela me lança "o olhar". Eu não ligo. Tem coisas que simplesmente me recuso a fazer.

— Então ela deixou de seguir você nesse troço de Tumblr — diz mamãe, provando por que não pode ter um. — Só isso?

— Não. Ela disse e fez umas coisas idiotas também. — Eu esfrego os olhos. Como falei, está cedo demais. — Estou começando a questionar por que somos amigas.

— Ah, Boquinha — ela pega outro pedaço das minhas panquecas —, você tem que decidir se o relacionamento vale ser salvo. Faça uma lista das coisas boas e outra das coisas ruins. Se uma for maior do que a outra, você sabe o que tem que fazer. Acredite, esse método nunca falhou comigo.

— Foi isso que você fez com papai depois que Iesha ficou grávida? — pergunto. — Porque vou ser sincera, eu teria chutado ele pra sarjeta. Sem querer ofender.

— Tudo bem. Muita gente me chama de burra por ter voltado para o seu pai. Caramba, ainda devem me chamar de burra pelas costas. Sua avó teria uma síncope se soubesse disso, mas ela foi o verdadeiro motivo de eu ter ficado com seu pai.

— Achei que vovó odiasse o papai. — Acho que vovó ainda odeia o papai.

Uma tristeza surge nos olhos de mamãe, mas ela me dá um sorrisinho.

— Quando eu era pequena, sua avó fazia e dizia coisas que magoavam quando estava embriagada, e pedia desculpas na manhã seguinte. Logo cedo, eu aprendi que as pessoas cometem erros, e você tem que decidir se os erros são maiores do que seu amor por elas.

Ela respira fundo.

— Seven não é um erro, eu morro de amores por ele, mas Maverick cometeu um erro com suas ações. No entanto, todas essas coisas boas e o amor que temos possuem mais peso do que aquele único erro.

— Mesmo com a maluca da Iesha nas nossas vidas? — pergunto.

Mamãe ri.

— Mesmo com a maluca, confusa e irritante Iesha. É um pouco diferente, sim, mas, se o bom for maior do que o ruim, deixe Hailey ficar na sua vida, amorzinho.

Isso talvez seja um problema. Muitas das coisas boas são do passado. Os Jonas Brothers, *High School Musical*, nossa dor compartilhada. Nossa amizade é baseada em lembranças. O que temos agora?

— E se o bom não for maior do que o ruim? — pergunto.

— Então deixe que ela se vá — aconselha mamãe. — E, se você a mantiver na sua vida e ela continuar fazendo coisas ruins, deixe que ela se vá. Porque, juro, se seu pai tivesse feito outra daquelas, eu estaria casada com Idris Elba e dizendo "Que Maverick?"

Eu caio na gargalhada.

— Agora, coma — diz ela, e me entrega o garfo. — Antes que eu não tenha outra escolha além de comer essas panquecas por você.

Estou tão acostumada a ver fumaça em Garden Heights que é estranho quando voltamos e não tem nada. Está meio sombrio por causa de uma tempestade na madrugada, mas conseguimos andar de janelas abertas. Apesar de as manifestações terem acabado, passamos pela mesma quantidade de tanques quanto de carros.

Mas, em casa, somos recebidas por fumaça na porta de entrada.

— Maverick! — grita mamãe, e corremos para a cozinha.

Papai está jogando água em uma frigideira na pia, e a frigideira responde com um chiado alto e uma nuvem branca. O que quer que ele tenha queimado, foi bem queimado.

— Aleluia! — Seven coloca as mãos em cima da mesa. — Alguém que sabe cozinhar.

— Cala a boca — diz papai.

Mamãe pega a frigideira e examina os restos não identificáveis.

— O que era isso? Ovo?

— Fico feliz em ver que você sabe voltar para casa — diz ele. Ele passa por mim sem olhar e sem dizer bom-dia. Ainda está com raiva por causa de Chris?

Mamãe pega um garfo e enfia na comida queimada grudada na frigideira.

— Quer comer, Seven, amorzinho?

Ele olha para ela e diz:

— Ah, não. A propósito, a frigideira não fez nada, mãe.

— Você está certo — diz ela, mas continua enfiando o garfo nela. — Falando sério, posso preparar alguma coisa. Ovos. Bacon. — Ela olha na direção do corredor e grita: — De *porco*! Porco mesmo! Suíno! E tudo!

Já era a ideia do bom superar o ruim. Seven e eu nos olhamos. Odiamos quando eles brigam porque sempre ficamos no meio da guerra. Nosso apetite é a maior vítima. Se mamãe está com raiva e não cozinha, temos que comer a comida improvisada do papai, como macarrão com salsicha e ketchup.

— Vou comer alguma coisa na escola. — Seven dá um beijo na bochecha dela. — Mas obrigado. — Ele bate com o punho no meu, o jeito de Seven me desejar boa sorte.

Papai volta com um boné para trás. Pega a chave e uma banana.

— Temos que estar na sala da promotora às nove e meia — diz mamãe. — Você vem?

— Ah, Carlos não vai poder ir? Porque é pra ele que vocês contam os segredos e tudo.

— Quer saber, Maverick...

— Estarei lá — diz ele, e sai.

Mamãe enfia o garfo na frigideira mais um pouco.

A promotora nos acompanha pessoalmente até uma sala de reuniões. O nome dela é Karen Monroe, e ela é uma mulher branca de meia-idade que alega entender pelo que estou passando.

A Sra. Ofrah já está na sala de reuniões, junto com algumas pessoas que trabalham na promotoria. A Sra. Monroe faz um longo discurso sobre o quanto quer justiça para Khalil e pede desculpas por ter demorado tanto para se encontrar conosco.

— Doze dias, para ser preciso — observa papai. — Tempo demais, se você quiser saber minha opinião.

A Sra. Monroe parece pouco à vontade com isso.

Ela explica os procedimentos do grande júri. Em seguida, pergunta sobre aquela noite. Conto o mesmo que contei para a polícia, só que ela não faz perguntas idiotas sobre Khalil. Mas, quando chego à parte em que descrevo o número de tiros, como acertaram Khalil nas costas, a expressão no rosto dele...

Meu estômago borbulha, minha boca se enche de bile e tenho ânsia de vômito. Mamãe pula e pega a lata de lixo. Coloca na minha frente rápido o bastante para pegar o vômito que jorra da minha boca.

Eu choro e vomito. Choro e vomito. É só o que consigo fazer.

A promotora leva um refrigerante para mim e diz:

— Isso é tudo por hoje, querida. Obrigada.

Papai me ajuda a chegar ao carro da mamãe, e as pessoas ficam me olhando nos corredores. Aposto que sabem que sou a testemunha pelo meu rosto lacrimoso e catarrento e devem estar me dando um nome novo: Pobrezinha. Tipo: "Ah, aquela pobrezinha." Isso torna tudo pior.

Entro no carro, longe da pena das pessoas, e apoio a cabeça na janela, me sentindo uma merda.

Mamãe estaciona na frente do mercado, e papai para logo atrás. Ele sai da picape e vai até o lado de mamãe. Ela abre a janela.

— Vou até a escola — diz ela para ele. — Eles precisam saber o que está acontecendo. Ela pode ficar com você?

— Pode, tudo bem. Pode descansar no escritório.

Outra coisa que vomitar e chorar faz: as pessoas falam sobre você como se você não estivesse presente e fazem planos para sua vida. A pobrezinha aparentemente não escuta.

— Tem certeza? — pergunta mamãe. — Ou preciso levá-la ao Carlos?

Papai suspira.

— Lisa...

— Maverick, não estou nem aí para qual é o seu problema, só esteja ao lado da sua filha. Por favor.

Papai vai até o meu lado do carro e abre a porta.

— Venha aqui, amorzinho.

Eu saio, choramingando como uma garotinha que ralou o joelho. Papai me puxa contra o peito, passa a mão nas minhas costas e beija meu cabelo. Mamãe vai embora.

— Sinto muito, amor.

O choro e o vômito não significam mais nada. Meu pai está tomando conta de mim.

Entramos no mercado. Papai acende as luzes, mas deixa a placa de fechado na janela. Vai até a sala dele por um segundo, volta e segura meu queixo.

— Abra a boca — diz ele. Eu abro, e ele faz uma careta. — *Eca*. Temos que arrumar um vidro inteiro de enxaguante bucal. Você vai levantar os mortos com esse bafo.

Dou uma risada com lágrimas nos olhos. Como falei, meu pai é talentoso assim.

Ele limpa meu rosto com suas mãos, ásperas como lixa, mas estou acostumada. Ele segura meu rosto com elas. Eu dou um sorriso.

— Essa é minha gatinha — diz ele. — Você vai ficar bem.

Sinto-me normal o bastante para dizer:

— Agora eu sou sua gatinha? Você não vem agindo como se eu fosse.

— Não comece! — Ele vai para o corredor de medicamentos. — Você está falando como a sua mãe.

— Só estou falando. Você está terrível hoje.

Ele volta com um vidro de Listerine.

— Aqui. Antes que você acabe com meus perecíveis com este bafo.

— Do jeito que você acabou com aqueles ovos de manhã?

— Ei, eram ovos pretos. Você não sabe nada sobre isso.

— *Ninguém* sabe nada sobre isso.

Dois bochechos no banheiro transformam minha boca de um pântano de resíduo de vômito em uma coisa normal. Papai espera no banco de madeira na frente do mercado. Nossos clientes mais antigos que não conseguem andar muito costumam se sentar ali enquanto papai, Seven ou eu pegamos as compras para eles.

Papai dá um tapinha no banco ao lado dele.

Eu me sento.

— Você vai reabrir em breve?

— Em um tempinho. O que você vê naquele garoto branco?

Droga. Eu não estava esperando que ele fosse direto ao assunto.

— Além do fato de ele ser um fofo — digo, e papai faz som de vômito —, ele é inteligente, engraçado e gosta de mim. Muito.

— Você tem problema com garotos negros?

— Não. Eu tive namorados negros. — Três. Um no quarto ano, se bem que esse não conta, e dois no fundamental II, que também não contam, porque ninguém sabe nada sobre relacionamentos quando está no fundamental II. Nem sobre nada, na verdade.

— O quê? — diz ele. — Eu não fiquei sabendo.

— Porque eu sabia que você ia surtar. Mandar matar, sei lá.

— Sabe que não é má ideia.

— Pai! — Dou um tapa no braço dele, e ele cai na gargalhada.

— Carlos soube sobre eles? — pergunta ele.

— Não. Ele teria feito a verificação do passado deles ou mandado prender. Não seria legal.

— Então por que você contou pra ele sobre o garoto branco?

— Eu não contei — respondo. — Ele descobriu. Chris mora na mesma rua que ele, então foi mais difícil de esconder. E vamos ser realistas aqui, papai. Já ouvi as coisas que você diz sobre casais interraciais. Eu não queria que você falasse sobre mim e Chris assim.

— Chris — debocha ele. — Que tipo de nome sem graça é esse? Ele é tão debochado.

— Já que você quer me fazer perguntas, você tem algum problema com gente branca?

— Não.

— *Não?*

— É, estou sendo sincero. A questão é que as garotas costumam namorar garotos que são como os pais delas, e não vou mentir, quando vi aquele branco... Chris — corrige ele, e sorri —, eu me preocupei. Achei que eu tivesse virado você contra os homens negros ou que não tivesse dado um bom exemplo de homem negro. Não consegui lidar com isso.

Eu apoio a cabeça no ombro dele.

— Não, pai. Você não deu um bom exemplo de como um homem negro deve ser. Você deu um bom exemplo de como um *homem* deve ser. Dã.

— Dã — debocha ele, e beija o alto da minha cabeça. — Meu bebê.

Um BMW cinza para de repente à porta do mercado.

Papai me cutuca para sair do banco.

— Vem.

Ele me leva até a sala dele e me empurra para dentro. Tenho um vislumbre de King saindo do BMW antes de papai fechar a porta na minha cara.

Com as mãos tremendo, eu abro uma frestinha da porta.

Papai monta guarda na entrada do mercado. A mão vai até a cintura. A arma.

Três outros King Lords saem do BMW, mas papai diz:

— Não. Se você quiser conversar, vamos fazer isso sozinhos.

King faz um sinal para seus garotos. Eles esperam ao lado do carro.

Papai chega para o lado, e King entra. Tenho vergonha de admitir, mas não sei se papai tem chance contra King. Papai não é magrelo nem baixo, mas, em comparação a King, que é pura gordura e músculo com 1,85 de altura, ele parece pequeno. Mas é quase uma blasfêmia pensar assim.

— Cadê ele? — pergunta King.

— Cadê quem?

— Você sabe quem. Vante.

— Como é que eu vou saber? — pergunta papai.

— Ele estava trabalhando aqui, não estava?

— Por um ou dois dias, sim. Não o vi hoje.

King anda e aponta o charuto para papai. Tem suor brilhando nas camadas de gordura da nuca dele.

— Você está mentindo.

— Por que eu ia mentir, King?

— Tanta porra que fiz por você — diz King — e é assim que você me paga? Cadê ele, Big Mav?

— Não sei.

— Cadê ele? — grita King.

— Eu falei que não sei! Ele me pediu 200 dólares outro dia. Eu falei que ele tinha que trabalhar pra ganhar o dinheiro. Ele trabalhou. Tive pena e paguei tudo de uma vez, como um idiota. Ele tinha que ter vindo hoje e não veio. Fim da história.

— Por que ele precisava de dinheiro seu se roubou 5 mil de mim?

— Como é que eu vou saber? — diz papai.

— Se eu descobrir que você está mentindo...

— Não precisa se preocupar com isso. Eu já tenho problemas demais.

— Ah, sim. Eu sei dos seus problemas — diz King, uma gargalhada saindo pela boca. — Eu soube que Starr-Starr é a testemunha da qual estão falando na televisão. Espero que ela saiba ficar de bico fechado quando precisa.

— O que isso quer dizer?

— Esses casos são sempre interessantes — diz King. — Reviram tudo querendo informações. Merda, eles tentam descobrir mais sobre a pessoa que morreu do que sobre a pessoa que matou. Faz com que pareça uma coisa boa a pessoa ter sido morta. Já estão dizendo que Khalil vendia drogas. Isso pode significar problemas para qualquer um metido nas atividades dele. Então, as pessoas têm que ter cuidado na hora de falar com a promotoria. Ninguém quer ficar em perigo porque falou demais.

— Nada disso — diz papai. — As pessoas envolvidas nas atividades dele é que têm que tomar cuidado com o que dizem e até com o que pensam em fazer.

Há vários segundos agonizantes de papai e King se olhando. A mão de papai está na cintura, como se colada.

King vai embora, empurrando a porta com força suficiente para quase quebrar as dobradiças e fazer o sino tocar loucamente. Ele entra no BMW. Seus capangas vão atrás, e ele vai embora, deixando a verdade para trás.

Ele vai atrás de mim se eu o dedurar.

Papai se senta no banco dos velhinhos. Seus ombros caem, e ele respira fundo.

Nós fechamos cedo e compramos jantar no Reuben's.

Durante o curto trajeto para casa, reparo em todos os carros atrás de nós, principalmente se forem cinza.

— Não vou deixar que ele faça nada com você — promete papai.

Eu sei. Mas mesmo assim...

Mamãe está dando uma surra em uns bifes quando chegamos em casa. Primeiro, a frigideira, e agora, carne vermelha. Nada na cozinha está em segurança.

Papai levanta as sacolas para ela ver.

— Comprei jantar, amor.

Isso não a impede de surrar os bifes.

Ficamos sentados à mesa da cozinha, mas é o jantar mais silencioso da história da família Carter. Meus pais não estão falando. Seven não está falando. Eu não estou falando. Nem comendo. Entre o desastre na sala da promotora e King, costelas e feijão parecem nojentos. Sekani não consegue ficar parado, como se estivesse se coçando para contar cada detalhe do dia dele. Acho que consegue perceber que ninguém está com humor para isso. Tijolão come e baba em uns pedaços de costela num canto.

Depois, mamãe recolhe nossos pratos e talheres.

— Vão terminar o dever de casa. E não se preocupe, Starr. Seus professores me passaram o seu.

Por que eu me preocuparia com isso?

— Obrigada.

Ela vai pegar o prato de papai, mas ele toca no braço dela.

— Não. Pode deixar.

Ele pega todos os pratos das mãos dela, coloca na pia e abre a torneira.

— Maverick, você não precisa fazer isso.

Ele joga detergente demais na pia. Sempre faz isso.

— Tudo bem. Que horas você precisa estar na clínica amanhã de manhã?

— Não vou trabalhar amanhã. Tenho uma entrevista de emprego.

Papai se vira.

— Outra?

*Outra?*

— É. No Markham Memorial de novo.

— É onde tia Pam trabalha — digo.

— É. O pai dela é do comitê e me indicou. É para chefe de enfermagem da pediatria. É minha segunda entrevista. Querem que alguns dos mais importantes me entrevistem desta vez.

— Amor, que incrível — diz papai. — Isso quer dizer que você está perto de conseguir, né?

— Espero — diz ela. — Pam acha que o emprego é praticamente meu.

— Por que vocês não nos contaram? — pergunta Seven.

— Porque não é da conta de vocês — diz papai.

— E nós não queríamos que vocês ficassem com expectativas — diz mamãe. — É um emprego concorrido.

— E qual é o salário? — pergunta o lado grosseiro de Seven.

— Mais do que eu ganho na clínica. Seis dígitos por ano.

— Seis? — Eu e Seven dizemos.

— Mamãe vai ser milionária! — grita Sekani.

Ele não sabe de nada mesmo.

— Seis dígitos quer dizer centenas de milhares, Sekani — digo.

— Ah. Mas é muito mesmo assim.

— Que horas é sua entrevista? — pergunta papai.

— Às 11.

— Ótimo, então. — Ele se vira e esfrega um prato. — Podemos dar uma olhada em algumas casas antes de você ir.

Mamãe coloca a mão no peito e dá um passo para trás.

— O quê?

Ele olha para mim e depois para ela.

— Vou tirar a gente de Garden Heights, amor. Você tem minha palavra.

A ideia é tão maluca quanto um ataque de quatro pontos. Morar em um lugar diferente de Garden Heights? Ah, tá. Eu nunca acreditaria se não fosse papai falando. Papai nunca diz nada que não seja sério. Ele deve ter ficado abalado pela ameaça de King.

Ele esfrega a frigideira que mamãe atacou de manhã.

Ela tira dele, coloca na bancada e segura a mão dele.

— Não se preocupe com isso.

— Eu falei que tudo bem. Posso lavar a louça.

— Esqueça a louça.

Ela o puxa para o quarto e fecha a porta.

De repente, o som da TV fica bem alto, e Jodeci canta no aparelho de som. Se aquela mulher acabar com um feto no útero, vou ficar furiosa. *Furiosa.*

— Que horror, cara — diz Seven, sabendo o que está acontecendo. — Eles são velhos demais para isso.

— Velhos demais pra quê? — pergunta Sekani.

— Nada — Seven e eu falamos juntos.

— Você acha que papai estava falando sério? — pergunto a Seven. — Que nós vamos nos mudar?

Ele retorce um dos dreads pela raiz. Acho que nem percebe o que está fazendo.

— Parece que vocês vão mesmo. Principalmente se a mamãe conseguir o emprego.

— *Vocês?* — digo. — Você não vai ficar em Garden Heights.

— Eu até vou visitar, mas não posso deixar minha mãe e minhas irmãs, Starr. Você sabe disso.

— Sua mãe botou você pra fora — diz Sekani. — Pra onde você vai, seu burro?

— Quem você está chamando de burro? — Seven coloca a mão no sovaco e esfrega na cara de Sekani. A única vez que ele fez isso comigo, eu tinha 9 anos. Ele ganhou um lábio cortado e eu ganhei uma surra.

— Você não vai ficar mesmo na casa da sua mãe — digo. — Você vai pra faculdade, aleluia, graças ao Jesus Negro.

Seven levanta as sobrancelhas.

— Quer a mão do sovaco também? E eu vou cursar a faculdade da Central Community pra poder ficar na casa da minha mãe e cuidar das minhas irmãs.

Isso dói. Um pouco. Eu também sou irmã dele, mas não sou elas.

— *Casa da sua mãe* — repito. — Você nunca chama de sua casa.

— Chamo, sim — diz ele.

— Não chama, não.

— É.

— Cala a porra da boca. — Eu encerro a discussão.

— Aah! — Sekani estica a mão. — Me dá meu dólar!

— Porra nenhuma — digo. — Essa merda não funciona comigo.

— Três dólares!

— Tudo bem. Vou te dar uma nota de três dólares.

— Eu nunca vi uma nota de três dólares — diz ele.

— Exatamente. E nunca vai ver três dólares meus.

**PARTE 2**

# CINCO SEMANAS DEPOIS

# DEZESSEIS

A Sra. Ofrah marcou de eu dar uma entrevista para um dos programas de noticiário nacional hoje, uma semana antes de eu testemunhar para o grande júri, na segunda-feira que vem.

São cerca de seis da tarde quando a limusine que o programa mandou chega. Minha família vai comigo. Duvido que meus irmãos sejam entrevistados, mas Seven quer me apoiar. Sekani diz que também quer, mas está mesmo torcendo para ser "descoberto", com tantas câmeras em volta.

Meus pais contaram tudo para ele. Por mais que ele me irrite, foi fofo quando me deu um cartão, que ele mesmo fez, dizendo "Sinto muito". Até eu abrir. Tinha um desenho de mim chorando em cima de Khalil, e eu tinha chifres de diabo. Sekani disse que queria que ficasse "real". Babaquinha.

Nós todos seguimos para a limusine. Alguns vizinhos olham com curiosidade das varandas e jardins. Mamãe fez todos nós, até papai, nos vestirmos como se estivéssemos indo para a Templo de Cristo; não tão formais quanto na Páscoa, mas não casuais, como na "igreja da diversidade". Ela diz que não quer que o pessoal do noticiário pense que somos "ratos do gueto".

Quando estamos indo para o carro, ela orienta:

— Quando chegarmos lá, não toquem em nada e só falem quando alguém falar com vocês. E só "sim, senhora" e "sim, senhor" ou "não, senhora" e "não, senhor". Fui clara?

— Sim, senhora — nós três respondemos.

— Tudo beleza, Starr — grita um dos vizinhos.

Eu ouço isso praticamente todos os dias no bairro agora. O boato de que sou a testemunha se espalhou pelo Garden. "Tudo beleza" é mais do que um cumprimento. É um jeito simples de as pessoas me dizerem que estão do meu lado.

Mas a melhor parte é que nunca dizem "Tudo beleza, filha de Big Mav que trabalha no mercado". É sempre Starr.

A limusine parte. Bato os dedos no joelho enquanto vejo o bairro passar. Falei com detetives, com a promotora, e semana que vem vou falar com o grande júri. Falei tanto sobre aquela noite que consigo repetir tudo dormindo. Mas o mundo todo vai ver agora.

Meu celular vibra no bolso do blazer. Duas mensagens de Chris.

Minha mãe quer saber de que cor é seu vestido do baile.

Parece que o alfaiate precisa saber pra ontem.

Ah, merda. O baile do 2º e do 3º ano é no sábado. Eu não comprei vestido. Com toda essa história de Khalil, não sei se quero ir. Mamãe disse que vou, para distrair a cabeça. Eu disse que não e ela me lançou "o olhar".

Então, eu vou para a porcaria do baile. Essa ditadura dela não é nada legal. Respondo à mensagem de Chris.

Hã... azul-claro?

Ele responde:

Você ainda não tem vestido?

Tem tempo ainda, eu respondo. É só que ando ocupada.

É verdade. A Sra. Ofrah me preparou para essa entrevista todos os dias depois da aula. Em alguns dias, terminamos cedo, e eu ajudei no Just Us for Justice. Atendi o telefone, distribuí folhetos, qualquer coisa que precisassem que eu fizesse. Às vezes, eu ouvia as reuniões da equipe enquanto eles discutiam ideias para uma reforma na polícia e a importância de dizer para a comunidade protestar sem fazer baderna.

Perguntei ao Dr. Davis se o Just Us podia fazer uma discussão em mesa-redonda na Williamson como faz em Garden High. Ele disse que não via necessidade.

Chris responde à minha mensagem sobre o baile.

Tá, se você diz.

Aliás, Vante manda lembranças.

Estou dando uma surra nele no Madden. Mas ele precisa parar de me chamar de Bieber.

Depois de toda aquela merda de "garoto branco tentando parecer negro" que DeVante disse sobre Chris, ele passa mais tempo na casa de Chris do que eu agora. Chris o convidou para jogar Madden, e de repente eles viraram "manos". De acordo com DeVante, a coleção enorme de jogos de videogame de Chris compensa a brancura dele.

Eu falei para DeVante que ele é um interesseiro e só quer saber dos jogos. Ele me mandou calar a boca, apesar disso estamos nos dando bem.

Chegamos a um hotel sofisticado no centro. Um cara branco de capuz espera embaixo do toldo antes da porta. Ele está com uma prancheta embaixo do braço e um copo do Starbucks na mão.

Mesmo assim, ele consegue abrir a porta da limusine e apertar nossa mão quando nós saímos.

— John, produtor. É um prazer conhecer vocês. — Ele aperta minha mão uma segunda vez. — Vou tentar adivinhar, você é Starr.

— Sim, senhor.

— Muito obrigado por ter a coragem de fazer isso.

Aí está a palavra de novo. Coragem. Pernas de gente corajosa não tremem. Pessoas corajosas não sentem vontade de vomitar. Pessoas corajosas não precisam ficar se lembrando de respirar se pensam demais naquela noite. Se coragem fosse uma condição médica, todo mundo teria meu diagnóstico errado.

John nos guia por vários corredores, e fico feliz de estar usando sapatilhas. Ele não consegue parar de falar sobre como a entrevista é importante e o quanto eles querem divulgar a verdade. Ele não está ajudando com a minha "coragem".

Ele nos leva para o pátio do hotel, onde alguns operadores de câmera e outras pessoas do programa estão arrumando tudo. No meio do caos, a entrevistadora, Diane Carey, está sendo maquiada.

É estranho vê-la pessoalmente, e não como um bando de pixels na TV. Quando eu era mais nova, todas as vezes que ia dormir na casa da vovó, ela me fazia dormir com uma das suas camisolas compridas, me mandava fazer orações por pelo menos cinco minutos e ver o noticiário de Diane Carey, para ficar "atualizada com o mundo".

— Oi! — O rosto da Sra. Carey se ilumina quando nos vê. Ela se aproxima, e tenho que dar os parabéns para a moça da maquiagem, porque ela vai atrás e continua trabalhando como uma profissional. A Sra. Carey aperta nossas mãos. — Diane. É um prazer conhecer todos vocês. E você deve ser Starr — diz ela para mim. — Não fique nervosa. Vai ser só uma conversa entre nós duas.

Uma das pessoas da produção coloca meu microfone enquanto John faz um resumo dessa parte de andar e falar.

— É só uma imagem transicional — diz ele. — Coisa simples.

Simples uma ova. Na primeira vez, eu praticamente ando em velocidade. Na segunda, ando como se estivesse em uma procissão fúnebre e não consigo responder as perguntas da Sra. Carey. Eu nunca percebi que andar e falar exigia tanta coordenação.

Quando acertamos essa parte, pegamos um elevador para o andar mais alto. John nos leva para uma suíte enorme, parece até uma cobertura, com vista para o centro. Tem umas 12 pessoas montando câmeras e luzes. A Sra. Ofrah está lá, com uma das camisetas de Khalil e uma saia. John diz que estão prontos para mim.

Eu me sento no sofá de dois lugares em frente à Sra. Carey. Nunca consegui cruzar as pernas, não sei por que motivo, então isso está fora de questão. Eles checam meu microfone, e a Sra. Carey me diz para relaxar. Em pouco tempo, as câmeras estão ligadas.

— Milhões de pessoas em todo o mundo ouviram o nome Khalil Harris — diz ela — e desenvolveram suas próprias ideias de quem ele era. Quem ele era para você?

*Mais do que ele pode ter percebido.*

— Um dos meus melhores amigos — respondo. — Nós nos conhecíamos desde que éramos bebês. Se ele estivesse aqui, diria que era cinco meses, duas semanas e três dias mais velho do que eu. — Nós duas rimos com isso. — Mas esse é quem Khalil é... era.

Droga. Dói ter que me corrigir.

— Ele era brincalhão. Mesmo quando as coisas estavam difíceis, ele arrumava um jeito de achar graça. E ele... — Minha voz falha.

Sei que é brega, mas acho que ele está aqui. Aquele xereta ia aparecer para ter certeza de que vou dizer as coisas certas. Deve estar me chamando de fã número um ou algum outro título irritante em que só Khalil consegue pensar.

Sinto saudade desse garoto.

— Ele tinha um grande coração — digo. — Sei que algumas pessoas o chamam de bandido, mas, se você o conhecesse, saberia que não é o caso. Não estou dizendo que ele era anjo nem nada, mas ele não era uma pessoa ruim. Ele era... — Eu dou de ombros. — Ele era um garoto.

Ela assente.

— Ele era um garoto.

— O que você acha de pessoas que se concentram nos aspectos não tão bons dele? — pergunta ela. — No fato de que ele talvez vendesse drogas?

A Sra. Ofrah disse uma vez que é assim que eu luto, com a minha voz.

Então, eu luto.

— Eu odeio — digo. — Se as pessoas soubessem por que ele vendia drogas, talvez não falassem dele assim.

A Sra. Carey se senta mais ereta.

— Por que ele vendia?

Eu olho para a Sra. Ofrah, e ela balança a cabeça. Durante todas as nossas reuniões de preparação, ela me aconselhou a não entrar em detalhes sobre Khalil e a venda de drogas. Disse que o público não precisa saber sobre isso.

Mas eu olho para a câmera, ciente de repente de que milhões de pessoas vão assistir a isso em alguns dias. King talvez seja uma delas.

Embora a ameaça dele soe alto na minha cabeça, não soa tão alto quanto o que Kenya disse naquele dia na loja.

Khalil me defenderia. Eu devia defendê-lo.

Assim, eu me preparo para dar um soco.

— A mãe de Khalil é viciada — digo para a Sra. Carey. — Qualquer um que o conhecesse sabia o quanto isso o fazia mal e o quanto ele odiava drogas. Ele só começou a vender para ajudá-la a sair de uma situação com o maior traficante e líder de gangue do nosso bairro. — A Sra. Ofrah suspira alto. Meus pais estão com os olhos arregalados.

É uma delação indireta, mas é delação. Qualquer um que saiba sobre Garden Heights vai saber exatamente de quem estou falando. Caramba, quem assistir à entrevista do Sr. Lewis vai descobrir.

Mas como King quer andar pelo bairro mentindo e dizendo que Khalil era da gangue, eu posso contar para o mundo que Khalil foi obrigado a vender drogas para ele.

— A vida da mãe dele estava em perigo — declaro. — Esse é o único motivo que o levaria a fazer uma coisa dessas. E ele não era membro de gangue...

— Não era?

— Não, senhora. Ele nunca quis cair nesse tipo de vida. Mas acho... — Penso em DeVante, por algum motivo. — Não entendo como todo mundo pode fazer parecer que não tem problema ele ter sido morto só porque era traficante e membro de gangue.

Um gancho direto no queixo.

— A imprensa? — pergunta ela.

— Sim, senhora. Parece que estão sempre falando sobre o que ele pode ter dito, pode ter feito, pode não ter feito. Eu não sabia que uma pessoa morta podia ser acusada pelo próprio assassinato, sabe?

Na hora que falo, sei que é um soco na boca.

A Sra. Carey pede meu relato sobre daquela noite. Não posso entrar em muitos detalhes, por orientação da Sra. Ofrah, mas conto que fizemos tudo que Um-Quinze pediu e nunca o xingamos, como o pai dele alega. Conto o quanto senti medo, que Khalil ficou tão preocupado comigo que abriu a porta e perguntou se eu estava bem.

— Então ele não ameaçou a vida do policial Cruise? — pergunta ela.

— Não, senhora. As palavras exatas dele foram "Starr, você está bem?" Foi a última coisa que ele disse e...

Estou chorando muito quando descrevo o momento em que os tiros soaram e Khalil olhou para mim pela última vez; que o abracei na rua e vi os olhos dele ficarem vidrados. Eu digo que Um-Quinze apontou a arma para mim.

— Ele apontou a arma para você? — pergunta ela.

— Sim, senhora. Ficou com ela apontada para mim até os outros policiais chegarem.

Por trás das câmeras, mamãe cobre a mão com a boca. Os olhos de papai brilham de fúria. A Sra. Ofrah parece perplexa.

É outro soco.

É que só contei essa parte para o tio Carlos.

A Sra. Carey me dá um lenço de papel e um momento para me recompor.

— A situação deixou você com medo da polícia? — Ela acaba perguntando.

— Não sei — digo com sinceridade. — Meu tio é policial. Sei que nem todos são ruins. E que eles arriscam a vida, sabe? Sempre sinto medo pelo meu tio. Mas estou cansada deles tirando conclusões. Principalmente em relação às pessoas negras.

— Você gostaria que mais policiais não fizessem suposições sobre pessoas negras? — esclarece ela.

— Isso mesmo. Isso tudo aconteceu porque *ele* — não consigo dizer o nome dele — supôs que não tínhamos boas intenções. Porque somos negros e por causa de onde moramos. Nós só éramos dois adolescentes vivendo, sabe? A suposição dele matou Khalil. Poderia ter me matado.

Um chute nas costelas.

— Se o policial Cruise estivesse sentado aqui — diz a Sra. Carey —, o que você diria para ele?

Eu pisco várias vezes. Minha boca se enche de saliva, mas eu engulo. Não vou me permitir chorar nem vomitar só de pensar naquele homem.

Se ele estivesse sentado aqui, eu não tenho Jesus Negro suficiente em mim para dizer que o perdoo. Acho que eu daria um soco. Na cara dele.

Mas a Sra. Ofrah disse que essa entrevista é a forma como eu luto. Quando uma pessoa luta, se expõe, sem se importar quem machuca nem se vai se machucar também.

Então, dou mais um soco, bem em Um-Quinze.

— Eu perguntaria se ele gostaria de ter atirado em mim também.

## DEZESSETE

Minha entrevista foi ao ar ontem, no *Friday Night News Special* de Diane Carey. De manhã, o produtor John ligou e disse que foi uma das entrevistas mais assistidas na história do canal.

Um milionário, que deseja permanecer anônimo, ofereceu pagar minha faculdade. John disse que a proposta foi feita logo depois que a entrevista foi ao ar. Acho que é Oprah, mas é coisa minha, porque sempre imaginei que ela fosse minha fada madrinha e que um dia apareceria na minha casa e diria "Você ganhou um carro!".

O canal já recebeu vários e-mails me apoiando. Não vi nenhum, mas recebi o melhor recado em forma de mensagem de Kenya.

Já estava mais do que na hora de você falar.

Mas não deixe a fama subir à cabeça.

A entrevista bombou on-line. Quando olhei hoje de manhã, as pessoas ainda estavam falando sobre ela. O Twitter negro e o Tumblr estão me apoiando. Alguns babacas me querem morta.

King também não está muito feliz. Kenya me disse que ele está com raiva por eu ter dedurado.

Os programas de notícias de sábado também discutiram a entrevista, dissecando minhas palavras como se eu fosse a presidente, sei lá. Tem uma rede que está furiosa por meu "desprezo pela polícia". Não sei como tiraram isso da entrevista. Eu não participo de nenhuma merda tipo o "Foda-se a Polícia" do NWA. Só falei que perguntaria ao homem se ele gostaria de ter atirado em mim também.

Não me importo. Não vou pedir desculpas pelo que sinto. As pessoas podem dizer o que quiserem.

Mas é sábado, e estou sentada em um Rolls-Royce a caminho de um baile com um namorado que não está falando quase nada comigo. Chris está mais interessado no celular.

— Você está bonito — digo. E está mesmo. O smoking preto com colete e gravata azul-claros combinam com o vestido tomara-que-caia longuete que estou usando. Os All Star de couro preto também combinam bem com os meus prateados de lantejoulas. A ditadora, ou seja, minha mãe, comprou a roupa. Ela tem bom gosto.

Chris diz:

— Obrigado. Você também. — Mas é tão robótico que parece que ele está dizendo o que deve dizer e não o que quer. E como ele sabe como estou? Ele mal olhou para mim desde que me pegou na casa do tio Carlos.

Não tenho ideia do que há de errado com ele. As coisas andam bem entre nós, até onde eu sei. Agora, do nada, ele está mal-humorado e me dando gelo. Eu pediria ao motorista para me levar de volta para a casa do tio Carlos, mas estou bonita demais para ir para casa.

A entrada do country clube está toda iluminada de azul, e tem um arco de balões dourados por cima. Estamos no único Rolls-Royce em um mar de limusines, então é claro que as pessoas olham quando paramos na entrada.

O motorista abre a porta para nós. O senhor silencioso sai primeiro e até me ajuda. Nossos colegas gritam e batem palmas e assobiam. Chris coloca o braço na minha cintura, e sorrimos para fotos, como se tudo estivesse bem. Chris segura minha mão e me acompanha até o salão sem dizer nada.

Somos recebidos por uma música alta. Candelabros e luzes que piscam iluminam o salão. Um comitê qualquer decidiu que o tema devia ser meia-noite em Paris, então tem uma Torre Eiffel enorme feita de luzes de Natal. A impressão é que todos os alunos do segundo e do terceiro ano da Williamson estão na pista de dança.

Tenho que falar claramente. Uma festa em Garden Heights e uma festa da Williamson são coisas bem diferentes. Na festa de Big D, as pessoas dançaram o Nae-Nae, o Hit the Quan, o twerk e tal. No baile, não sei o que algumas daquelas pessoas estão fazendo. Muitos pulos e punhos se batendo e tentativas de dançar o twerk. Não é ruim. Só é diferente. Bem diferente.

Mas é estranho, não fico tão hesitante em dançar aqui como fiquei na festa de Big D. Como falei, na Williamson eu sou automaticamente popular, só por ser negra. Posso ir para a pista e fazer um passo de dança ridículo que inventar, e todo mundo vai achar que é a nova moda. As pessoas brancas supõem que todas as negras são especialistas nas novas modas. Mas eu nunca faria uma coisa dessas em uma festa de Garden Heights. Quem faz papel de bobo uma vez, já era. Todo mundo no bairro fica sabendo e ninguém esquece.

Em Garden Heights, eu aprendo a ser descolada só olhando. Na Williamson, eu exibo esse talento adquirido. Não sou nem *tão* descolada, mas esses adolescentes brancos acham que eu sou, e isso conta muito na política do ensino médio.

Começo a perguntar a Chris se ele quer dançar, mas ele solta minha mão e vai na direção de uns amigos.

Por que motivo mesmo eu vim ao baile?

— Starr! — Alguém chama. Eu olho ao redor algumas vezes e finalmente vejo Maya acenando para mim de uma mesa.

— Garota! — diz ela quando chego lá. — Você está linda! Aposto que Chris ficou maluco quando viu você.

Não. Ele quase me *deixou* maluca.

— Obrigada — agradeço, e dou uma olhada nela. Ela está usando um vestido tomara que caia cor-de-rosa até os joelhos. Um par de saltos agulha prateados cintilantes dão mais uns 12 centímetros de altura para ela. Eu a aplaudo por ter chegado tão longe com eles. Eu odeio saltos. — Mas, se alguém está bonita hoje, essa pessoa é você. Você caprichou, Baixinha.

— Não me chame assim. Principalmente porque Ela Que Não Deve Ser Nomeada me deu esse apelido.

Droga. Hailey Voldemort.

— Maya, você não precisa escolher lados, sabe.

— É ela que não está falando com a gente, lembra?

Hailey vem dando gelo na gente desde o incidente na casa de Maya. Caramba, eu chamo a atenção dela por um motivo e estou automaticamente errada e mereço um gelo? Não, ela não vai me manipular para me fazer sentir culpa. E quando Maya admitiu para Hailey que me contou por que ela tinha parado de me seguir no Tumblr, Hailey parou de falar com Maya, alegando que não vai falar com nenhuma de nós duas até pedirmos desculpas. Ela não está acostumada com nós duas ficando contra ela.

Que se dane. Ela e Chris podem criar um clube se quiserem. Podem chamar de Liga do Gelo dos Jovens Mimados e Ricos.

Estou um pouquinho sensível. Mas odeio o fato de Maya ter sido trazida para o meio da confusão.

— Maya, me desculpe...

— Não precisa — diz ela. — Não sei se contei para você, mas mencionei aquela história do gato para ela. Depois que contei sobre o Tumblr.

— Ah, é?

— É. E ela me mandou superar. — Maya balança a cabeça. — Ainda estou com raiva de mim mesma por deixar que ela dissesse isso na época.

— É. Eu também sinto raiva de mim mesma.

Nós ficamos em silêncio.

Maya me cutuca.

— Ei. Nós, das minorias, temos que ficar juntas, lembra?

Eu dou risada.

— Tá, tá. Onde está o Ryan?

— Foi pegar comida. Ele está bonito hoje, se posso dizer. Cadê seu namorado?

— Sei lá — respondo. E no momento não ligo.

Sabe o que é o melhor entre melhores amigas? Elas sabem quando você não quer conversar e não insistem. Maya enfia o braço pelo meu.

— Vamos. Eu não me arrumei para ficar parada.

Vamos para a pista de dança e pulamos e batemos punhos junto com as outras pessoas. Maya tira os saltos e dança descalça. Jess, Britt e umas outras garotas do time se juntam a nós, e fazemos uma rodinha de dança. Ficamos enlouquecidas quando minha prima por casamento, Beyoncé, começa a cantar. (Juro que tenho algum parentesco com Jay-Z. O sobrenome é o mesmo, só pode ser.)

Cantamos alto com a prima Bey até quase ficarmos roucas, e Maya e eu estamos totalmente mergulhadas na música. Posso não ter Khalil, Natasha nem Hailey, mas tenho Maya. Ela basta.

Depois de seis músicas, voltamos para nossa mesa, abraçadas. Estou segurando um dos sapatos de Maya e o outro está pendurado na cintura dela pela tira.

— Você viu o Sr. Warren dançando como um robô? — pergunta Maya entre gargalhadas.

— Se vi? Eu nem sabia que ele tinha talento pra isso.

Maya para. Olha ao redor disfarçando.

— Não olhe, agora disfarce e olhe para a esquerda — murmura ela.

— O quê? O que foi?

— Olhe para a esquerda — diz ela por entre dentes. — Mas rápido.

Hailey e Luke estão de braços dados na entrada, fazendo pose para fotos, e não consigo nem falar mal, porque, com o vestido dourado e branco e ele de smoking branco, estão fofos. Não é porque brigamos que não posso elogiar, sabe? Estou até feliz por ela estar com Luke. Demorou muito até.

Hailey e Luke andam na nossa direção, mas passam direto, o ombro dela a centímetros do meu. Ela faz cara feia para nós. Que garota. Acho que faço cara feia para ela também. Às vezes, faço cara feia sem nem perceber.

— É isso aí — diz Maya para as costas de Hailey. — Segue em frente mesmo.

Senhor. Maya pode ir de zero a cem rápido demais.

— Vamos pegar uma bebida — sugiro, puxando-a comigo. — Antes que você se machuque.

Pegamos ponche e nos juntamos a Ryan na nossa mesa. Ele está se enchendo de sanduíches minúsculos e almôndegas, e tem farelo caindo no smoking.

— Onde vocês estavam? — pergunta ele.

— Dançando — diz Maya. Ela rouba um camarão. — Você ficou sem comer o dia todo, é?

— Não. Estava morrendo de fome. — Ele faz um sinal para mim. — E aí, Namorada Negra?

Nós sempre brincamos com aquela história de que "se só tem dois adolescentes negros na turma, eles deviam namorar".

— E aí, Namorado Negro? — digo, e roubo um camarão também.

Incrivelmente, Chris lembra que veio acompanhado e vem até nossa mesa. Diz oi para Maya e Ryan e me pergunta:

— Quer tirar foto e tal?

O tom dele está robótico de novo. Em uma escala de um a dez no medidor de "cansei", já estou no cinquenta.

— Não, obrigada — respondo. — Não quero tirar foto com uma pessoa que não quer estar aqui comigo.

Ele suspira.

— Por que você tem que agir assim?

— Eu? É você que está sendo frio comigo.

— Porra, Starr! Você quer tirar a merda da foto ou não?

O medidor de "cansei" explode. Cabum. Em pedacinhos.

— Claro que não. Vai tirar uma e enfia no cu.

Saio andando, ignorando os chamados de Maya para eu voltar. Chris vem atrás de mim. Tenta segurar meu braço, mas me solto e continuo andando. Está escuro lá fora, mas encontro facilmente o Rolls-Royce estacionado. O chofer não está por perto, senão eu pediria que me levasse para casa. Eu entro no banco de trás e tranco a porta.

Chris bate na janela.

— Starr, para com isso. — Ele coloca as mãos na janela como se fosse um binóculo, tentando enxergar pela película escura. — Podemos conversar?

— Ah, agora você quer conversar?

— Era você que não queria falar comigo! — Ele baixa a cabeça e encosta a testa no vidro. — Por que você não me contou que era a testemunha de quem estavam falando?

Ele pergunta baixinho, mas dói como um soco na barriga.

Ele sabe.

Eu destranco a porta e chego para o lado. Chris entra e se senta.

— Como você descobriu? — pergunto.

— A entrevista. Eu vi com meus pais.

— Mas não mostraram meu rosto.

— Eu soube na hora, Starr. E mostraram você de costas, andando com aquela entrevistadora, e já vi você andando o bastante para saber como você é de frente e de costas e... eu sou meio pervertido, né?

— Então você me reconheceu pela bunda?

— Eu... é. — O rosto dele fica vermelho. — Mas não foi só isso. Tudo fez sentido, como a sua chateação com o protesto e por causa de Khalil. Não que você não devesse ficar chateada por causa dessas coisas, porque devia sim, mas... — Ele suspira. — Estou perdido aqui, Starr. Eu só soube que era você. E era, não era?

Eu faço que sim.

— Gata, você devia ter me contado. Por que esconder uma coisa dessas de mim?

Eu inclino a cabeça.

— Uau. Eu vi uma pessoa ser assassinada e você está agindo como um moleque mimado porque eu não te contei?

— Eu não quis dizer isso.

— Mas pense nisso um segundo — digo. — Esta noite você mal conseguiu dizer duas palavras para mim porque eu não contei sobre uma das piores experiências da minha vida. Você já viu alguém morrer?

— Não.

— Eu vi duas vezes.

— E eu não sabia disso! — diz ele. — Sou seu namorado e não sabia de nada disso. — Ele olha para mim com a mesma dor nos olhos de quando me afastei semanas atrás. — Tem uma parte inteira da sua vida que você esconde de mim, Starr. Estamos juntos há mais de um ano e você nunca falou de Khalil, que você diz que era seu melhor amigo, nem dessa outra pessoa que você viu morrer. Você não confiou em mim o bastante para contar.

Minha respiração falha.

— Não... não é assim.

— Não? — diz ele. — Então como é? O que nós somos? Só *Um maluco no pedaço* e beijos?

— Não. — Meus lábios tremem e minha voz soa baixa. — Eu... eu não posso mostrar essa parte de mim aqui, Chris.

— Por quê?

— Porque sim — digo. — As pessoas usam isso contra mim. Ou eu sou a pobre Starr que viu a amiga ser morta em disparos dados de um carro que passava ou a Starr coitadinha que mora no gueto. É assim que os professores agem.

— Tá, eu entendo não contar para as pessoas da escola — diz ele. — Mas eu não sou essas pessoas. Eu nunca usaria isso contra você. Você me disse uma vez que sou a única pessoa com quem você podia ser você mesma na Williamson, mas a verdade é que você *ainda* não confia em mim.

Estou a um segundo de cair em um choro convulsivo.

— Você está certo — digo. — Eu não confiei em você. Não queria que só me visse como a garota do gueto.

— Você nem me deu a chance de provar que estava errada. Eu quero estar ao seu lado. Você tem que me deixar entrar no seu mundo.

Deus. Ser duas pessoas diferentes é tão exaustivo. Eu me treinei para falar com duas vozes diferentes e só dizer certas coisas perto de algumas pessoas. E dominei essa arte. Por mais que eu diga que não preciso escolher que Starr sou com Chris, talvez, sem perceber, eu precise, até certo ponto. Parte de mim sente que não posso existir perto de gente como ele.

*Eu não vou chorar, não vou chorar, não vou chorar.*

— Por favor — diz ele.

É a gota d'água. Tudo começa a jorrar.

— Eu tinha 10 anos. Quando minha outra amiga morreu — conto, olhando para a francesinha das unhas. — Ela também tinha 10 anos.

— Qual era o nome dela? — pergunta ele.

— Natasha. Foi um carro que passou atirando. Foi um dos motivos de meus pais terem me colocado junto com meus irmãos na Williamson. Foi o mais próximo que eles conseguiram chegar de nos proteger um pouco mais. Eles trabalham muito para nós estudarmos naquela escola.

Chris não diz nada. Eu não preciso que diga.

Eu respiro trêmula e olho ao redor.

— Você não sabe como é loucura eu estar sentada neste carro — digo. — Uma porra de um Rolls-Royce. Eu morava em um conjunto habitacional, em um apartamento de um quarto. Dividia com meus irmãos, e meus pais dormiam em um sofá-cama.

Os detalhes da minha vida na época voltam com clareza repentina.

— O apartamento tinha cheiro de cigarro o tempo todo — digo. — Papai fumava. Nossos vizinhos de cima e do lado fumavam. Eu tinha um monte de crises de asma, não era engraçado. Só deixávamos comida enlatada nos armários por causa dos ratos e das baratas. Os verões eram sempre muito quentes e os invernos eram frios demais. Nós tínhamos que usar casaco dentro e fora de casa.

"Às vezes, papai vendia cupons de comida para comprar roupas para nós. Ficou um tempão sem conseguir emprego porque é ex-presidiário. Quando foi contratado no mercado, ele nos levou ao Taco Bell, e pedimos o que queríamos. Achei a melhor coisa do mundo. Quase melhor do que o dia em que nos mudamos do conjunto."

Chris abre um pequeno sorriso.

— O Taco Bell é bom demais.

— É. — Eu olho para as mãos de novo. — Ele deixou Khalil ir com a gente ao Taco Bell. Nós estávamos passando dificuldade, mas Khalil era nosso projeto de caridade. Todo mundo sabia que a mãe dele usava crack.

Sinto lágrimas chegando. Porra, estou de saco cheio disso.

— Éramos bem próximos nessa época. Ele foi meu primeiro beijo, meu primeiro crush. Antes de ele morrer, nós não estávamos mais tão próximos. Eu não o via havia meses e... — Estou chorando muito. — E isso está me matando, porque ele estava passando por tanta dificuldade, e eu não estava ao lado dele.

Chris passa os polegares no meu rosto para limpar as lágrimas.

— Você não pode se culpar.

— Mas eu me culpo — digo. — Eu poderia ter feito ele parar de vender drogas. E as pessoas não iam estar dizendo que ele era bandido. E me desculpe por não ter contado, eu queria, mas todo mundo que sabe que eu estava no carro age como se eu fosse feita de vidro. Você me tratava normalmente. Você *era* o meu normal.

Estou em péssimo estado agora. Chris segura a minha mão e me puxa para o colo dele, de forma que fico montada nele. Escondo o rosto no ombro dele e choro como um bebê. O smoking dele está molhado, minha maquiagem está destruída. Um horror.

— Me desculpe — diz ele, fazendo carinho nas minhas costas. — Eu fui um cuzão hoje.

— Foi mesmo. Mas é meu cuzão.

— Você andou *me* olhando de costas?

Eu olho para ele com expressão séria e dou um soco no braço dele. Ele ri, e o som me faz rir.

— Você sabe o que eu quero dizer! Você é o normal pra mim. E isso é tudo que importa.

— Tudo que importa. — Ele sorri.

Eu boto a mão no rosto dele e deixo que meus lábios se reapresentem para os dele. Os de Chris são macios e perfeitos. E estão com gosto de ponche de frutas.

Chris se afasta com um puxão delicado no meu lábio inferior. Ele encosta a testa na minha e olha para mim.

— Eu te amo.

O "eu" apareceu. Minha resposta vem fácil.

— Eu também te amo.

Duas batidas altas na janela nos assustam. Seven encosta o rosto no vidro.

— É melhor vocês não estarem fazendo nada!

A melhor forma de perder o tesão na hora? Seu irmão aparecer.

— Seven, deixa os dois em paz — diz Layla atrás dele. — A gente ia dançar, lembra?

— Isso pode esperar. Tenho que ter certeza de que ele não está se aproveitando da minha irmã.

— Você não vai se aproveitar de mim se não parar de ser tão ridículo! — diz ela.

— Não quero saber. Starr, sai do carro. Não estou de brincadeira!

Chris ri no meu ombro nu.

— Seu pai mandou que ele ficasse de olho em você?

Conhecendo papai...

— Provavelmente.

Ele beija meu ombro, e os lábios permanecem no lugar por alguns segundos.

— Está tudo bem agora?

Eu dou um beijinho rápido nos lábios dele.

— Está.

— Que bom. Vamos dançar.

Nós saímos do carro, e Seven grita sobre a gente ter saído escondido e ameaça contar para o papai. Layla o puxa quando ele diz:

— E se ela botar um mini-Chris pra fora em nove meses, vamos ter um problema, amigão!

Ridículo. Pra cacete.

A música ainda vibra do lado de dentro. Tento não rir quando Chris transforma o Nae-Nae em um nao-não. Maya e Ryan se juntam a nós na pista de dança e olham para mim com cara de "Que porra é essa?" por causa da dança de Chris. Eu dou de ombros e sigo em frente.

Perto do final da música, Chris se inclina para perto do meu ouvido e diz:

— Já volto.

Ele desaparece na multidão. Nem penso no assunto até um minuto depois, quando a voz dele soa nos alto-falantes e ele está ao lado do DJ na cabine.

— Ei, pessoal — diz ele. — Minha garota e eu brigamos mais cedo.

Ah, Senhor. Ele vai contar nossa história. Eu olho para meus tênis e protejo o rosto.

— E eu queria cantar essa música, a nossa música, para mostrar o quanto te amo e gosto de você, Maluca.

Um grupo de garotas faz "Ahhhh!" Os amigos dele gritam e assobiam. Estou pedindo, por favor, que ele não cante. Por favor. Mas tem um *bump* familiar... *bump, bump, bump.*

— *Now this is a story all about how my life got flipped turned upside down* — canta Chris. — *And I'd like to take a minute, just sit right there, I'll tell you how I became the prince of a town called Bel-Air.*

Dou um sorriso grande demais. *Nossa* música. Eu canto o rap com ele, e quase todo mundo canta junto. Até os professores. No final, grito mais alto do que todo mundo.

Chris volta para mim, e nós rimos e nos abraçamos e nos beijamos. Depois, dançamos e tiramos selfies bobas, inundamos painéis e linhas do tempo do mundo todo. Quando o baile acaba, deixamos Maya, Ryan, Jess e alguns outros amigos irem conosco até o IHOP. Todo mundo está com alguém no colo. No IHOP, comemos um monte de panquecas e dançamos as músicas do jukebox. Não penso em Khalil nem em Natasha.

É uma das melhores noites da minha vida.

# DEZOITO

No domingo, meus pais levam a mim e meus irmãos para dar um passeio.

Parece uma visita normal à casa do tio Carlos, até passarmos pelo bairro dele e não pararmos. Pouco mais de cinco minutos, uma placa de tijolos cercada de arbustos coloridos nos dá as boas-vindas a Brook Falls.

Casinhas de tijolos de um andar se alinham em ruas recém-pavimentadas. Crianças negras, crianças brancas e tudo entre os dois extremos brincam em calçadas e jardins. Portas abertas de garagem exibem toda a quinquilharia que tem dentro, e há bicicletas e scooters caídas e abandonadas em jardins. Ninguém está com medo de suas coisas serem roubadas no meio do dia.

Faz com que eu pense no bairro do tio Carlos, mas é diferente. Primeiro, não tem portão em volta, então não estão impedindo ninguém de sair nem de entrar, mas as pessoas se sentem seguras. As casas são menores, mais aconchegantes. E, sinceramente? Tem mais pessoas parecidas com a gente em comparação ao bairro do tio Carlos.

Papai para na entrada de uma casa de tijolos marrons no final de uma rua sem saída. Arbustos e pequenas árvores decoram o jardim, e um caminho de pedra leva à entrada.

— Vem, pessoal — diz papai.

Nós descemos do carro, nos espreguiçando e bocejando. Esses deslocamentos de 45 minutos de carro não são brincadeira. Um homem negro gorducho acena para nós da entrada da casa ao lado. Nós acenamos e seguimos meus pais pelo caminho. Pelo vidro da porta da frente, a casa parece vazia.

— De quem é essa casa? — pergunta Seven.

Papai destranca a porta.

— Espero que nossa.

Quando entramos, estamos na sala. Tem um cheiro forte de tinta e de piso de madeira encerado. Dois corredores, um de cada lado, levam ao resto da casa a partir da sala. A cozinha fica contígua à sala com armários brancos, bancadas de granito e eletrodomésticos de aço inoxidável.

— Nós queríamos que vocês vissem — diz mamãe. — Deem uma olhada.

Não posso mentir, estou com medo de me mudar.

— Essa é a *nossa* casa?

— Como falei, eu espero que sim — responde papai. — Estamos aguardando a hipoteca ser aprovada.

— E nós podemos pagar? — pergunta Seven.

Mamãe levanta a sobrancelha.

— Podemos, sim.

— Mas o sinal e tal...

— Seven! — sussurro. Ele sempre se mete nas coisas dos outros.

— Nós cuidamos de tudo — diz papai. — Vamos alugar a casa em Garden, e isso vai nos ajudar com as parcelas mensais. Além do mais...— Ele olha para mamãe com um sorriso malicioso que é meio adorável, tenho que admitir.

— Eu consegui o emprego de chefe de enfermagem no Markham — diz ela, sorrindo. — Começo em duas semanas.

— É sério? — pergunto, e Seven diz:

— Opa!

Sekani grita:

— Mamãe está rica!

— Garoto, ninguém ficou rico — diz papai. — Calma.

— Mas ajuda — diz mamãe. — E muito.

— Papai, você não liga de a gente morar aqui com gente falsa? — pergunta Sekani.

— De onde você tirou isso? — pergunta mamãe.

— Ah, é o que ele diz. Que as pessoas aqui são falsas e que Garden é real.

— É, ele diz isso mesmo — diz Seven.

Eu faço que sim.

— O tempo todo.

Mamãe cruza os braços.

— Gostaria de explicar, Maverick?

— Eu não digo *tanto* assim...

— Diz, sim — nós dizemos.

— Tudo bem, eu digo muito. Posso não ter acertado cem por cento em relação a isso...

Mamãe tosse, mas tem um "rá" escondido ali.

Papai olha para ela com irritação.

— Mas percebo que ser real não tem nada a ver com o lugar onde você mora. A coisa mais real que posso fazer é proteger minha família, e isso quer dizer sair de Garden Heights.

— O que mais? — pergunta mamãe, como se ele estivesse sendo testado na frente da turma.

— E que morar no subúrbio não torna você menos negro do que morar no gueto.

— Obrigada — diz ela com um sorriso satisfeito.

— Agora vocês vão olhar a casa ou o quê? — pergunta papai.

Seven hesita, e como ele está hesitante, Sekani também está. Mas, caramba, quero escolher meu quarto primeiro.

— Onde ficam os quartos?

Mamãe aponta para o corredor à esquerda. Acho que Seven e Sekani percebem por que eu perguntei. Nós três trocamos olhares.

Nós corremos para o corredor. Sekani chega primeiro, e não é meu melhor momento, mas puxo a bunda magrela dele para trás.

— Mamãe, ela me puxou! — choraminga ele.

Chego no primeiro quarto antes de Seven. É maior do que meu quarto atual, mas não tão grande quanto eu quero. Seven chega ao segundo quarto, olha ao redor, e acho que não gosta. Isso deixa o terceiro quarto como possivelmente o maior, e fica no final do corredor.

Seven e eu corremos até lá, e parece Harry Potter e Cedrico Diggory tentando chegar ao Cálice de Fogo. Eu seguro a camisa de Seven e estico o tecido até ter apoio suficiente para puxá-lo para trás e passar na frente dele. Chego ao quarto primeiro e abro a porta.

E é menor do que o primeiro.

— Eu escolho primeiro! — grita Sekani. Ele vai até a porta do primeiro quarto, o maior dos três.

Seven e eu jogamos pedra, papel e tesoura pelo segundo quarto maior. Seven sempre escolhe pedra ou papel, então eu venço com facilidade.

Papai sai para buscar o almoço, e mamãe nos mostra o restante da casa. Meus irmãos e eu vamos ter que dividir o banheiro de novo. Sekani finalmente aprendeu a mirar e a arte de dar descarga, então acho que não tem tanto problema. A suíte principal fica no outro corredor. Tem uma lavanderia, um porão inacabado e uma garagem para dois carros. Mamãe diz que vamos comprar uma cesta de basquete com rodinhas. Podemos guardar na garagem, empurrar até a frente da casa e jogar no final da rua sem saída às vezes. Uma cerca de madeira contorna o quintal, e tem bastante espaço para o jardim do papai e para Tijolão.

— Tijolão pode vir pra cá, né? — pergunto.

— Claro. A gente não vai abandoná-lo.

Papai traz hambúrgueres e fritas, e nós comemos no chão da cozinha. É muito silencioso aqui. Cachorros latem às vezes, mas música de sacudir paredes e tiros? Não rola.

— Nós vamos fechar o negócio nas próximas semanas — conta mamãe —, mas como estamos no final do ano letivo, vamos esperar as férias de vocês para fazer a mudança.

— Porque mudança não é brincadeira — acrescenta papai.

— Espero que a gente consiga se organizar antes de você ir para a faculdade, Seven — diz mamãe. — Além do mais, vai dar a você a chance de arrumar o seu quarto, para você poder usar nos feriados e no verão.

Sekani toma o milk-shake e fala com a boca cheia de espuma:

— Seven disse que não vai pra faculdade.

Papai diz:

— O quê?

Seven faz cara feia para Sekani.

— Eu não falei que não ia pra faculdade. Falei que não ia fazer faculdade *fora*. Vou estudar na Central Community, para poder estar perto de Kenya e Lyric.

— Ah, não mesmo — diz papai.

— Você não pode estar falando sério — diz mamãe.

A Central Community é uma faculdade júnior, que só oferece os dois anos iniciais de curso universitário, e fica nos limites de Garden Heights. Algumas pessoas chamam de Garden High 2.0 porque muita gente da Garden High estuda lá e leva para o lugar os mesmos dramas do ensino médio.

— Tem aula de engenharia — argumenta Seven.

— Mas não oferece as mesmas oportunidades que as faculdades às quais você se candidatou — diz mamãe. — Você entende do que quer abrir mão? Bolsas, estágios...

— A chance de eu finalmente ter uma vida livre de Seven — acrescento, e tomo milk-shake.

— Quem te perguntou alguma coisa? — pergunta Seven.

— Sua mãe.

Golpe baixo, eu sei, mas a resposta vem naturalmente. Seven joga uma batata em mim. Eu boto a mão na frente e chego perto de mostrar o dedo do meio, mas mamãe diz:

— É melhor você não fazer isso!

Eu abaixo o dedo.

— Olha, você não é responsável pelas suas irmãs — diz papai —, mas eu sou responsável por você. E não vou deixar que você perca oportunidades para fazer o que dois adultos babacas deviam fazer.

— Um dólar, papai — observa Sekani.

— Adoro o fato de você cuidar de Kenya e de Lyric — diz papai para Seven —, mas existe um limite no que você pode fazer. Você pode escolher a faculdade que quiser e vai se dar bem. Mas escolha onde você quer estar. Não onde vai tentar fazer o trabalho de outra pessoa. Está ouvindo?

— Estou — diz Seven.

Papai passa o braço pelo pescoço de Seven e o puxa para perto. Beija a têmpora dele.

— Eu te amo. E sempre vou ficar do seu lado.

Depois do almoço, nos reunimos na sala, damos as mãos e baixamos as cabeças.

— Jesus Negro, obrigado por essa bênção — diz papai. — Mesmo quando não estávamos tão animados com a ideia de fazer uma mudança...

Mamãe limpa a garganta.

— Certo, quando *eu* não estava tão animado com a ideia de me mudar — corrige papai —, você deu um jeito nas coisas. Obrigado pelo emprego novo de Lisa. Ajude-a e continue com ela quando ela fizer plantões extras na clínica. Ajude Sekani com as provas de fim de ano letivo. E obrigado, Senhor, por ajudar Seven a fazer uma coisa que não fiz, ter diploma do ensino médio. Guie-o na escolha da faculdade e deixe que ele saiba que você está protegendo Kenya e Lyric.

"Agora, Senhor, amanhã é um grande dia para minha menininha, quando ela se apresentar perante o grande júri. Dê paz e coragem a ela. Por mais que eu queira pedir a você para ajudar nesse caso de um jeito específico, sei que você já tem um plano. Peço misericórdia, Deus. Só isso. Misericórdia para Garden Heights, para a família de Khalil, para Starr. Nos ajude a passar por isso. Em seu nome precioso..."

— Espere — diz mamãe.

Eu espio com um olho. Papai também. Mamãe *nunca* interrompe uma oração.

— Hã, amor — diz papai —, eu estava terminando.

— Eu tenho uma coisa a acrescentar. Senhor, abençoe minha mãe e obrigada por ela ter mexido no fundo de aposentadoria e ter nos dado o dinheiro da entrada. Ajude-nos a transformar o porão em uma suíte para que ela possa ficar aqui às vezes.

— Não, Senhor — diz papai.

— Sim, Senhor — diz mamãe.

— Não, Senhor.

— Sim.

— Não, amém!

Chegamos em casa a tempo de pegar um jogo das eliminatórias.

A temporada de basquete equivale a uma guerra na nossa casa. Sou fã inveterada de LeBron. Miami, Cleveland, não importa. Eu vou com ele. Papai ainda não pulou do barco dos Lakers, mas gosta de LeBron. Seven torce pelos Spurs. Mamãe torce por "todo mundo, menos por LeBron", e Sekani torce para quem estiver vencendo.

Hoje o jogo é Cleveland contra Chicago. As linhas de batalha estão estabelecidas: eu e papai contra Seven e mamãe. Seven também pula no barco do ódio por LeBron.

Eu coloco minha camisa do LeBron. Toda vez que não uso, o time dele perde. Falando sério, não estou mentindo. E não posso lavar. Mamãe lavou minha última camiseta logo antes das finais, e o Miami perdeu para os Spurs. Acho que ela fez de propósito.

Ocupo meu lugar da sorte na sala, na frente do sofá em L. Seven chega e passa por cima de mim, colocando o pé descalço enorme perto da minha cara. Dou um tapa nele.

— Tira esse pé imundo da minha cara.

— Vamos ver quem vai fazer piada mais tarde. Pronta pra uma surra?

— Você quer saber se estou pronta pra dar uma? Estou!

Mamãe espia pela porta.

— Boquinha, quer sorvete?

Eu olho para ela, boquiaberta. Ela *sabe* que não como laticínio durante os jogos. Laticínio me faz ter gases, e ter gases dá azar.

Ela sorri.

— Que tal um sundae? Com confeitos, calda de morango, chantilly.

Eu cubro os ouvidos.

— Lá-lá-lá-lá-lá, vá embora, inimiga de LeBron. Lá-lá-lá-lá-lá.

Como eu falei, a temporada de basquete é uma guerra, e minha família tem as táticas mais sujas.

Mamãe volta com uma tigela enorme e enfia colheradas de sorvete na boca. Senta-se no sofá e bota a tigela na minha cara.

— Tem certeza de que não quer, Boquinha? É seu sabor favorito. Com massa de bolo. Tão bom!

*Seja forte*, digo para mim mesma, mas, caramba, como esse sorvete está com uma cara boa. A calda de morango brilha, e tem uma colherada grande de chantilly em cima. Eu fecho os olhos.

— Prefiro ganhar o campeonato.

— Bom, isso você não vai ter, então é melhor tomar o sorvete.

— Rá! — diz Seven.

— O que está acontecendo aqui? — pergunta papai.

Ele se senta na parte comprida do sofá em L, seu lugar de sorte. Sekani corre e se senta atrás de mim, apoiando os pés nos meus ombros. Eu não me importo. Ainda não cresceram e ficaram com chulé.

— Eu estava oferecendo um pouco do meu sundae pra Boquinha — diz mamãe. — Quer, amor?

— Claro que não. Você sabe que não como laticínio durante os jogos.

Está vendo? É sério.

— Você e Seven podem muito bem se preparar para a surra que o Cleveland vai dar em vocês — diz papai. — Não vai ser uma surra de Kobe, mas vai ser boa mesmo assim.

— Amém! — digo Exceto pela parte do Kobe.

— Tchau, cara — diz mamãe. — Você sempre escolhe times ruins. Primeiro, os Lakers...

— Ei, um tricampeão não é um time ruim, amor. E eu nem sempre escolho times ruins. — Ele sorri. — Eu escolhi o seu time, não foi?

Mamãe revira os olhos, mas também está sorrindo, e odeio admitir, mas eles estão fofos agora.

— É — diz ela —, foi a única vez que você escolheu direito.

— Aham — diz papai. — Sabem, sua mãe jogou no time de basquete de Saint Mary, e jogou contra o Garden High, a minha escola.

— E ganhamos de lavada — diz mamãe, lambendo o sorvete da colher. — Aquelas garotinhas não tinham chance contra a gente. Só estou dizendo.

— Eu estava lá para ver uns amigos jogarem depois do jogo das garotas — diz papai, olhando para a mamãe. Isso é tão lindo que não aguento. — Cheguei lá cedo e vi a garota mais linda do mundo, e ela estava jogando muito bem.

— Conte o que você fez — diz mamãe, apesar de nós já sabermos.

— É, eu estava tentando...

— Não, não, conte o que você fez — pede ela.

— Eu tentei chamar sua atenção.

— Aham! — diz mamãe, se levantando. Ela me passa a tigela e para na frente da TV. — Você ficou assim na lateral — diz ela, e se inclina para o lado, segurando a virilha e lambendo os lábios.

A gente morre de rir. Consigo ver papai fazendo isso.

— No meio de um jogo! — diz ela. — Parado ali como um pervertido, me olhando.

— Mas você reparou em mim — diz papai. — Não foi?

— Porque você parecia um bobão! No intervalo, eu estou no banco de reservas, e ele aparece atrás de mim, falando: — Ela fala com uma voz mais grossa. — "Ei! Ei, baixinha. Qual é seu nome? Você está tão bonita em quadra. Posso pedir seu número?"

— Caramba, pai, você não teve malandragem nenhuma — diz Seven.

— Eu tive! — argumenta papai.

— Mas conseguiu o número dela naquela noite? — pergunta Seven.

— Eu estava trabalhando para isso...

— Conseguiu o número dela? — repito a pergunta de Seven.

— Não — admite ele, e estamos morrendo de rir. — Cara, não importa. Podem reclamar o quanto quiserem. Chegou uma hora em que fiz uma coisa certa.

— É — admite mamãe, passando os dedos pelo meu cabelo. — Fez mesmo.

No segundo tempo de Cleveland contra Chicago, estamos gritando e berrando com a TV. Quando LeBron rouba a bola, dou um pulo e bam! Ele faz uma cesta.

— Toma! — grito para mamãe e Seven. — Toma essa!

Papai bate na minha mão e aplaude.

— É isso aí!

Mamãe e Seven reviram os olhos.

Eu me sento na minha posição de "hora do jogo", os joelhos puxados, o braço direito por cima da cabeça segurando a orelha esquerda, o polegar esquerdo na boca. É sério. Dá certo. O ataque e a defesa do Cleveland estão excelentes.

— Vamos, Cavs!

Vidro se estilhaça. E *pop, pop, pop, pop*. Tiros.

— Se abaixem! — grita papai.

Eu já estou no chão. Sekani se deita ao meu lado, mamãe em cima de nós, com os braços em volta de nós dois. Os pés de papai soam correndo na direção da frente de casa, e as dobradiças da porta gemem quando ele a abre. Ouvimos barulho de pneus cantando.

— Filho da... — Tiros interrompem papai.

Meu coração para. Por uma fração de segundo, visito um mundo sem meu pai, e não parece um mundo de verdade.

Mas os passos dele soam de volta.

— Vocês estão bem?

O peso em cima de mim some. Mamãe diz que está bem, e Sekani diz que também está. Seven diz o mesmo que os dois.

Papai está segurando a Glock.

— Eu atirei nos idiotas — diz ele, ofegante. — Acho que acertei um pneu. Nunca vi aquele carro antes.

— Eles atiraram na casa? — pergunta mamãe.

— Sim, dois tiros na janela da frente — diz ele. — Jogaram alguma coisa. Caiu na sala de estar.

Eu vou até a frente da casa.

— Starr! Volte aqui! — grita mamãe.

Estou curiosa demais e sou cabeça-dura. Tem estilhaços de vidro por todo o sofá da mamãe. E um tijolo no meio da sala.

Mamãe liga para o tio Carlos. Ele chega em nossa casa em meia hora.

Papai não parou até agora de andar na sala de TV, e também não guardou a Glock. Seven leva Sekani para a cama. Mamãe está com o braço ao meu redor no sofá em L e não me solta.

Alguns dos nossos vizinhos foram ver como estávamos, como a Sra. Pearl e a Sra. Jones. O Sr. Charles da casa ao lado veio correndo, com a arma dele na mão. Ninguém viu quem foi.

Não importa quem foi. Foi uma mensagem para mim.

Tenho uma sensação ruim, como tinha quando era pequena e tomava sorvete e brincava no calor por tempo demais. A Sra. Rosalie dizia que o calor "fervia" meu estômago e que uma coisa fria o acalmaria. Nada frio pode acalmar isso.

— Você ligou para a polícia? — pergunta tio Carlos.

— Claro que não! — diz papai. — Como vou saber que não foram eles?

— Maverick, você devia ter ligado mesmo assim — diz tio Carlos. — Isso precisa ser registrado, e podem mandar alguém para proteger a casa.

— Ah, eu coloco alguém para proteger a casa. Não se preocupe com isso. Não vai ser um policial corrupto que pode estar por trás disso.

— Podem ter sido os King Lords! — diz tio Carlos. — Você não disse que King fez uma ameaça velada a Starr por causa da entrevista?

— Eu não vou amanhã — digo, mas tenho chance melhor de ser ouvida em um show do Drake.

— Não é coincidência alguém estar tentando nos assustar na noite anterior a ela testemunhar perante o grande júri — diz papai. — É o tipo de merda que seus amigos fariam.

— Você ficaria surpreso com a quantidade de nós que quer justiça nesse caso. — Mas é claro, coisa clássica de Maverick. Todo policial é automaticamente ruim.

— Eu não vou amanhã — repito.

— Eu não disse que todo policial é ruim, mas não vou ficar aqui como um idiota achando que alguns deles não fazem sujeira. Eles me fizeram deitar de cara na calçada. E por quê? Porque podiam!

— Pode ter sido qualquer um dos dois — diz mamãe. — Tentar descobrir quem foi não vai nos levar a lugar nenhum. O principal é garantir que Starr esteja em segurança amanhã...

— Eu falei que não vou! — grito.

Eles finalmente me escutam. Meu estômago está fervendo.

— É, podem ter sido os King Lords, mas e se tiverem sido policiais? — Eu olho para papai e me lembro daquele momento semanas atrás, na frente do mercado. — Eu achei que iam matar você — digo com a voz fraca. — Por minha causa.

Ele se ajoelha na minha frente e coloca a Glock ao lado dos meus pés. Levanta meu queixo.

— Ponto um do programa de dez pontos. Diga.

Meus irmãos e eu aprendemos a recitar o programa de dez pontos dos Panteras Negras da mesma forma que outras crianças aprendem a dizer o juramento à bandeira americana.

— "Nós queremos liberdade" — digo. — "Queremos o poder de determinar o destino das nossas comunidades negras e oprimidas."

— Diga de novo.

— "Nós queremos liberdade. Queremos o poder de determinar o destino das nossas comunidades negras e oprimidas."

— Ponto sete.

— "Nós queremos fim imediato da brutalidade policial" — eu digo — "e do assassinato de pessoas negras, de pessoas de outras raças que não a branca e de pessoas oprimidas."

— De novo.

— "Nós queremos fim imediato da brutalidade policial e do assassinato de pessoas negras, de pessoas de outras raças que não a branca e de pessoas oprimidas."

— E o que o irmão Malcolm disse que é nosso objetivo?

Seven e eu éramos capazes de citar Malcolm X aos 13 anos. Sekani ainda não chegou lá.

— Liberdade completa, justiça e igualdade — digo —, por qualquer meio necessário.

— De novo.

— Liberdade completa, justiça e igualdade, por qualquer meio necessário.

— Então por que você vai ficar quieta? — pergunta papai.

Porque o programa de dez pontos não funcionou para os Panteras. Huey Newton morreu viciado em crack, e o governo esmagou os Panteras um a um. *Por qualquer meio necessário* não impediu que o irmão Malcolm morresse, possivelmente pelas mãos do seu próprio povo. As intenções sempre pareceram melhores no papel do que na realidade. A realidade é que posso não conseguir chegar ao tribunal de manhã.

Duas batidas altas na porta da frente nos assustam.

Papai se empertiga, pega a Glock e vai atender. Diz e aí para alguém, e ouço um som de palmas de mão batendo. E uma voz masculina diz:

— Você sabe que estamos com você, Big Mav.

Papai volta com uns caras altos e de ombros largos vestidos de cinza e preto. É um cinza mais claro do que King e o pessoal dele usa. É preciso ter os olhos treinados do bairro para reparar e entender. É um grupo diferente de King Lords.

— Este é Goon. — Papai aponta o mais baixo para mim, na frente, de rabo de cavalo. — Ele e os rapazes vão oferecer segurança para nós esta noite e amanhã.

Tio Carlos cruza os braços e lança um olhar fulminante para os King Lords.

— Você pediu a King Lords para protegerem a casa, sendo que os King Lords podem ter nos colocado nessa posição?

— Eles não trabalham para o King — diz papai. — São King Lords de Cedar Grove.

Porra, daria no mesmo se fossem GDs. Os grupos fazem toda a diferença para as gangues, não as cores. Os King Lords de Cedar Groves batem de frente com o grupo de King, os King Lords de West Side, já tem um tempo.

— Quer que a gente se mande, Big Mav? — pergunta Goon.

— Não, não se preocupem com ele — diz papai. — Façam o que vieram fazer.

— Vai ser moleza — diz Goon, e dá um soco na mão de papai. Ele e os rapazes voltam para a rua.

— Você está falando sério? — grita tio Carlos. — Acha mesmo que gente de gangue pode oferecer segurança adequada?

— Eles estão armados, não estão? — diz papai.

— Ridículo! — Tio Carlos olha para mamãe. — Olha, vou com vocês até o tribunal amanhã desde que eles não estejam.

— Seu babaca — diz papai. — Não pode nem proteger a sobrinha porque tem medo de como vai parecer para os seus amiguinhos policiais se trabalhar com membros de gangue.

— Ah, quer falar disso, Maverick? — pergunta Tio Carlos.

— Carlos, calma.

— Não, Lisa. Quero ter certeza de que entendi direito. Ele está falando da mesma sobrinha de quem cuidei quando ele estava preso? Hã? A que levei para o primeiro dia de aula porque ele assumiu a culpa pelo suposto amigo? A que abracei quando ela chorou pelo pai?

Ele está falando alto, e mamãe fica na frente dele para protegê-lo de papai.

— Pode me chamar do que quiser, Maverick, mas nunca diga que não ligo para minha sobrinha e meus sobrinhos! É, isso mesmo, sobrinhos! Seven também. Quando você estava preso...

— Carlos — diz mamãe.

— Não, ele precisa ouvir isso. Quando você estava preso, eu ajudei Lisa cada vez que a mãe lamentável do seu bebê largou Seven com ela, por semanas. Eu! Comprei roupas, comida, ofereci abrigo. Puxa-saco de branco uma ova! Porra, não, eu não quero trabalhar com criminosos, mas nunca insinue que não ligo para essas crianças!

A boca de papai fica apertada. Ele fica em silêncio.

Tio Carlos pega a chave na mesa de centro, dá dois beijos na minha testa e sai. A porta da frente se fecha com uma batida.

# **DEZENOVE**

O cheiro de bacon defumado e o som de vozes demais me despertam.

Pisco para aliviar os olhos do ataque que é a visão das minhas paredes azul-néon. Só depois de alguns minutos deitada é que lembro que é o dia do grande júri.

É hora de ver se vou falhar com Khalil ou não.

Coloco os pés em chinelos e sigo na direção das vozes desconhecidas. Seven e Sekani já estão na escola, e as vozes deles não são tão graves. Eu devia estar preocupada com o fato de alguns sujeitos desconhecidos me verem de pijama, mas essa é a parte boa de dormir de regata e short de basquete. Ninguém vai ver muita coisa.

A cozinha está lotada de novo. Homens de calça preta, camisa branca e gravata estão à mesa ou encostados na parede, enfiando comida na boca. Eles têm tatuagens no rosto e nas mãos. Dois acenam para mim e murmuram "E aí" com a boca cheia de comida.

Os King Lords de Cedar Grove. Caramba, eles sabem se arrumar.

Mamãe e tia Pam trabalham no fogão enquanto frigideiras cheias de bacon e ovos estalam, chamas azuis dançando sob elas. Vovó serve suco e café e fala sem parar.

Mamãe mal vira o rosto e diz:

— Bom dia, Boquinha. Seu prato está no micro-ondas. Venha tirar esses pãezinhos para mim, por favor.

Ela e tia Pam vão para as laterais do fogão, mexendo ovos e virando bacon. Pego um pano de prato e abro o forno. O aroma de pãezinhos amanteigados e uma onda de calor me acertam na cara. Pego a assadeira com o pano, mas está quente demais para segurar por muito tempo.

— Aqui, mocinha — diz Goon à mesa.

Fico feliz de botar a assadeira na mesa. Menos de dois minutos depois, todos os pãezinhos somem. Caramba. Pego um prato coberto com uma toalha de papel no micro-ondas antes que os King Lords o consumam também.

— Starr, leve esses outros pratos para seu pai e seu tio — pede tia Pam. — Lá pra fora.

Tio Carlos está aqui? Eu digo para tia Pam:

— Sim, senhora.

Empilho os pratos deles em cima do meu, pego o molho apimentado e garfos e saio quando vovó começa uma das histórias "da minha época do teatro".

Lá fora, a luz do sol está tão forte que faz a tinta nas minhas paredes parecer fraca. Aperto os olhos e procuro papai ou tio Carlos. O porta-malas do Tahoe do papai está aberto, e os dois estão sentados atrás.

Meus chinelos fazem barulho no concreto, como vassouras no chão. Papai olha.

— Aí vem minha gatinha.

Passo um prato para ele e outro para o tio Carlos e ganho um beijo na bochecha, dado pelo papai.

— Dormiu bem? — pergunta ele.

— Mais ou menos.

Tio Carlos tira a arma do espaço entre eles e bate no lugar vazio.

— Nos faça um pouco de companhia.

Eu me sento no meio deles. Abrimos os pratos, que têm pãezinhos, bacon e ovos suficientes para algumas pessoas.

— Acho que esse é o seu, Maverick — diz tio Carlos. — Tem bacon de peru.

— Valeu, cara — diz papai, e eles trocam de prato.

Boto molho de pimenta nos meus ovos e passo o vidro para papai. Tio Carlos também estica o braço para pegar.

Papai dá um sorrisinho e passa para ele.

— Eu achava que você era refinado demais para botar molho de pimenta nos ovos.

— Você não percebe que foi nessa casa que eu cresci? — Ele cobre os ovos com molho de pimenta, bota o vidro de lado e lambe os dedos para tirar o molho que grudou neles. — Mas não conte para Pam. Ela sempre fica no meu pé para não ingerir muito sódio.

— Não vou contar se você não contar — diz papai. Eles batem os punhos para selar o acordo.

Eu acordei em outro planeta ou em uma realidade alternativa. Sei lá.

— Vocês estão de boas de repente?

— Nós conversamos — explica papai. — Está tudo bem.

— É — diz tio Carlos. — Algumas coisas são mais importantes do que outras.

Quero detalhes, mas não vou conseguir. Se eles estão bem, eu estou bem. E, sinceramente? Já estava na hora.

— Como você e tia Pam estão aqui, onde está DeVante? — pergunto para o tio Carlos.

— Em casa, para variar um pouco, e não jogando videogame com seu namoradinho.

— Por que Chris sempre tem que ser *inho* pra você? — pergunto — Ele não é pequeno.

— Espero que você esteja falando da altura dele — diz papai.

— Amém — acrescenta tio Carlos, e eles batem os punhos de novo.

Então eles acharam um alvo de reclamação em comum, Chris. Faz sentido.

Nossa rua fica silenciosa por boa parte da manhã. Normalmente é assim. O drama sempre vem de gente que não mora na Lily. Duas casas depois, a Sra. Lynn e a Sra. Carol conversam no jardim da Sra. Lynn.

Devem estar fofocando. Não dá para contar nada para nenhuma das duas se você não quiser que se espalhe por todo Garden Heights como um resfriado. A Sra. Pearl trabalha no canteiro de flores do outro lado da rua com uma ajudinha de Garrafinha. Todo mundo o chama assim porque ele sempre pede dinheiro para comprar "uma garrafinha na loja de bebidas rapidinho". O carrinho de compras enferrujado com todos os pertences dele está na entrada de carros da Sra. Pearl, com um saco grande de humo embaixo. Aparentemente, ele tem talento com plantas. Ele ri de alguma coisa que a Sra. Pearl diz, e pessoas que moram duas ruas depois devem conseguir ouvir aquela gargalhada dele.

— Não consigo acreditar que esse idiota esteja vivo — diz tio Carlos. — Achei que já tinha bebido até morrer.

— Quem? Garrafinha? — pergunto.

— É! Ele já andava pela rua quando eu era criança.

— Que nada, ele não vai a lugar nenhum — diz papai. — Alega que a bebida o mantém vivo.

— A Sra. Rooks mora depois da esquina? — pergunta tio Carlos.

— Mora — respondo. — E ainda faz o melhor bolo red velvet que você já comeu na vida.

— Uau. Eu falei para Pam que ainda não provei bolo red velvet melhor do que o da Sra. Rooks. E o... — Ele estala os dedos. — O homem que consertava carros. Morava na esquina.

— Sr. Washington — diz papai. — Ainda consertando e ainda oferece o melhor trabalho do que qualquer mecânica daqui. O filho também ajuda.

— Li'l John? — pergunta tio Carlos. — O que jogava basquete, mas começou a usar aquela coisa?

— É — diz papai. — Está limpo tem um tempinho.

— Cara. — Tio Carlos empurra os ovos avermelhados pelo prato. — Eu quase sinto saudade de morar aqui às vezes.

Fico olhando Garrafinha ajudar a Sra. Pearl. As pessoas daqui não têm muito, mas se ajudam da melhor forma possível. É como uma família estranha e disfuncional, mas ainda assim é uma família. Mais do que eu tinha percebido até recentemente.

— Starr! — chama vovó da porta. Moradores de duas ruas depois devem ter ouvido, do mesmo jeito que ouviram Garrafinha. — Sua mãe mandou você vir logo. Você tem que se arrumar. Oi, Pearl!

A Sra. Pearl protege os olhos e se vira para nós.

— Oi, Adele! Quanto tempo. Você está bem?

— Estou indo, garota. Esse canteiro está bonito! Vou passar aí mais tarde para pegar uma dessas aves-do-paraíso.

— Tudo bem.

— Você não vai me dizer oi, Adele? — pergunta Garrafinha. Quando ele fala, sai tudo embolado, como uma palavra mais comprida.

— De jeito nenhum, seu velho bobo — diz vovó, e entra e bate a porta.

Papai, tio Carlos e eu caímos na gargalhada.

Os King Lords de Cedar Grove nos seguem em dois carros, e tio Carlos me leva junto com meus pais. Um dos amigos dele que está de folga ocupa o banco do passageiro. Vovó e tia Pam vêm atrás.

Tanta gente, mas ninguém pode entrar na sala do grande júri comigo.

Demoramos 15 minutos de Garden Heights ao centro. Sempre tem obras de um novo prédio em algum lugar. Garden Heights tem vendedores de drogas nas esquinas, mas as pessoas de terno no centro esperam que o sinal feche para atravessar. Eu me pergunto se ouvem os tiros e toda a merda do meu bairro.

Entramos na rua do tribunal, e tenho um daqueles momentos estranhos de déjà-vu. Tenho 3 anos, e tio Carlos me leva junto com mamãe e Seven para o tribunal. Mamãe chora o caminho todo, e desejo que papai estivesse aqui, porque ele sempre consegue fazê-la parar de chorar. Seven e eu estamos segurando as mãos de mamãe quando entramos em uma sala do tribunal. Uns policiais trazem papai de macacão laranja. Ele não pode nos abraçar porque está de algemas. Digo para ele que gostei do macacão; laranja é uma das minhas cores favoritas. Mas ele olha para mim com seriedade e diz:

— Nunca use isso, está ouvindo?

Depois disso, só me lembro do juiz dizendo alguma coisa, mamãe chorando e papai dizendo que nos ama enquanto os policiais o levam. Durante três anos, eu odiei o tribunal porque tirou papai de nós.

Não estou animada ao vê-lo agora. Tem vans e picapes de canais de televisão estacionados do outro lado da rua e barricadas de polícia as separam de todo mundo. Agora, sei por que as pessoas o chamam de "circo da mídia". Parece mesmo que tem um circo sendo montado na cidade.

Duas pistas de tráfego separam o tribunal do frenesi da imprensa, mas juro que estão a um mundo de distância. Tem centenas de pessoas ajoelhadas em silêncio no gramado do tribunal. Homens e mulheres de golas clericais parados na frente da multidão, de cabeças baixas.

Para evitar os palhaços e suas câmeras, tio Carlos entra na rua lateral. Entramos por uma porta dos fundos. Goon e outro King Lord se juntam a nós. Eles me acompanham e não hesitam ao permitir que a segurança os reviste em buscas de armas.

Outro segurança nos guia pelo tribunal. Quanto mais longe vamos, passamos por menos gente nos corredores. A Sra. Ofrah nos espera ao lado de uma porta com placa de metal que diz Sala do Grande Júri.

Ela me abraça e pergunta:

— Pronta?

Pela primeira vez, estou.

— Sim, senhora.

— Vou estar lá o tempo todo — avisa ela. — Se precisar me perguntar alguma coisa, você tem esse direito. — Ela olha para as pessoas que me acompanham. — Me desculpem, mas só os pais de Starr têm permissão de assistir na sala de TV.

Tio Carlos e tia Pam me abraçam. Vovó dá um tapinha no meu ombro enquanto balança a cabeça. Goon e o amigo fazem acenos rápidos e saem com eles.

Os olhos de mamãe brilham com lágrimas. Ela me puxa em um abraço apertado, e é nesse momento, dentre todos os momentos, em que percebo que estou alguns centímetros mais alta do que ela. Ela beija todo o meu rosto e me abraça de novo.

— Sinto tanto orgulho de você, amorzinho. Você é tão corajosa.

Essa palavra. Eu a odeio.

— Não sou, não.

— É, sim. — Ela se afasta e tira uma mecha de cabelo do meu rosto. Não consigo explicar a expressão nos olhos dela, mas me conhece melhor do que eu conheço a mim mesma. Esse olhar me envolve e me aquece de fora para dentro. — Ter coragem não quer dizer que você não esteja com medo, Starr — diz ela. — Quer dizer que você segue em frente apesar de estar com medo. E você está fazendo isso.

Ela se inclina nas pontas dos pés e beija minha testa, como se isso tornasse tudo verdade. Para mim, meio que torna.

Papai passa os braços em torno de nós dois.

— Você vai tirar de letra, gatinha.

A porta do grande júri se abre um pouco, e a promotora, a Sra. Monroe, olha para fora.

— Estamos prontos se você estiver.

Eu entro na sala do grande júri sozinha, mas, de alguma forma, meus pais estão lá comigo.

A sala tem paredes com painéis de madeira e não tem janelas. Uns vinte homens e mulheres ocupam uma mesa em forma de U. Alguns são negros, outros não. Os olhos deles nos seguem enquanto a Sra. Monroe me leva até uma mesa na frente deles com um microfone.

Um dos colegas da Sra. Monroe orienta meu juramento, e eu prometo sobre a Bíblia dizer a verdade. Prometo silenciosamente para Khalil também.

A Sra. Monroe diz do fundo da sala:

— Você pode se apresentar para os grandes jurados?

Eu me aproximo do microfone e limpo a garganta.

— Meu nome... — Minha voz baixa parece a de uma garota de 5 anos. Eu ajeito a postura e tento de novo. — Meu nome é Starr Carter. Eu tenho 16 anos.

— O microfone só está gravando, não projetando sua voz — diz a Sra. Monroe. — Enquanto estivermos conversando, vamos precisar que você fale alto o bastante para todo mundo ouvir, combinado?

— Sim... — Meus lábios roçam no microfone. Perto demais. Eu me afasto e tento de novo. — Sim, senhora.

— Que bom. Você veio aqui por vontade própria, correto?

— Sim, senhora.

— Você tem uma advogada, a Sra. April Ofrah, correto? — pergunta ela.

— Sim, senhora.

— Você entende que tem o direito de consultá-la, correto?

— Sim, senhora.

— Você entende que não é foco de nenhuma acusação criminal, correto?

Baboseira. Khalil e eu estamos em julgamento desde que ele morreu.

— Sim, senhora.

— Hoje, queremos ouvir com suas próprias palavras o que aconteceu com Khalil Harris, certo?

Eu olho para os jurados, incapaz de interpretar o rosto deles e dizer se querem mesmo ouvir minhas palavras. Espero que sim.

— Sim, senhora.

— Agora que temos esse entendimento, vamos falar de Khalil. Você era amiga ele, certo?

Eu faço que sim, mas a Sra. Monroe diz:

— Por favor, dê uma resposta verbal.

Eu me inclino na direção do microfone e digo:

— Sim, senhora.

Merda. Esqueci que os jurados não conseguem me ouvir e que é só para gravação. Não faz sentido eu estar tão nervosa.

— Há quanto tempo você conhecia Khalil?

A mesma história toda de novo. Eu me torno um robô que repete que conheço Khalil desde que eu tinha 3 anos, que passamos a infância juntos, que tipo de pessoa ele era.

Quando termino, a Sra. Monroe diz:

— Certo. Vamos discutir a noite dos tiros em detalhes. Por você, tudo bem?

A parte não corajosa de mim, a que parece ser a maior parte de mim, grita não. Essa parte quer se encolher em um canto e agir como se nada disso tivesse acontecido. Mas todas aquelas pessoas lá fora estão rezando por mim. Meus pais estão me vendo. Khalil precisa de mim.

Eu endireito o corpo e permito que a parte corajosa e pequenininha de mim fale:

— Sim, senhora.

# PARTE 3

# OITO SEMANAS DEPOIS

# VINTE

Três horas. É esse o tempo que passei na sala do grande júri. A Sra. Monroe me fez todos os tipos de pergunta. Em que ângulo Khalil estava quando levou o tiro? De onde tirou a habilitação e os documentos do carro? Como o policial Cruise o tirou do carro? O policial Cruise parecia estar com raiva? O que ele disse?

Ela queria todos os detalhes. Eu forneci o máximo que consegui.

Tem mais de duas semanas que falei com o grande júri, e agora estamos esperando a decisão, que é parecido com esperar um meteoro cair em você. Você sabe que vem, só não sabe bem quando e onde vai cair, e não há nada que possa fazer enquanto isso, além de seguir a vida adiante.

Então, vamos vivendo.

Faz sol hoje, mas começou a cair uma chuva forte quando entramos no estacionamento da Williamson. Quando chove e faz sol ao mesmo tempo, vovó diz que o diabo está batendo na esposa. Além do mais, é sexta-feira 13, ou seja, dia do diabo, de acordo com vovó. Ela deve estar entocada em casa como se fosse o fim do mundo.

Seven e eu corremos do carro até a escola. O átrio está movimentado como sempre, com pessoas conversando com seus grupos de amigos ou brincando. O ano letivo está quase no final, então o nível de palhaçada das pessoas está no máximo, e palhaçada branca tem uma categoria própria. Sinto muito, mas tem mesmo. Ontem, um aluno do primeiro ano desceu a escada na lata de lixo do zelador. O imbecil ganhou uma suspensão e uma concussão. Idiota.

Eu mexo os dedos dos pés. Bem no dia que decido usar All Stars, chove. Os tênis estão milagrosamente secos.

— Tudo bem? — pergunta Seven, e duvido que seja por causa da chuva. Ele anda bem mais protetor ultimamente, desde que ouvimos que King ainda está com raiva por eu tê-lo dedurado. Ouvi tio Carlos dizer ao papai que isso deu outro motivo para eles ficarem de olho em King.

A não ser que tenha sido King quem jogou o tijolo, ele não fez nada. *Ainda*. Então, Seven está sempre alerta, mesmo aqui na Williamson.

— Tudo — respondo. — Eu estou bem.

— Que bom.

Ele dá um soco no meu punho fechado e vai na direção do armário dele.

Eu vou na direção do meu. Hailey e Maya estão conversando em frente ao armário de Maya, ali perto. Na verdade, quem está falando é Maya. Hailey está de braços cruzados e revirando muito os olhos. Ela me vê no corredor e faz uma expressão arrogante.

— Perfeito — diz ela quando eu chego perto. — A mentirosa chegou.

— Como é? — Está cedo demais para essa merda.

— Por que você não conta pra Maya que mentiu pra nós com a maior cara de pau?

— O quê?

Hailey me entrega duas fotos. Uma é a foto de bandido de Khalil, como papai chama as fotos tiradas pela polícia. Uma das fotos que apareceu no noticiário. Hailey imprimiu da internet. Khalil está com um sorrisinho, segurando um bolo de dinheiro e fazendo o sinal da paz meio de lado.

Na outra, ele tem 12 anos. Eu sei porque também estou com 12 anos na foto. É minha festa de aniversário em uma casa de jogos no centro. Khalil está de um lado, colocando bolo de morango na boca, e Hailey está do outro, sorrindo para a câmera comigo.

— Eu achei que ele parecia familiar — diz Hailey, com a mesma arrogância que exibe no rosto. — Ele é o Khalil que você conhecia. Não é?

Eu olho para os dois Khalis. As fotos só mostram um pouco dele. Para algumas pessoas, a foto de bandido faz com que ele pareça exatamente isso: um bandido. Mas vejo uma pessoa feliz de finalmente estar com dinheiro na mão, que se dane de onde veio. E a foto do aniversário? Eu lembro que Khalil comeu tanto bolo e tanta pizza que passou mal. A avó dele ainda não tinha recebido o pagamento, e a comida estava curta.

Eu conhecia o Khalil inteiro. É por ele que tenho falado. Eu não devia negar nenhuma parte dele. Nem na Williamson.

Eu devolvo as fotos para Hailey.

— É, eu o conhecia. E daí?

— Você não acha que nos deve uma explicação? — pergunta ela.

— E me deve um pedido de desculpas também.

— Hã, como é?

— Você basicamente arrumou briga comigo porque estava chateada com o que aconteceu com ele — diz ela. — Até me acusou de racismo.

— Mas você disse e fez coisas racistas. Então... — Maya dá de ombros. — O fato de Starr talvez ter mentido não faz com que essas coisas não sejam importantes.

Aliança entre minorias ativada.

— Então, só porque eu deixei de seguir ela no Tumblr porque não queria mais ver fotos daquele garoto mutilado na minha tela...

— O nome dele era Emmett Till — corrige Maya.

— Tanto faz. Só porque eu não queria ver aquelas coisas nojentas, eu sou racista?

— Não — responde Maya. — O que você disse sobre aquilo foi racista. E sua piada de Ação de Graças foi muito racista.

— Ah, meu Deus, você ainda está chateada com aquilo? — diz Hailey. — Tem tanto tempo!

— Não faz com que fique tudo bem — digo. — E você não é capaz nem de pedir desculpas.

— Não vou pedir desculpas porque foi só uma brincadeira! — grita ela. — Isso não faz de mim racista. Não vou deixar que vocês me façam sentir culpa. O que vem agora? Vocês querem que eu peça desculpas porque meus ancestrais eram senhores de escravos ou alguma outra coisa idiota assim?

— Vaca... — Eu respiro fundo. Tem gente demais olhando. Não posso bancar a garota negra com raiva dela. — Sua piada foi cruel — digo, com o máximo de calma que consigo. — Se você se importasse com Maya, pediria desculpas e pelo menos tentaria entender por que a magoou.

— Não é minha culpa ela não conseguir deixar para trás uma *piada* da porcaria do *nono* ano! Assim como não é minha culpa você não conseguir superar o que aconteceu com Khalil.

— Então devo "superar" o fato de ele ter sido assassinado?

— Isso mesmo, supere isso! Ele ia acabar morto mesmo.

— Você está falando sério? — pergunta Maya.

— Ele era traficante e membro de gangue — diz Hailey. — Alguém ia acabar o matando.

— Superar? — repito.

Ela cruza os braços e faz um movimento de pescoço.

— É. Não foi isso que eu falei? O policial deve ter feito um favor para todo mundo. Menos um traficante no...

Eu tiro Maya do caminho e enfio o punho na lateral da cara de Hailey. Dói, mas a sensação é muito boa.

Hailey leva a mão ao rosto, os olhos arregalados e a boca aberta por vários segundos.

— Vaca! — grita ela. Ela pula direto no meu cabelo, como garotas costumam fazer. Mas meu rabo de cavalo é de verdade. Ela não vai arrancar.

Bato em Hailey com os punhos, e ela me bate e me arranha na cabeça. Eu a empurro, e ela vai pro chão. A saia sobe, e a calcinha rosa aparece, para todo mundo ver. Gargalhadas soam ao redor. Algumas pessoas pegaram o celular.

Não sou mais a Starr da Williamson nem a Starr de Garden Heights. Estou furiosa.

Eu chuto e bato em Hailey, xingamentos voando da minha boca. As pessoas se reúnem ao nosso redor, cantarolando "Briga! Briga!" e um idiota até grita "World Star!"

Merda. Vou acabar naquele site de mau gosto.

Alguém puxa meus braços, e me viro, até ficar cara a cara com Remy, o irmão mais velho de Hailey.

— Sua vaca mal...

Antes que ele consiga dizer "maluca", um amontoado de dreadlocks parte para cima de nós e empurra Remy.

— Tire as mãos da minha irmã! — diz Seven.

Eles começam a brigar. Seven o esmurra como se fosse o fim do mundo e bate no maxilar de Remy com vários ganchos. Papai costumava levar nós dois para a academia de boxe depois da aula.

Dois seguranças se aproximam. Dr. Davis, o diretor, vem na nossa direção.

Uma hora depois, estou no carro da mamãe. Seven vem atrás de nós no Mustang.

Nós quatro recebemos três dias de suspensão, apesar da política de tolerância zero da Williamson. O pai de Hailey e Remy, integrante do comitê da Williamson, achou ultrajante. Ele disse que Seven e eu devíamos ser expulsos porque nós "começamos" e que Seven não devia ter permissão de se formar. O Dr. Davis disse:

— Consideradas as circunstâncias — e olhou diretamente para mim —, a suspensão vai bastar.

Ele sabe que eu estava com Khalil.

— É exatamente isso que *Eles* esperam que você faça — diz mamãe. — Dois adolescentes de Garden Heights agindo como se não tivessem bom senso!

Eles com *E* maiúsculo. Tem Eles e tem Nós. Às vezes, Eles se parecem conosco e não percebem que Eles são Nós.

— Mas ela estava falando besteira, dizendo que Khalil merecia...

— Não me importo nem se ela disser que foi ela quem atirou nele. As pessoas vão falar um monte de coisas, Starr. Isso não quer dizer que você pode sair por aí batendo nelas. Você tem que se afastar às vezes.

— Você quer dizer se afastar e levar um tiro como Khalil levou?

Ela suspira.

— Amorzinho, eu entendo...

— Não entende, não! — digo. — *Ninguém* entende! Eu *vi* as balas entrarem nele. *Eu* fiquei ali sentada na rua enquanto ele dava o último suspiro. *Eu* tive que ouvir as pessoas tentarem fazer parecer que não teve problema ele ser assassinado. Como se ele merecesse. Mas ele não merecia morrer, e eu não fiz nada para merecer ver aquela merda!

O site WebMD chama isso de um estágio do luto: raiva. Mas duvido que eu vá passar para os outros estágios. Esse me parte em um milhão de pedaços. Cada vez que estou inteira e de volta ao normal, acontece outra coisa que me despedaça, e sou obrigada a começar tudo de novo.

A chuva para. O diabo para de bater na esposa, mas eu bato no painel, soco sem parar, sem sentir dor. Quero ficar entorpecida para todo esse sofrimento.

— Bota pra fora, Boquinha. — Minha mãe passa a mão nas minhas costas. — Bota pra fora.

Puxo a camisa polo por cima da boca e grito até não haver mais gritos dentro de mim. Se sobra algum, não tenho mais energia para botar para fora. Grito por Khalil, por Natasha e até por Hailey, porque, no fim das contas, acabei de perdê-la também.

Quando entramos na nossa rua, estou com o nariz escorrendo e os olhos molhados. Finalmente entorpecida.

Tem uma picape cinza e um Chrysler 300 verde estacionados atrás do carro de papai na nossa entrada. Mamãe e Seven precisam estacionar na rua, na frente de casa.

— O que esse homem está aprontando? — diz mamãe. Ela olha para mim. — Está se sentindo melhor?

Eu faço que sim. Que outra escolha tenho?

Ela se inclina e beija minha têmpora.

— Nós vamos aguentar passar por isso. Prometo.

Saímos do carro. Tenho cem por cento de certeza de que os carros na nossa entrada pertencem a King Lords e Garden Disciples. Em Garden Heights, não se pode dirigir um carro cinza ou verde sem declarar a que grupo pertence. Espero ouvir gritos e xingamentos quando entro, mas só escuto papai dizendo:

— Não faz sentido, cara. De verdade, não faz.

Está todo mundo na cozinha. Não conseguimos nem entrar porque tem uns caras à porta. Metade tem alguma coisa verde na roupa. Garden Disciples. A outra metade tem cinza-claro em alguma peça. King Lords de Cedar Grove. O sobrinho do Sr. Reuben, Tim, está sentado ao lado de papai à mesa. Eu nunca reparei na tatuagem GD em cursiva no braço dele.

— Nós não sabemos quando o grande júri vai tomar a decisão — diz papai. — Mas, se decidirem não indiciar o policial, vocês vão dizer para esse pessoal não botar fogo nesse bairro.

— Mas o que você espera que façam? — diz um GD à mesa. — As pessoas estão cansadas dessa merda, Mav.

— Muito — diz o King Lord Goon, que também está à mesa. As trancinhas compridas estão presas em marias-chiquinhas, como eu usava antigamente. — Não tem nada que a gente possa fazer.

— Que baboseira — diz Tim. — A gente pode fazer alguma coisa.

— Podemos concordar que as badernas fugiram de controle, né? — diz papai.

Ele ouve vários "é" e "isso mesmo".

— Então podemos tentar fazer com que não seja mais daquele jeito. Falem com a garotada. Façam a cabeça deles. É, eles estão com raiva. Estamos todos com raiva, mas botar fogo no nosso bairro não vai resolver nada.

— Nosso? — diz o GD à mesa. — Negão, você disse que vai se mudar.

— Para o *subúrbio* — debocha Goon. — Vai comprar uma minivan, Mav?

Todos caem na gargalhada.

Mas papai não ri.

— Eu vou me mudar, e daí? Ainda vou ter um mercado aqui e ainda vou me importar com o que acontece aqui. Quem vai se beneficiar se o bairro pegar fogo? Sei que não vai beneficiar nenhum de nós.

— Nós temos que ser mais organizados da próxima vez — diz Tim. — Primeiro, temos que garantir que nossos irmãos e irmãs saibam que não podem destruir negócios de proprietários negros. Isso é ruim para todos nós.

— Isso mesmo — diz papai. — E eu sei, eu e Tim estamos fora da jogada, então não podemos falar algumas coisas, mas essas guerras de território têm que ser deixadas de lado. Isso é maior do que essas merdas de rua. E, sinceramente, essas merdas de rua é que fizeram esses policiais pensarem que podem fazer o que quiserem.

— É, estou com você nessa — diz Goon.

— Vocês têm que encontrar um jeito de ficar juntos nessa, cara — diz papai. — Pelo bem do Garden. A última coisa que eles esperariam é união aqui. Certo?

Papai bate na palma da mão de Goon e do cara do Garden Disciples. Depois, Goon e o cara batem na palma da mão um do outro.

— Uau — diz Seven.

É uma coisa surreal essas duas gangues estarem no mesmo ambiente, e meu pai ainda estar por trás? Loucura.

Ele repara em nós à porta.

— O que vocês estão fazendo aqui?

Mamãe entra na cozinha e olha ao redor.

— Os dois foram suspensos.

— Suspensos? — diz papai. — Por quê?

Seven passa o celular para ele.

— Já está on-line? — pergunto.

— Já. Me marcaram no vídeo.

Papai clica na tela, e ouço Hailey falando mal de Khalil e um tapa alto.

Alguns dos membros de gangue olham por cima do ombro do papai.

— Caramba, garota — diz um —, que mãos.

— Sua vaca mal... — diz Remy no celular. Uma série de ruídos de socos e oohs soam em seguida.

— Olha o meu garoto! — diz papai. — Olha ele!

— Eu não sabia que esse nerd tinha esse talento — provoca um King Lord.

Mamãe limpa a garganta. Papai pausa o vídeo.

— Tudo bem, pessoal — diz ele, sério de repente. — Tenho que cuidar de problemas familiares. Vamos nos reunir de novo amanhã.

Tim e os membros da gangue saem, e carros são ligados do lado de fora. Ainda não há tiros nem discussões. Eles poderiam ter feito uma versão gângster de "Kumbaya" e eu não ficaria mais chocada do que estou.

— Como você botou todos eles aqui dentro e manteve a casa inteira? — pergunta mamãe.

— Eu sou bom nisto.

Mamãe beija os lábios dele.

— Sem dúvida  Meu homem, o ativista.

— Aham. — Ele a beija. — Seu homem.

Seven limpa a garganta.

— A gente está bem aqui.

— É, e vocês não podem reclamar — diz papai. — Se não tivessem brigado, não teriam visto isso. — Ele estica o braço e belisca minha bochecha de leve. — Você está bem?

A umidade ainda não abandonou meus olhos, e não estou exatamente sorrindo. Murmuro:

— Estou.

Papai me puxa para o colo. Ele me aninha e reveza entre beijar minha bochecha e beliscar, falando com a voz bem grave:

— O que você tem? Hã? O que você tem?

Estou rindo antes que consiga me controlar.

Papai me dá um beijo molhado e me solta.

— Eu sabia que ia fazer você rir. Agora, o que aconteceu?

— Você viu o vídeo. Hailey falou besteira e eu dei na cara dela. Simples assim.

— Ela é sua filha, Maverick — diz mamãe. — Tem que bater na pessoa porque não gostou do que ela disse.

— Minha? Hã-hã, amor. Isso é você todinha. — Ele olha para Seven. — Por que você se meteu em briga?

— O cara foi para cima da minha irmã — diz Seven. — Eu não ia deixar.

Por mais que Seven fale em proteger Kenya e Lyric, é legal ele cuidar de mim também.

Papai repassa o vídeo, que começa com Hailey dizendo:

— Ele ia acabar morto mesmo.

— Uau — diz mamãe. — Essa garotinha tem coragem.

— É uma mimada que não sabe nada e ainda fala besteira — diz papai.

— E qual é nossa punição? — pergunta Seven.

— Vão fazer o dever — diz mamãe.

— Só isso? — pergunto.

— Vocês também vão ter que ajudar seu pai no mercado enquanto estão suspensos. — Ela passa os braços ao redor de papai por trás. — Parece bom, amor?

Ele beija o braço dela.

— Parece bom pra mim.

Se você não sabe traduzir linguagem de pais, o que eles realmente disseram foi o seguinte:

Mamãe: Não concordo com o que vocês fizeram e não estou dizendo que está tudo bem, mas eu provavelmente teria feito o mesmo. E você, amor?

Papai: Sem dúvida, eu teria feito o mesmo.

Eu os amo por isso.

# PARTE 4

# DEZ SEMANAS DEPOIS

# **VINTE E UM**

A decisão do grande júri ainda não saiu , então seguimos a vida.

É sábado, e minha família está na casa do tio Carlos para um churrasco de Memorial Day, que também está servindo de festa de aniversário e de formatura de Seven. Ele faz 18 anos amanhã e se formou oficialmente no ensino médio ontem. Eu nunca vi papai chorar como chorou quando o Dr. Davis entregou aquele diploma para Seven.

O quintal está com cheiro de churrasco e está quente o bastante para os amigos de Seven estarem na piscina. Sekani e Daniel correm de sunga e empurram pessoas distraídas para dentro d'água. Empurram Jess. Ela ri e ameaça pegá-los depois. Tentam uma vez comigo e com Kenya, para nunca mais. Só precisamos dar uns chutes rápidos nas bundinhas deles.

Mas DeVante aparece atrás de nós e me empurra. Kenya grita enquanto eu afundo, encharcando minhas trancinhas recém-feitas, e meus tênis também. Estou usando short de surfe e um tanquíni, mas é tudo novo e lindo, o que quer dizer que são para ser vistos, não para nadar.

Apareço na superfície da água e respiro.

— Starr, você está bem? — grita Kenya. Ela se afastou cerca de um metro e meio da piscina.

— Você não vai me ajudar a sair? — pergunto.

— Não, garota. E estragar minha roupa? Você parece estar bem.

Sekani e Daniel gritam e aplaudem DeVante, como se ele fosse o cara mais incrível depois do Homem-Aranha. Filhos da mãe. Saio rapidamente da piscina.

— Oh-oh — diz DeVante, e os três saem correndo em direções diferentes. Kenya vai atrás de DeVante. Eu corro atrás de Sekani porque, caramba, os laços de sangue deviam ser mais importantes do que a água da piscina.

— Mamãe! — grita ele.

Eu o pego pela sunga e a puxo bem alto, quase até o pescoço, até ele ter a pior experiência de sunga enterrada na bunda. Ele dá um grito agudo. Eu o solto, e ele cai na grama, a sunga tão enfiada que parece que ele está de fio dental. É isso que ele merece.

Kenya leva DeVante até mim, segurando os braços dele atrás do corpo, como se ele estivesse preso.

— Peça desculpas — diz ela.

— Não! — Kenya puxa os braços dele. — Tá, tá, desculpa!

Ela o solta.

— É melhor que seja sincero.

DeVante esfrega os braços com um sorrisinho.

— Que violenta.

— Que covarde — responde ela.

Ele mostra a língua para ela, e ela diz:

— Garoto, tchau!

Isso é flerte entre eles, acredite se quiser. Quase esqueço que DeVante está se escondendo do pai dela. Eles agem como se também tivessem esquecido.

DeVante pega uma toalha para mim. Eu a pego e seco o rosto enquanto sigo com Kenya até as espreguiçadeiras da piscina. DeVante se senta na que fica ao lado dela.

Ava vem pulando com a boneca de bebê e um pente, e espero que coloque as duas coisas na minha mão. Mas ela os entrega para DeVante.

— Aqui! — diz ela para ele, e sai pulando.

E ele começa a pentear o cabelo da boneca! Kenya e eu ficamos olhando um tempão.

— O quê? — pergunta ele.

Nós caímos na gargalhada.

— Ela te adestrou! — digo.

— Cara. — Ele resmunga. — Ela é fofa, tá? Não consigo dizer não. — Ele trança o cabelo da boneca, e os dedos compridos e finos se movem com tanta rapidez que parece que vão se embolar. — Minhas irmãzinhas faziam isso comigo o tempo todo.

O tom de voz dele fica triste quando ele as menciona.

— Teve notícias delas ou da sua mãe? — pergunto.

— Tive, uma semana atrás. Estão na casa da minha prima. Ela mora no meio do nada. Mamãe estava péssima porque não sabia se eu estava bem. Pediu desculpas por me deixar aqui e por ter ficado com raiva. Ela queria que eu fosse morar com elas.

Kenya franze a testa.

— Você vai?

— Não sei. O Sr. Carlos e a Sra. Pam disseram que posso ficar com eles para cursar o último ano do colégio. Minha mãe disse que não se importaria que eu ficasse desde que não me metesse em confusão. — Ele examina seu trabalho. A boneca está com uma trança embutida perfeita. — Tenho que pensar. Eu gosto daqui.

Está tocando "Push It", do Salt-N-Pepa, nos alto-falantes. É uma música que papai não devia botar para tocar. A única coisa pior seria aquela música antiga, "Back That Thang Up". Mamãe surta quando toca. Basta dizer "Cash Money Records arrasando em 99 e 2000" e ela fica se achando.

Ela e tia Pam dizem "Eeeeei!" para Salt-N-Pepa e fazem os passos de dança antigos. Eu gosto de programas e filmes dos anos 1990, mas não quero ver minha mãe e minha tia repetirem aquela década na dança. Seven e os amigos as rodeiam e incentivam a continuar.

Seven é quem mais grita.

— Vai, mãe! Vai, tia Pam!

Papai pula no meio do círculo atrás da mamãe. Coloca as duas mãos atrás da cabeça e rebola.

Seven empurra papai para longe da mamãe, dizendo "Nããão! Para!" Papai o contorna e dança atrás da mamãe.

— Hã-hã — diz Kenya, rindo. — Isso é *demais* pra mim.

DeVante olha para elas com um sorriso.

— Você estava certa sobre sua tia e seu tio, Starr. Eles não são chatos. Sua avó também até que é legal.

— Quem? Sei que você não está falando da vovó.

— É, ela. Ela descobriu que sei jogar spades. Outro dia, me levou para um jogo depois que terminou de me ensinar. Ela chamou de crédito extra. A gente está se dando bem desde esse dia.

Faz sentido.

Chris e Maya passam pelo portão, e meu estômago fica agitado. Eu devia estar acostumada com meus dois mundos colidindo, mas nunca sei que Starr devo ser. Posso usar um pouco de gírias, mas não muitas, ter uma certa atitude, mas não muita, para não ser uma "negra atrevida". Tenho que tomar cuidado com o que digo e como digo, mas não posso falar como "branca".

Essa merda é exaustiva.

Chris e seu novo "mano" DeVante se cumprimentam com as palmas da mão, depois Chris beija minha bochecha. Maya e eu damos nosso aperto de mão. DeVante assente para ela. Eles se conheceram algumas semanas antes.

Maya se senta ao meu lado na espreguiçadeira. Chris espreme a bundona entre nós, empurrando as duas um pouco para o lado.

Maya olha de cara feia para ele.

— É sério isso, Chris?

— Ei, ela é minha namorada. Eu sento ao lado dela.

— Hã, não. As amigas vêm antes dos garotos.

Kenya e eu rimos, e DeVante diz:

— Caramba.

O nervosismo diminui um pouco.

— Então você é o Chris? — diz Kenya. Ela viu fotos no meu Instagram.

— Sou. E você é a Kenya? — Ele também viu fotos no meu Instagram.

— A própria, a única. — Kenya olha para mim e diz com movimentos labiais *Ele é lindo!* Como se eu já não soubesse disso.

Kenya e Maya se olham. Seus caminhos se cruzaram pela última vez quase um ano atrás, na minha festa de 16 anos, se é que se pode considerar isso um cruzamento de caminhos. Hailey e Maya estavam a uma mesa, e Kenya e Khalil a outra, com Seven. Elas não se falaram.

— Maya, não é? — diz Kenya.

Maya assente.

— A própria, a única.

Kenya curva os lábios.

— Gostei dos seus tênis.

— Obrigada — diz Maya, dando uma olhada. Nike Air Max 95. — São tênis de corrida, mas nunca uso pra correr.

— Eu também não uso pra correr — diz Kenya. — Meu irmão é a única pessoa que corre com os tênis de corrida.

Maya ri.

Tudo bem. Está tudo tranquilo até o momento. Nada com que me preocupar.

Até Kenya dizer:

— E cadê a lourinha?

Chris ri. Maya arregala os olhos.

— Kenya, isso não é... o nome dela não é esse — digo.

— Mas você sabia de quem eu estava falando, não sabia?

— Sabia! — diz Maya. — Ela deve estar lambendo as feridas em algum lugar depois que Starr deu uma surra nela.

— O quê? — grita Kenya. — Starr, você não me contou isso!

— Foi umas semanas atrás — digo. — Não valia a pena falar. Eu só bati nela.

— *Só* bateu nela? — diz Maya. — Você acabou com ela.

Chris e DeVante riem.

— Esperem, esperem — diz Kenya. — O que aconteceu?

Eu conto para ela, sem pensar exatamente no que estou dizendo. Só conto. Maya acrescenta coisas à história, fazendo parecer pior do que foi, e Kenya ouve tudo com a maior atenção. Contamos para ela que Seven deu umas porradas em Remy, o que faz Kenya sorrir e dizer:

— Meu irmão não é de brincadeira.

Como se ele fosse só irmão *dela*, mas tudo bem. Maya até conta para ela a história do gato de Ação de Graças.

— Eu falei para Starr que nós, das minorias, temos que nos unir — diz Maya.

— É verdade — diz Kenya. — Os brancos são unidos desde sempre.

— Bom... — Chris fica vermelho. — Isso é constrangedor.

— Você vai superar, fantasminha — digo.

Maya e Kenya caem na gargalhada.

Meus dois mundos colidiram. Surpreendentemente, está tudo bem.

A música muda para o Wobble. Mamãe vem correndo até mim e me puxa.

— Vem, Boquinha.

Não consigo enterrar os pés na grama com rapidez suficiente.

— Mamãe, não!

— Chega mais, garota. Vem. Vocês também! — grita ela para os meus amigos.

Todo mundo faz fila na área gramada que virou uma pista de dança improvisada. Mamãe me puxa para a frente da fila.

— Mostra como se faz, amorzinho — diz ela. — Mostra como se faz!

Eu fico parada de propósito. Ditadora ou não, ela *não* vai me obrigar a dançar. Kenya e Maya a estimulam a me encorajar. Nunca achei que elas se juntariam contra mim.

Caramba, antes que eu perceba, estou dançando. Estou fazendo biquinho, então dá para saber que estou sentindo a música.

Mostro os passos para Chris, e ele me acompanha. Adoro o fato de ele tentar. Vovó também vem dançar e balança os ombros em um passo que não é bem o wobble, mas duvido que ela se importe.

"Cupid Shuffle" começa a tocar, e minha família fica na frente de todo mundo. Às vezes, nos esquecemos de que lado fica a direita e de que lado fica a esquerda, e rimos muito da nossa cara. Fora o mico na dança e a descoordenação, minha família não é de todo ruim.

Depois de tanto dançar, meu estômago implora por comida. Deixo todo mundo dançando "Bikers Shuffle", um novo nível de passos de dança, e a maioria dos convidados da festa fica perdida.

Tem bandejas de alumínio por toda bancada da cozinha. Encho um prato de costela, asinha de frango e milho cozido. Pego uma colherada generosa de feijão. Não pego salada de batata. É comida do diabo. Tanta maionese. Não ligo se foi mamãe que fez, não vou tocar naquele negócio.

Eu me recuso a comer lá fora, tem insetos demais para pousar na minha comida. Sento à mesa de jantar e estou prestes a mergulhar no prato.

Mas a porcaria do telefone toca.

Todo mundo está lá fora e apenas eu estou perto para atender. Coloco uma asinha de frango na boca.

— Alô? — Eu mastigo no ouvido da pessoa. Grosseria? Sem dúvida. Mas estou morrendo de fome? Estou.

— Oi, é do portão de entrada. Iesha Robinson está pedindo para visitar sua residência.

Eu paro de mastigar. Iesha não deu as caras na formatura de Seven, para a qual foi convidada, então por que apareceu na festa para a qual não foi convidada? Como ela ficou sabendo? Seven não contou, e Kenya jurou que não falaria. Ela mentiu e disse para os pais que ia sair com uns amigos hoje.

Levo o telefone para papai, porque, merda, não sei o que fazer. E o interrompo em uma boa hora. Ele está tentando sem sucesso dançar o Nae-Nae. Tenho que chamá-lo duas vezes para que ele pare aquela atrocidade e se aproxime.

Ele sorri.

— Você não sabia que seu pai tinha esse talento, sabia?

— Ainda não sei. Tome. — Eu passo o telefone para ele. — É a segurança do condomínio. Iesha está no portão.

O sorriso desaparece. Ele cobre um ouvido e encosta o telefone no outro.

— Alô.

O segurança fala por um momento. Papai faz sinal para Seven ir para o jardim.

— Espere. — Ele cobre o aparelho. — Sua mãe está no portão. Quer ver você.

Seven franze as sobrancelhas.

— Como ela sabia que estamos aqui?

— Sua avó está com ela. Você não a convidou?

— Convidei, mas não Iesha.

— Olha, cara, se você quiser que ela venha um pouco, tudo bem — diz papai. — Vou fazer DeVante entrar para que ela não o veja. O que você quer fazer?

— Pai, você pode dizer pra ela...

— Não, cara. É sua mãe. Você resolve.

Seven morde o lábio por um momento. Ele suspira pelo nariz.

— Tudo bem.

Iesha para na frente da casa. Vou atrás de Seven, Kenya e dos meus pais até a entrada. Seven sempre ficou do meu lado. Acho que ele precisa que eu também fique do dele.

Seven diz para Kenya ficar com a gente e vai na direção do BMW rosa de Iesha.

Lyric salta do carro.

— Sevvie!

Ela corre até ele, os elásticos de bolinhas no cabelo balançando. Eu odiava usar essas coisas. Se uma bate entre seus olhos, já era. Lyric pula nos braços de Seven, e ele a rodopia.

Não posso mentir, sempre fico com um pouco de ciúmes quando vejo Seven com as outras irmãs. Não faz sentido, eu sei. Mas eles têm a mesma mãe, e isso torna as coisas diferentes entre eles. Parece que eles têm um laço mais forte, sei lá.

Mas eu nunca trocaria mamãe por Iesha. De jeito nenhum.

Seven segura Lyric no colo e abraça a avó com um braço.

Iesha sai do carro. Um corte Chanel substitui o cabelo de índia liso até a bunda. Ela nem tenta puxar o vestidinho rosa para baixo, que subiu pelas coxas quando ela estava dirigindo. Ou talvez não tenha subido e ele ficasse sempre assim.

Não. Eu não trocaria mamãe por nada.

— Então você faz uma festa e não me convida, Seven? — pergunta Iesha. — E uma festa de *aniversário*? Fui eu que pari você!

Seven olha ao redor. Tem pelo menos um vizinho do tio Carlos olhando.

— Agora não.

— Ah, agora sim. Eu tive que descobrir pela minha mãe, porque meu próprio filho não se deu ao trabalho de me convidar. — Ela pousa o olhar intenso em Kenya. — E essazinha mentiu pra mim! Eu devia dar uma surra em você.

Kenya se encolhe, como se Iesha já tivesse batido nela.

— Mãe...

— Não culpe Kenya — diz Seven, colocando Lyric no chão. — Eu que pedi para ela não te contar, Iesha.

— Iesha? — repete ela, partindo para cima dele. — Com quem você pensa que está falando?

O que acontece em seguida é como quando se sacode uma lata de refrigerante com força. De fora, não dá para ver que tem alguma coisa acontecendo. Mas, quando abre, ela explode.

— Foi por isso que eu não convidei você! — grita Seven. — Por isso! Por agora! Você não sabe se comportar!

— Ah, então você tem vergonha de mim, Seven?

— Claro que tenho vergonha de você, porra!

— Ei! — diz papai. Ele entra no meio dos dois e coloca a mão no peito de Seven. — Seven, calma.

— Não, pai! Quero dizer pra ela que não a convidei porque não queria ter que explicar para os meus amigos que minha madrasta não é minha mãe, como eles pensam. Nem que nunca corrigi ninguém na Williamson que tenha feito essa suposição. Ela nunca foi às minhas coisas, pra que se incomodar? Você nem apareceu na minha formatura ontem!

— Seven — pede Kenya. — Pare.

— Não, Kenya! — diz ele, olhando para a mãe deles. — Vou dizer para ela que achei que ela não daria a mínima para o meu aniversário, porque, adivinha? Ela nunca deu! "Você não me convidou, você não me convidou" — debocha ele. — Não, não convidei. E por que deveria?

Iesha pisca várias vezes e diz com uma voz quebradiça:

— Depois de tudo que fiz por você.

— Tudo que você fez por mim? O quê? Me botar pra fora de casa? Escolher um homem em vez de mim em todas as oportunidades que teve? Lembra quando tentei impedir King de dar uma surra em você, Iesha? De quem você ficou com raiva?

— Seven — diz papai.

— De mim! Você ficou com raiva de mim! Disse que eu fiz ele ir embora. É isso que você chama de "fazer" por mim? Aquela mulher ali — ele estica o braço na direção de mamãe — fez tudo que você devia fazer e mais um pouco. Como você ousa ficar aí querendo o crédito. E eu sempre amei você. — A voz dele falha. — É isso. E você não pôde nem me dar o mesmo valor.

A música parou, e cabeças surgem acima da cerca do quintal.

A namorada de Seven, Layla, se aproxima dele. Passa o braço pelo dele. Ele permite que ela o leve para dentro. Iesha dá meia-volta e segue para o carro.

— Iesha, espere — pede papai.

— Não há nada pelo que esperar. — Ela abre a porta. — Está feliz, Maverick? Você e essa vagabunda com quem você se casou finalmente viraram meu filho contra mim. Mal posso esperar até King foder com a vida de vocês por deixarem aquela garota dedurar ele na televisão.

Meu estômago se contrai.

— Diz pra ele tentar se quiser e ver o que acontece! — ameaça papai.

Uma coisa é ouvir fofoca sobre alguém que planeja "foder com a sua vida", outra bem diferente é ouvir de alguém que pode realmente saber que isto está sendo planejado.

Mas não posso me preocupar com King agora. Tenho que ir atrás do meu irmão.

Kenya está do meu lado. Nós o encontramos no pé da escada. Ele está chorando como um bebê. Layla está com a cabeça apoiada no ombro dele.

Quando o vejo chorando assim... sinto vontade de chorar.

— Seven?

Ele olha para mim com olhos vermelhos e inchados que nunca vi no meu irmão antes.

Mamãe se aproxima. Layla se levanta, e mamãe assume o lugar dela na escada.

— Vem aqui, amor — diz ela, e eles se abraçam, desajeitados.

Papai toca no meu ombro e no de Kenya.

— Vão pra fora, vocês.

O rosto de Kenya está todo contraído, como se ela fosse chorar. Pego o braço dela e a levo para a cozinha. Ela se senta em frente à bancada e esconde o rosto nas mãos. Eu sento em um banco e não digo nada. Às vezes, não é necessário.

Depois de alguns minutos, ela diz:

— Me desculpa por meu pai estar com raiva de você.

É a situação mais constrangedora do mundo: o pai da minha amiga possivelmente quer me matar.

— A culpa não é sua — murmuro.

— Eu entendo por que meu irmão não convidou minha mãe, mas... — A voz dela falha. — Ela está passando por muita coisa,

Starr. Com ele. — Kenya limpa o rosto no braço. — Eu queria que ela largasse ele.

— Talvez ela tenha medo — digo. — Olha pra mim. Eu tive medo de falar em defesa de Khalil, e você pegou no meu pé por isso.

— Eu não peguei no seu pé.

— Pegou, sim.

— Acredite, não, eu não peguei. Você vai saber quando eu pegar no seu pé.

— Então! Eu sei que não é a mesma coisa, mas... — Meu bom Deus, eu nunca achei que fosse dizer isso. — Acho que entendo Iesha. É difícil se defender às vezes. Ela também pode precisar de um empurrão.

— Então você quer que eu pegue no pé dela? Não consigo acreditar que você esteja achando que eu peguei no seu pé. Que sensível.

Minha boca se abre.

— Quer saber? Vou deixar isso pra lá. Não, não estou dizendo que você precisa pegar no pé dela, seria burrice. Só... — Eu dou um suspiro. — Não sei.

— Nem eu.

Nós ficamos em silêncio.

Kenya limpa o rosto de novo.

— Eu estou bem. — Ela se levanta. — Eu estou bem.

— Tem certeza?

— Tenho! Pare de perguntar. Venha, vamos voltar pra lá e impedir que falem sobre meu irmão, porque você sabe que estão falando.

Ela vai na direção da porta, mas eu digo:

— *Nosso* irmão.

Kenya se vira.

— O quê?

— *Nosso* irmão. Ele também é meu.

Eu não falei de um jeito cruel nem com uma atitude ruim, juro. Ela não responde. Não diz nem um "OK". Não que eu esperasse que ela falasse de repente: "Claro, ele é *nosso* irmão, lamento profundamente por agir como se ele não fosse seu também". Mas eu esperava alguma coisa.

Kenya sai.

Seven e Iesha apertaram o pause na festa sem saber. A música está desligada, e os amigos de Seven estão de pé, conversando em sussurros.

Chris e Maya se aproximam de mim.

— Seven está bem? — pergunta Maya.

— Quem desligou a música? — pergunto. Chris dá de ombros.

Pego o iPod de papai da mesa do quintal, nosso DJ desta tarde, ligado ao aparelho de som. Passo pela lista de músicas e encontro uma de Kendrick Lamar que Seven tocou para mim um dia, logo depois que Khalil morreu. Kendrick fala que tudo vai ficar bem. Seven disse que é para nós dois.

Aperto o play e torço para que ele ouça. É para Kenya também.

Na metade da música, Seven e Layla voltam para o quintal. Os olhos estão inchados e rosados, mas secos. Ele dá um sorrisinho para mim e faz um aceno rápido. Eu retribuo.

Mamãe leva papai para fora. Os dois estão com chapéus de aniversário em forma de cone, e papai está carregando um bolo de tabuleiro enorme com velas em cima.

— Parabéns pra você! — eles cantam, e mamãe faz um balanço de ombros não tão constrangedor. — Nessa data querida! Muitas felicidades!

Seven sorri de orelha a orelha. Eu baixo o som.

Papai coloca o bolo na mesa, e todo mundo se reúne em torno de Seven. Nossa família, Kenya, DeVante e Layla (basicamente, todas as pessoas negras) cantam a versão de Stevie Wonder de "Happy Birthday". Maya parece conhecer. Muitos dos amigos de Seven parecem perdidos. Chris também. Essas diferenças culturais são uma loucura às vezes.

Vovó leva a música longe demais e canta notas que não precisam ser cantadas. Mamãe diz para ela:

— As velas vão se apagar, mãe!

Ela é tão dramática.

Seven se inclina para apagar as velas, mas papai diz:

— Espere! Cara, você sabe que não pode apagar as velas até eu dizer umas coisas.

— Ah, pai!

— Ele não pode mandar em você, Seven — intromete-se Sekani. — Você é adulto agora!

Papai lança um olhar fulminante para Sekani.

— Garoto... — Ele se vira para Seven. — Sinto orgulho de você, cara. Como eu falei, não tirei diploma. Muitos irmãos mais jovens não tiram. E, no lugar de onde viemos, muitos não chegam aos 18 anos. Alguns chegam, mas já estão todos errados quando chegam lá. Mas não você. Você vai longe, sem dúvida. Eu sempre soube.

"Sabe, eu acredito em dar aos meus filhos nomes com significado. Sekani quer dizer alegria e felicidade."

Eu dou uma risada. Sekani me olha torto.

— Escolhi Starr como nome da sua irmã porque ela era minha luz na escuridão. Seven é um número sagrado. O número da perfeição. Não estou dizendo que você seja perfeito, ninguém é, mas você é o presente perfeito que Deus me deu. Eu te amo, cara. Feliz aniversário e parabéns.

Papai aperta com carinho a nuca de Seven. Meu irmão sorri ainda mais.

— Eu também te amo, pai.

O bolo é um red velvet da Sra. Rooks. Todo mundo fica falando sobre o quanto está gostoso. Tio Carlos come pelo menos três pedaços. Tem mais dança e risada. De um modo geral, é um dia bom.

Mas dias bons não duram para sempre.

**PARTE 5**

# A DECISÃO: 13 SEMANAS DEPOIS

# VINTE E DOIS

No nosso bairro novo, posso simplesmente dizer para os meus pais "vou dar uma volta" e sair.

Acabamos de desligar o telefone com a Sra. Ofrah, que disse que o grande júri vai anunciar a decisão em poucas horas. Ela alega que só os jurados sabem a decisão, mas tenho a sensação horrível de que também sei. É sempre a mesma decisão.

Enfio as mãos nos bolsos do moletom sem mangas. Alguns adolescentes passam em bicicletas e patinetes. Quase me derrubam. Duvido que estejam preocupados com a decisão do grande júri. Eles não estão correndo para dentro de casa como os adolescentes lá do meu bairro devem estar fazendo.

Meu bairro.

Começamos a fazer a mudança para a casa nova no fim de semana. Cinco dias depois, o lugar ainda não parece ser nosso lar. Pode ser por causa das caixas fechadas ou dos nomes das ruas que não conheço. E é quase silencioso demais. Não tem Garrafinha e o carrinho barulhento, nem a Sra. Pearl gritando olá do outro lado da rua.

Preciso de normalidade.

Mando uma mensagem para Chris. Menos de dez minutos depois, ele me pega no Benz do pai dele.

Os Bryant moram na única casa da rua que tem uma casa separada para o mordomo. O Sr. Bryant tem oito carros, a maioria antiguidades, e tem uma garagem para guardar todos.

Chris estaciona em uma das duas vagas disponíveis.

— Seus pais saíram? — pergunto.

— Saíram. Encontro no country clube.

A maior parte da casa de Chris é sofisticada demais para se morar. Estátuas, pinturas a óleo, candelabros. É mais um museu do que uma casa. A suíte de Chris no terceiro andar tem uma aparência mais normal. Tem um sofá de couro no quarto dele com roupas jogadas em cima, bem na frente da TV de tela plana e dos videogames. O chão é pintado para parecer uma quadra de basquete, e ele pode jogar em uma cesta de verdade presa à parede.

A cama dele, de tamanho king Califórnia, está arrumada, coisa rara. Eu nunca soube que existia uma coisa maior do que cama king antes de conhecê-lo. Tiro os sapatos e pego o controle remoto na mesa de cabeceira. Quando me deito na cama, ligo a TV.

Chris tira os All Star e se senta à mesa, onde tem uma bateria eletrônica, um teclado e pratos ligados a um Mac.

— Olha isso — diz ele, e toca uma batida.

Eu me apoio nos cotovelos e balanço a cabeça com o ritmo. Tem um toque antigo na melodia, como algo que Dre e Snoop usariam antigamente.

— Legal.

— Obrigado. Mas acho que preciso tirar um pouco do baixo. — Ele se vira e começa a trabalhar.

Eu puxo uma linha solta no edredom.

— Você acha que vão acusá-lo?

— Você acha?

— Não.

Chris vira a cadeira. Meus olhos estão marejados, e estou deitada de lado. Ele se deita ao meu lado, e estamos de frente um para o outro.

Chris encosta a testa na minha.

— Desculpa.

— Você não fez nada.

— Mas sinto que devia pedir desculpas em nome dos brancos de toda parte.

— Você não precisa fazer isso.

— Mas eu quero.

Deitada na cama king Califórnia, na suíte da casa gigante dele, eu percebo a verdade. Estava lá o tempo todo, mas, nesse momento, luzes parecem se acender ao redor dela.

— Nós não devíamos estar juntos — digo.

— Por quê?

— Minha antiga casa em Garden Heights caberia dentro da sua casa.

— E daí?

— Meu pai foi membro de gangue.

— Meu pai joga.

— Eu cresci em um conjunto habitacional.

— Eu também cresci com um teto sobre a cabeça.

Eu suspiro e começo a virar de costas para ele.

Ele segura meus ombros, para que eu não consiga.

— Não deixe essas coisas subirem à sua cabeça de novo, Starr.

— Você já reparou como as pessoas olham pra gente?

— Que pessoas?

— As pessoas — respondo. — Elas levam um segundo para perceberem que somos um casal.

— Quem se importa?

— Eu.

— Por quê?

— Porque você devia estar com Hailey.

Ele se encolhe.

— E por que eu faria isso?

— Não Hailey. Mas você sabe. Uma loura. Rica. Branca.

— Eu prefiro: linda. Incrível. Starr.

Ele não entende, mas não quero mais falar nisso. Quero ficar tão absorta nele que a decisão do grande júri nem importe. Beijo os lábios dele, que sempre foram e sempre serão perfeitos. Ele também me beija, e logo estamos nos agarrando como se fosse a única coisa que soubéssemos fazer.

Não é o bastante. Minhas mãos descem pelo peito dele, e ele está com um volume em outras partes além dos braços. Eu começo a abrir o zíper da calça jeans dele.

Ele segura minha mão.

— Opa. O que você está fazendo?

— O que você acha?

Os olhos dele observam os meus.

— Starr, eu quero, quero mesmo...

— Eu sei que quer. E é a oportunidade perfeita. — Beijo o pescoço dele e acerto cada uma daquelas sardas perfeitamente posicionadas. — Não tem ninguém aqui além de nós.

— Mas a gente não pode — diz ele, a voz tensa. — Não assim.

— Por quê? — Eu enfio a mão na calça dele com a intenção de tocar no volume.

— Porque você não está bem.

Eu paro.

Ele olha para mim e eu olho para ele. Minha visão fica embaçada. Chris passa os braços em mim e me puxa para perto dele. Eu escondo o rosto na camiseta dele. Ele tem cheiro de uma combinação perfeita de sabonete Lever e Old Spice. Os batimentos do coração dele são melhores do que qualquer batida que ele tenha feito. Meu normal, em carne e osso.

Chris apoia o queixo no alto da minha cabeça.

— Starr...

Ele me deixa chorar tanto quanto preciso.

Meu celular vibra na minha coxa e me acorda. Está quase escuro como breu no quarto de Chris; o céu vermelho emite um pouco de luz pelas janelas. Ele está dormindo pesado e me abraçando, como se sempre dormisse assim.

Meu celular vibra de novo. Eu me desvencilho dos braços de Chris e rastejo até o pé da cama. Tiro o celular do bolso. O rosto de Seven ilumina minha tela.

Tento não falar com a voz muito grogue.

— Alô.

— Onde é que você está? — grita Seven.

— A decisão foi anunciada?

— Não. Responda minha pergunta.

— Na casa de Chris.

Seven suga os dentes.

— Nem quero saber. DeVante está aí?

— Não. Por quê?

— Tio Carlos disse que ele saiu um tempo atrás. Ninguém o viu desde então.

Meu estômago se contrai.

— O quê?

— Pois é. Se não estivesse de pegação com seu namorado, você saberia.

— Você está mesmo querendo me deixar culpada agora?

Ele suspira.

— Eu sei que você está passando por muita coisa, mas, caramba, Starr. Você não pode desaparecer assim. Mamãe está procurando você. Está morrendo de preocupação. E papai teve que ir proteger a loja, para o caso de... você sabe.

Volto até Chris e balanço o ombro dele.

— Vem buscar a gente — digo para Seven. — Vamos ajudar você a procurar DeVante.

Mando uma mensagem de texto para mamãe avisando onde estou, para onde vou e que estou bem. Não tenho coragem de ligar para ela. E deixar que ela surte comigo? Não, obrigada.

Seven está falando ao celular quando para o carro à porta da casa. Pela expressão no rosto dele, alguém deve estar morto.

Eu abro a porta do passageiro.

— O que houve?

— Kenya, calma — diz ele. — O que aconteceu? — Seven escuta e parece mais horrorizado a cada segundo. De repente, diz: — Estou a caminho — e joga o celular no banco de trás. — É DeVante.

— Opa, espera. — Estou segurando a porta e ele está ligando o motor. — O que houve?

— Não sei. Chris, leve Starr para casa.

— E deixar você ir para Garden Heights sozinho? — Só que as ações falam mais alto. Eu me sento no banco do passageiro.

— Eu também vou — diz Chris. Eu puxo o banco e ele entra atrás.

Por sorte (ou falta dela), Seven não tem tempo de discutir. Nós saímos. Seven reduz o trajeto de 45 minutos até Garden Heights a trinta. Durante todo o caminho, imploro a Deus para que DeVante esteja bem.

O sol sumiu quando saímos da rodovia. Luto contra a vontade de mandar Seven dar meia-volta. É a primeira vez que Chris vai ao meu bairro.

Mas tenho que confiar nele. Ele quer que eu o deixe participar, e esse é o máximo de participação que ele pode ter.

No Conjunto Habitacional de Cedar Grove, há pichação nas paredes e carros quebrados no pátio. Embaixo do mural do Jesus Negro na clínica, a grama cresce pelas rachaduras na calçada. O lixo se acumula em todos os meios-fios pelos quais passamos. Dois drogados discutem alto em uma esquina. Tem um monte de carros velhos, carros que deviam estar no ferro-velho há muito tempo. As casas são velhas, pequenas.

O que quer que Chris esteja pensando, não sai pela boca.

Seven estaciona em frente à casa de Iesha. A tinta está descascando, e as janelas têm lençóis pendurados em vez de persianas e cortinas. O BMW rosa de Iesha e o cinza de King formam um L no jardim. A grama sumiu depois de anos dos dois estacionando ali. Carros cinza com calotas estão estacionados na entrada e na rua.

Seven desliga o motor.

— Kenya disse que estão todos no quintal. Eu vou ficar bem. Vocês, fiquem aqui.

A julgar pelos carros, tem cinquenta King Lords para um Seven lá dentro. Não ligo se King está com raiva de mim, não vou deixar meu irmão entrar lá sozinho.

— Eu vou com você.

— Não.

— Eu falei que eu vou.

— Starr, não tenho tempo para...

Eu cruzo os braços.

— Tente me fazer ficar.

Ele não pode e não vai.

Seven suspira.

— Tudo bem. Chris, fique aqui.

— Porra, não! Não vou ficar aqui sozinho.

Nós todos saímos. Uma música ecoa no quintal, junto com gritos e risadas aleatórias. Tem um par de tênis de cano alto pendurado pelos cadarços no fio de luz da frente da casa, dizendo para todo mundo que souber decifrar o código que ali drogas são vendidas.

Seven sobe a escada dois degraus de cada vez e abre a porta da frente.

— Kenya!

Em comparação ao lado de fora, o interior é como um hotel cinco estrelas. Tem a porra de um candelabro na sala e mobília de couro novinha. Uma TV de tela plana ocupa uma parede inteira, e peixes tropicais nadam em um aquário de parede. A definição de "ricos do gueto".

— Kenya! — repete Seven, indo para o corredor.

Da porta da frente vejo a porta dos fundos. Vários King Lords dançam com mulheres no quintal. King está no meio, em uma cadeira de costas altas, seu trono, dando baforadas em um charuto. Iesha está sentada no braço da cadeira, segurando um copo e mexendo os ombros com a música. Graças à porta de tela escura, consigo ver o lado de fora, mas há uma boa chance de eles não conseguirem ver o lado de dentro.

Kenya espia o corredor da porta de um dos quartos.

— Aqui.

DeVante está deitado no chão em posição fetal, no pé de uma cama king. O tapete branco peludo está manchado de sangue, que escorre do nariz e da boca. Tem uma toalha ao lado dele, mas ele não está fazendo nada com ela. Um dos olhos está com um hematoma recente. Ele geme com a mão na lateral do corpo.

Seven olha para Chris.

— Me ajude a levantar ele.

Chris está pálido.

— Talvez a gente devesse chamar...

— Chris, cara, anda!

Chris se inclina, e os dois colocam DeVante encostado na cama. O nariz está inchado e roxo, e o lábio superior, com um corte feio.

Chris passa a toalha para ele.

— Cara, o que aconteceu?

— Eu esbarrei no punho do King. Cara, o que você acha que aconteceu? Eles me pegaram.

— Não consegui impedir — diz Kenya, toda entupida, com voz de quem estava chorando. — Me desculpa, DeVante.

— Essa merda não é culpa sua, Kenya — diz DeVante. — Você está bem?

Ela funga e limpa o nariz no braço.

— Estou. Ele só me empurrou.

Os olhos de Seven brilham.

— Quem empurrou você?

— Ela tentou impedir que eles me dessem uma surra — diz DeVante. — King ficou com raiva e a empurrou da...

Seven vai até a porta. Eu seguro o braço dele e firmo os pés no tapete para impedi-lo de se mexer, mas ele acaba me levando junto. Kenya segura o outro braço dele. Nesse momento, ele é *nosso* irmão, não só meu ou dela.

— Seven, não — digo. Ele tenta se soltar, mas meu aperto e o de Kenya são de aço. — Se você for lá pra fora, está morto.

O maxilar dele está firme, os ombros estão tensos. Os olhos apertados estão grudados na porta.

— Me soltem — diz ele.

— Seven, estou bem. Eu juro — diz Kenya. — Mas Starr está certa. Temos que tirar Vante daqui antes que matem ele. Estão só esperando o sol se pôr.

— Ele pôs as mãos em você — diz Seven furioso. — Eu disse que não deixaria isso acontecer de novo.

— Nós sabemos — digo. — Mas, por favor, não vá lá fora.

Odeio impedi-lo, porque eu juro que quero que alguém dê uma surra em King. Não pode ser Seven. De jeito nenhum. Não posso perdê-lo também. Eu nunca mais seria normal.

Ele consegue se soltar de nós, e a dor que normalmente vem com o gesto não acontece. Entendo a frustração dele como se fosse minha.

A porta de trás range e se fecha.

Merda.

Nós ficamos paralisados. Ouvimos passos pesados, se aproximando. Iesha aparece à porta.

Ninguém fala.

Ela nos encara, bebendo de um copo vermelho de plástico. O lábio está ligeiramente apertado, e ela não tem pressa de falar, como se estivesse tendo prazer em ver nosso medo.

Mastigando gelo, ela olha para Chris e diz:

— Quem é esse rapazinho branco que vocês trouxeram para a minha casa?

Iesha dá um sorrisinho e olha para mim.

— Aposto que é seu, né? É isso que acontece quando você estuda em escola de branco. — Ela se encosta na moldura da porta. As pulseiras de ouro tilintam quando ela leva o copo aos lábios novamente. — Eu pagaria para ver a cara de Maverick no dia que você levou ele em casa. Nossa, estou surpresa de Seven ter uma namorada negra.

Ao ouvir seu nome, Seven sai do transe.

— Você pode nos ajudar?

— Ajudar vocês? — repete ela com uma gargalhada. — O quê? Com DeVante? O que eu ganho ajudando ele?

— Mãe...

— Agora eu sou mãe? — pergunta ela. — O que aconteceu com aquela merda de "Iesha" da outra semana? Hein, Seven? Sabe, gato, você não sabe como as coisas funcionam. Mamãe vai explicar, tá? Quando DeVante roubou de King, ele conquistou uma surra. Ganhou. Qualquer um que o ajude também está pedindo uma, e é melhor ser capaz de aguentar. — Ela olha para mim. — Isso vale pra quem dedura também.

Basta que ela grite por King...

Os olhos dela se desviam para a porta dos fundos. A música e as gargalhadas aumentam no ar.

— Vou dizer uma coisa — diz ela, e se vira para nós. — É melhor vocês tirarem esse moleque lamentável, DeVante, do meu quarto. Sangrando no meu tapete e tudo. E ainda teve a coragem de usar uma das minhas toalhas? Na verdade, tirem ele e essa dedo-duro da minha casa.

Seven diz:

— O quê?

— Você é surdo? — diz ela. — Eu falei pra tirar eles da minha casa. E leve suas irmãs.

— Por que preciso levar elas? — pergunta Seven.

— Porque eu mandei! Leva pra casa da sua avó. Sei lá, não quero saber. Tira elas da minha casa. Estou tentando cuidar da minha festa, merda. — Como nenhum de nós se move, ela diz: — Andem!

— Vou buscar Lyric — diz Kenya, e sai.

Chris e Seven pegam as mãos de DeVante e o levantam. DeVante faz uma careta e vai xingando o caminho todo. Quando fica de pé, ele se inclina com a mão na lateral do corpo, mas se ergue o corpo aos poucos e respira para se acalmar. Ele assente.

— Estou bem. Só dolorido.

— Andem logo — diz Iesha. — Droga. Estou cansada de olhar pra vocês.

O olhar de Seven diz o que ele não diz.

DeVante insiste que consegue andar, mas Seven e Chris emprestam os ombros para apoio mesmo assim. Kenya já está à porta da frente com Lyric no colo. Seguro a porta para todos e olho na direção do quintal.

Merda. King está se levantando do trono.

Iesha vai até a porta dos fundos e para na frente dele antes que ele possa se levantar totalmente. Segura os ombros dele e o empurra para baixo, sussurrando no ouvido. Ele dá um sorriso largo e se encosta na cadeira. Ela se vira e fica de costas para ele, a visão que ele realmente quer, e começa a dançar. Ele bate na bunda dela. Ela olha na minha direção.

Duvido que consiga me ver, mas acho que não sou uma das pessoas que ela está tentando ver. Elas já foram para o carro.

De repente, eu entendo.

— Starr, vamos — grita Seven.

Eu pulo da varanda. Seven segura o assento para eu e Chris sentarmos no banco de trás com as irmãs dele. Quando estamos no carro, ele dá partida.

— Nós temos que levar você ao hospital, Vante — diz ele.

DeVante aperta a toalha no nariz e olha para o sangue que a suja.

— Eu vou ficar bem — diz ele, como se essa rápida observação dissesse o que um médico não pode dizer. — Temos sorte de Iesha ter nos ajudado, cara. De verdade.

Seven ri com deboche.

— Ela não estava nos ajudando. Podia ter alguém morrendo de hemorragia e ela estaria mais preocupada com o tapete e com a festa.

Meu irmão é tão inteligente. Tão inteligente que chega a ser burro. Ele foi tão maltratado pela mãe que quando ela faz uma coisa certa, ele não vê.

— Seven, ela ajudou a gente — digo. — Pensa bem. Por que ela mandou você trazer suas irmãs também?

— Porque não queria o estorvo. Como sempre.

— Não. Ela sabe que King vai surtar quando perceber que DeVante sumiu — explico. — Se Kenya não estiver lá, Lyric não estiver lá, em quem você acha que ele vai descontar?

Ele não diz nada.

E depois:

— Merda.

O carro para abruptamente e nos joga para a frente e para o lado quando Seven faz o retorno. Ele aperta o acelerador, e casas passam voando.

— Seven, não! — diz Kenya. — A gente não pode voltar!

— Eu devia proteger ela!

— Não, não devia! — digo. — Ela que devia proteger você, e está tentando fazer isso agora.

O carro vai mais devagar. Para a algumas casas da de Iesha.

— Se ele... — Seven engole em seco. — Se ela... ele vai matar ela.

— Não vai — diz Kenya. — Ela durou esse tempo todo. Deixa ela fazer isso, Seven.

Uma música de Tupac no rádio ocupa o silêncio. Ele canta que temos que começar a fazer mudanças. Khalil estava certo. Pac ainda é relevante.

— Tudo bem — diz Seven, e faz outro retorno. — Tudo bem.

A música acaba.

— Esta é a melhor estação da nação, a Hot 105 — diz o DJ. — Se você ligou agora, o grande júri decidiu não indiciar o policial Brian Cruise Jr. pela morte de Khalil Harris. Nossos pensamentos e orações estão com a família Harris. Fiquem bem aí, vocês.

# VINTE E TRÊS

O trajeto até a casa da avó de Seven é silencioso.

Eu falei a verdade. Fiz tudo que devia fazer, mas não foi o suficiente. A morte de Khalil não foi horrível o bastante para ser considerada crime.

Mas, droga, e a vida dele? Ele já foi um ser humano que anda e fala. Tinha família. Tinha amigos. Tinha sonhos. Nada disso importou. Ele era só um bandido que merecia morrer.

Carros buzinam ao nosso redor. Motoristas gritam a decisão para o resto do bairro. Alguns adolescentes da minha idade sobem em carros e gritam:

— Justiça para Khalil!

Seven manobra e estaciona na porta da casa da avó. Ele fica quieto e no começo não se move. De repente, dá um soco no volante.

— Porra!

DeVante balança a cabeça.

— Que absurdo.

— Porra! — vocifera Seven. Ele cobre os olhos e se balança para a frente e para trás. — Porra, porra, porra!

Também estou com vontade de chorar. Só não consigo.

— Eu não entendo — diz Chris. — Ele matou Khalil. Devia ir pra prisão.

— Eles nunca vão — murmura Kenya.

Seven seca o rosto apressadamente.

— Que se foda. Starr, o que você quiser fazer, estou com você. Se quiser botar fogo em umas merdas, vamos botar fogo. É só mandar.

— Cara, você ficou maluco? — diz Chris.

Seven se vira.

— *Você* não entende, então cala a boca. Starr, o que você quer fazer?

Qualquer coisa. *Tudo*. Gritar. Chorar. Vomitar. Bater em alguém. Tacar fogo em alguma coisa. Jogar alguma coisa longe.

Eles me trouxeram o ódio, e agora eu quero foder com todo mundo, mesmo não sabendo como.

— Eu quero fazer alguma coisa — digo. — Protestar, me rebelar, não ligo...

— *Rebelar*? — repete Chris.

— Isso aí! — DeVante dá um soco na minha mão. — É assim que se fala.

— Starr, pensa bem — diz Chris. — Isso não vai resolver nada.

— Falar também não resolveu! — digo com rispidez. — Eu fiz tudo certo, mas não fez porra de diferença nenhuma. Recebi ameaças de morte, policiais agrediram minha família, atiraram na minha casa, todo tipo de merda. E pra quê? Por uma justiça que Khalil não vai ter? Estão pouco se fodendo para nós, então tudo bem. Eu não estou mais nem aí.

— Mas...

— Chris, eu não preciso que você concorde — digo, a garganta apertada. — Só tente entender o que sinto. Por favor.

Ele fecha e abre a boca algumas vezes. Não responde nada.

Seven sai e segura o banco.

— Venha, Lyric. Kenya, você vai ficar aqui ou vem conosco?

— Vou ficar — diz Kenya, os olhos ainda molhados. — Para o caso de mamãe aparecer.

Seven assente com seriedade.

— Boa ideia. Ela vai precisar de alguém.

Lyric desce do colo de Kenya e corre até a entrada da casa. Kenya hesita. Olha para mim.

— Sinto muito, Starr — diz ela. — Isso não está certo.

Ela segue Lyric até a porta da frente, e a avó delas as deixa entrar. Seven volta para o banco do motorista.

— Chris, quer que eu leve você pra casa?

— Eu vou ficar. — Chris assente, como se estivesse acertando as coisas consigo mesmo. — É, vou ficar.

— Tem certeza de que quer encarar isso? — pergunta DeVante. — As coisas vão ficar enlouquecidas por aí.

— Tenho certeza. — Ele olha para mim. — Quero que todo mundo saiba que essa decisão é absurda.

Ele coloca a mão no banco com a palma virada para cima. Eu coloco a minha em cima da dele.

Seven engata a marcha e deixa a frente da casa.

— Deem uma olhada no Twitter, descubram onde as coisas estão acontecendo.

— Pode deixar. — DeVante pega o celular. — Tem gente indo para a Magnolia. Foi lá que muita coisa aconteceu na última... — Ele faz uma careta e leva a mão à lateral do corpo.

— *Você* está bem para isso, Vante? — pergunta Chris.

DeVante se empertiga.

— Estou. Apanhei mais do que isso quando fui iniciado.

— Como pegaram você, afinal? — pergunto.

— É. Tio Carlos disse que você foi andando — diz Seven. — É uma caminhada e tanto.

— Cara. — DeVante resmunga de um jeito só dele. — Eu queria visitar Dalvin, tá? Peguei o ônibus para ir ao cemitério. Odeio o fato de ele estar sozinho em Garden. Eu não queria que ele ficasse solitário, se é que isso faz sentido.

Tento não pensar em Khalil sozinho em Garden Heights agora que a família dele saiu e eu também estou saindo.

— Faz sentido.

DeVante aperta a toalha no nariz e nos lábios. O sangramento diminuiu.

— Antes que eu conseguisse tomar o ônibus de volta, os garotos de King me pegaram. Achei que estaria morto agora. De verdade.

— Ah, que bom que não está — diz Chris. — Me dá mais tempo pra arrasar com você no Madden.

DeVante dá um sorrisinho.

— Você é um branco maluco se acha que isso vai acontecer.

Vemos carros subindo e descendo a Magnolia como se fosse uma manhã de sábado e os traficantes estivessem se exibindo. Música toca, buzinas soam, pessoas se penduram em janelas de carros, de pé em capôs. As calçadas estão lotadas. A rua está esfumaçada, e chamas ardem no céu ao longe.

Falo para Seven estacionar no Just Us for Justice. As janelas estão cobertas por tapumes de madeira e tem a pichação de "donos negros" nas tábuas. A Sra. Ofrah disse que eles organizariam protestos pela cidade se o grande júri não decidisse pelo indiciamento.

Seguimos pela calçada, andando sem nenhum lugar especial para ir. Está mais cheio do que eu imaginava. Metade do bairro está aqui. Boto o capuz na cabeça e mantenho a cabeça baixa. Independentemente da decisão do grande júri, eu ainda sou a "Starr que estava com Khalil" e não quero ser vista hoje. Só ouvida.

Algumas pessoas olham para Chris com uma cara de "o que esse garoto branco está fazendo aqui?" Ele enfia as mãos nos bolsos.

— Acho que chamo atenção, né? — diz ele.

— Tem certeza de que quer estar aqui? — pergunto.

— É assim pra você e Seven na Williamson, não é?

— Bem assim — responde Seven.

— Então eu consigo aguentar.

A multidão cresce. Subimos em um banco de ponto de ônibus para ver melhor o que está acontecendo. Tem King Lords de bandanas cinza e Garden Disciples de bandanas verdes de pé sobre uma viatura da polícia, no meio da rua, gritando "Justiça para Khalil!" As pessoas em volta do carro gravam a cena com seus celulares e jogam pedras nas janelas.

— Que se foda aquele policial, mano — diz um cara, pegando um taco de beisebol. — Matou ele por nada!

Ele bate com o taco na janela do motorista, estilhaçando o vidro. Começou.

Os King Lords e os GDs pisam no para-brisa. E alguém grita:

— Vamos virar essa merda!

Os membros de gangues pulam de cima do carro. As pessoas se alinham na lateral do carro. Olho para as luzes no alto e me lembro das que piscaram atrás de mim e de Khalil, vejo-as desaparecer quando viram o carro.

Alguém grita:

— Cuidado!

Um coquetel molotov voa na direção do carro. E então, *umpf!* Explode em chamas.

A multidão comemora.

As pessoas dizem que a infelicidade adora ter companhia, mas acho que a raiva também é assim. Não sou a única puta da vida, todo mundo ao meu redor também está. Essas pessoas não precisaram estar sentadas no banco do passageiro quando aconteceu. A minha raiva é delas e a raiva delas é minha.

Um som de carro toca alto um ruído de disco arranhado, e Ice Cube diz: *"Foda-se a polícia, vindo direto do submundo. Um jovem preto se ferrou porque eu sou marrom."*

Parece um show pela forma como as pessoas reagem, cantando junto e pulando com a batida. DeVante e Seven gritam a letra. Chris balança a cabeça e murmura as palavras. E fica em silêncio cada vez que Cube diz "preto". Como deveria.

Quando chega o refrão, um coletivo "Foda-se a polícia" soa pela Magnolia Avenue, provavelmente alto o bastante para chegar aos céus.

Eu também grito. Parte de mim fica pensando "E tio Carlos, o policial"? Mas o que está acontecendo não é relacionado a ele nem aos colegas dele que fazem o trabalho direito. É relacionado a Um-Quinze, àqueles detetives com as perguntas escrotas e aos policiais que fizeram papai se deitar no chão. Que se fodam.

Vidro quebra. Eu paro de cantar.

A um quarteirão, as pessoas jogam pedras e latas de lixo nos vidros do McDonald's e da farmácia ao lado.

Uma vez, eu tive uma forte crise de asma que me fez parar na emergência. Meus pais e eu só saímos do hospital às três da manhã, e estávamos morrendo de fome. Mamãe e eu comemos hambúrgueres naquele McDonald's enquanto papai comprava meu remédio na farmácia.

As portas de vidro da farmácia são totalmente estilhaçadas. As pessoas entram correndo e saem com os braços cheios de coisa.

— Parem! — grito, e outros dizem o mesmo, mas saqueadores continuam a entrar. Um brilho laranja surge lá de dentro, e todas as pessoas saem correndo.

— Puta merda — diz Chris.

Em um piscar de olhos, o prédio está em chamas.

— Isso aí! — diz DeVante. — Queima essa merda!

Eu me lembro da expressão na cara do papai quando o Sr. Wyatt lhe entregou as chaves do mercado; do Sr. Reuben e de todas aquelas fotos nas paredes, mostrando anos e anos de um legado que ele construiu; da Sra. Yvette andando até a loja todas as manhãs, bocejando; até o chato do Sr. Lewis com seus cortes de cabelo de primeira.

Vidros se estilhaçam na loja de crédito financeiro no quarteirão seguinte. E na loja de produtos de beleza ao lado.

Chamas saem dos dois, e as pessoas comemoram. Um novo grito de batalha cresce:

*O teto, o teto, o teto está pegando fogo! Não precisamos de água, que essa merda queime!*

Estou tão irritada quanto todo mundo, mas isso... não é assim. Não para mim.

DeVante está com as pessoas, cantando a musiquinha. Eu dou um tapa no braço dele.

— O quê? — pergunta ele.

Chris me cutuca na cintura.

— Pessoal...

A alguns quarteirões, uma fila de policiais da tropa de choque desce a rua, seguido de perto de dois tanques com luzes fortes.

— Isso não é uma reunião pacífica — diz um policial em um alto-falante. — Dispersem agora, senão estarão sujeitos a prisão.

O grito original de guerra soa de novo:

— Foda-se a polícia! Foda-se a polícia!

As pessoas jogam pedras e garrafas de vidro na polícia.

— Ei — diz Seven.

— Parem de jogar objetos na polícia — diz o policial. — Saiam das ruas imediatamente, senão poderão ser presos.

As pedras e garrafas continuam a voar.

Seven salta do banco.

— Venham — diz ele enquanto Chris e eu descemos. — A gente tem que sair daqui.

— Foda-se a polícia! Foda-se a polícia! — DeVante continua a gritar.

— Vante, cara, vem! — diz Seven.

— Eu não tenho medo deles! Foda-se a polícia!

Um estalo soa alto. Um objeto voa no ar, cai no meio da rua e explode em uma bola de fogo.

— Ah, merda — diz DeVante.

Ele pula do banco, e nós saímos correndo. Começa uma correria louca nas calçadas. Carros passam a toda velocidade na rua. Parece o Quatro de Julho; estalo atrás de estalo.

O ar se enche de fumaça. Mais vidro quebrado. Os estalos chegam perto e a fumaça se intensifica.

Chamas consomem a loja de crédito financeiro. Mas o Just Us for Justice está bem. O lava jato do outro lado também está inteiro, "donos negros" pichado em uma das paredes.

Entramos no Mustang de Seven. Ele dispara pela entrada dos fundos do estacionamento do antigo Taco Bell, pegando a rua de trás.

— Que porra aconteceu agora? — pergunta ele.

Chris afunda no banco.

— Não sei. Mas não quero que aconteça de novo.

— Os pretos estão cansados de aguentar merda — diz DeVante ofegando pesadamente. — Como Starr falou, eles estão pouco se fodendo pra gente, então estamos pouco nos fodendo. Vamos botar fogo nessa porra.

— Mas eles não moram aqui! — diz Seven. — Não estão *nem aí* para o que acontece neste bairro.

— E o que a gente devia fazer? — rebate DeVante. — Aquela merda pacífica toda não funciona. Eles só escutam quando a gente destrói alguma coisa.

— Mas aquelas lojas — digo.

— O que que tem? — pergunta DeVante. — Minha mãe trabalhou naquele McDonald's, e nem pagavam ela direito. A loja de empréstimos arrancou nossa grana um monte de vezes. Que nada, estou pouco me fodendo para aquelas merdas.

Eu entendo. Papai quase perdeu a aliança de casamento naquela loja uma vez. Ele ameaçou botar fogo nela. É meio irônico estar pegando fogo agora.

Mas, se os saqueadores decidirem ignorar as identificações de "donos negros", eles podem acabar chegando ao nosso mercado.

— A gente tem que ajudar o papai.

— O quê? — pergunta Seven.

— A gente precisa ajudar o papai a proteger o mercado! Caso os saqueadores apareçam lá.

Seven limpa o rosto.

— Merda, acho que você está certa.

— Ninguém vai se meter com Big Mav — diz DeVante.

— Você não sabe — digo. — As pessoas estão com raiva, DeVante. Não estao pensando direito. Estão fazendo merda.

DeVante acaba concordando.

— Tá, tudo bem. Vamos ajudar Big Mav.

— Vocês acham que ele vai aceitar minha ajuda? — pergunta Chris. — Ele não pareceu gostar de mim da última vez.

— Pareceu? — repete DeVante. — Ele foi cruel com você. Eu estava lá. Eu lembro.

Seven ri. Dou um tapa em DeVante e digo:

— Shh.

— O quê? É verdade. Ele ficou morrendo de raiva por Chris ser branco. Mas, e aí? Se você mandar aquela merda toda do NWA como fez lá atrás, talvez ele ache você legal.

— O quê? Surpreso de um garoto branco conhecer o NWA? — provoca Chris.

— Cara, você não é branco. Você tem pele clara.

— Concordo! — digo.

— Esperem, esperem — diz Seven por cima das nossas gargalhadas —, a gente tem que testar ele pra ver se ele é mesmo negro. Chris, você come creme de vagem assada?

— De jeito nenhum. Aquela merda é nojenta.

Nós vamos à loucura e dizemos:

— Ele é negro! Ele é negro!

— Esperem, mais uma — digo. — Macarrão com queijo instantâneo. Refeição ou acompanhamento?

— Hã... — Chris olha para nós.

DeVante cantarola a música do *Jeopardy*.

— Como ganhar uma carta preto por trezentos, Alex — diz Seven com voz de apresentador.

Chris finalmente responde:

— Refeição.

— Ohhh! — nós exclamamos.

— Pom-pom-pom! — acrescenta DeVante.

— Mas é, pessoal! Pensem bem. Tem proteína, tem cálcio...

— Proteína é carne — diz DeVante. — Não queijo. Eu queria que alguém me desse macarrão e chamasse de refeição.

— É a refeição mais fácil e rápida já inventada — diz Chris. — Uma caixinha e você...

— Aí está o problema — digo. — Macarrão com queijo de verdade não vem em caixinha, gato. Vem do forno, com uma casquinha borbulhando em cima.

— Amém. — Seven estica o punho para mim, e dou um soquinho no dele.

— Ahhh — diz Chris. — Você está falando daquele com farinha de pão?

— O quê? — grita DeVante, e Seven continua:

— Farinha de pão?

— Não — respondo. — Eu quis dizer que tem uma casquinha de queijo em cima. A gente tem que levar você a um restaurante de cozinha afro-americana, gato.

— Esse idiota disse farinha de pão. — DeVante parece seriamente ofendido. — Farinha de pão.

O carro para. À frente, uma placa anuncia que a rua está fechada e bloqueia a entrada, há também um carro da polícia estacionado.

— Droga — diz Seven, dando meia-volta. — Temos que encontrar outro caminho até o mercado.

— Devem ter colocado vários bloqueios no bairro hoje — digo.

— Farinha de pão, porra. — DeVante não consegue superar. — Eu juro que não entendo os brancos. Farinha de pão no macarrão, beijar cachorro na boca...

— Tratar cachorro como se fosse filho — acrescento.

— É! — diz DeVante. — Fazendo de propósito merda que pode matar, tipo bungee jump.

— Chamar a Target de "Tar-jay", como se isso tornasse a loja mais chique — diz Seven.

— Porra — murmura Chris. — É assim que minha mãe chama.

Seven e eu caímos na gargalhada.

— Falar merda para os pais — continua DeVante. — Se separar em situações em que obviamente precisam ficar juntos.

Chris faz:

— Hã?

— Gato, pensa bem — digo. — Os brancos sempre querem se separar, e quando se separam, acontece alguma coisa ruim.

— Mas só em filmes de terror — diz ele.

— Que nada! Tem merda assim na televisão toda hora — diz DeVante. — Eles vão fazer uma trilha, se separam e um urso mata um dos dois.

— O carro enguiça, eles se separam para procurar ajuda e um serial killer mata um deles — acrescenta Seven.

— Vocês nunca ouviram falar que há poder nos números? — pergunta DeVante. — Mas é sério.

— Tá, tudo bem — diz Chris. — Como vocês querem falar sobre brancos, posso fazer uma pergunta sobre os negros?

Essa é a hora do barulho de agulha arranhando o disco. Sem brincadeira, nós três nos viramos para olhar para ele, inclusive Seven. O carro desvia para a lateral da rua e raspa no meio-fio. Seven fala um palavrão e volta para o meio da rua.

— É mais do que justo — murmura Chris.

— Pessoal, ele está certo — digo. — Ele devia poder perguntar.

— Tudo bem — diz Seven. — Pode falar, Chris.

— Tá. Por que alguns negros dão nomes estranhos aos filhos? Olha só o nome de vocês três. Não são normais.

— Meu nome é normal — diz DeVante, todo arrogante. — Não sei do que você está falando.

— Cara, você foi batizado em homenagem a um cara do Jodeci — diz Seven.

— E você foi batizado em homenagem a um número! Qual é seu nome do meio? Eight?

— Então, Chris — diz Seven —, DeVante tem razão. O que torna o nome dele ou os nossos menos normais do que o seu? Quem ou o que define o que é "normal" pra você? Se meu pai estivesse aqui, ele diria que você caiu na armadilha do padrão branco.

O pescoço e o rosto de Chris ficam vermelhos.

— Eu não pretendia... tá, talvez "normal" não seja a palavra certa.

— Não — digo.

— Acho que podemos dizer incomum? — pergunta ele. — Vocês têm nomes *incomuns*.

— Mas eu conheço mais três DeVantes no bairro — declara DeVante.

— Certo. É questão de perspectiva — diz Seven. — Além do mais, a maioria dos nomes que os brancos acham incomuns na verdade têm significado em várias línguas africanas.

— E vamos ser realistas, alguns brancos também escolhem nomes "incomuns" para os filhos — digo. — Não é uma coisa limitada aos negros. O nome não passa a ser automaticamente comum só porque não tem De- ou La- na frente.

Chris assente.

— É verdade.

— Mas por que você tinha que usar "De-" como exemplo? — pergunta DeVante.

Nós paramos de novo. Outro bloqueio.

— Merda — sussurra Seven. — Vou ter que pegar o caminho mais longo. Pelo lado leste.

— Lado leste? — diz DeVante. — É território GD!

— E é onde aconteceu a maioria dos tumultos na última vez — lembro a ele.

Chris balança a cabeça.

— Não. Não podemos ir por lá, então.

— Ninguém está pensando em gangues hoje — diz Seven. — E, desde que eu fique longe das ruas principais, vai ficar tudo bem.

Tiros soam nas proximidades, perto demais, e nós todos damos um salto. Chris dá um gritinho.

Seven engole em seco.

— Sim. Vai ficar tudo bem.

# VINTE E QUATRO

Como Seven disse que ia ficar tudo bem, tudo dá errado.

A maior parte das rotas pelo lado leste está bloqueada pela polícia, e Seven demora uma eternidade para encontrar uma que não esteja. Na metade do caminho até o mercado, o carro ronca e vai mais devagar.

— Vamos lá — diz Seven. Ele passa a mão no painel e aperta o acelerador. — Vamos lá, amorzinho.

O amorzinho dele basicamente diz "foda-se" e para.

— Merda! — Seven apoia a cabeça no volante. — Acabou a gasolina.

— Você está de brincadeira, né? — pergunta Chris.

— Quem me dera, cara. Estava com pouco quando saímos da sua casa, mas achei que dava para esperar até abastecer. Eu conheço meu carro.

— Obviamente, você não conhece porra nenhuma — digo.

Estamos perto de umas casas de dois andares. Não sei em que rua estamos. Não conheço o lado leste assim. Sirenes soam por perto, e o ambiente está enevoado e cheio de fumaça como no resto do bairro todo.

— Tem um posto de gasolina não muito longe daqui — diz Seven. — Chris, você pode me ajudar a empurrar?

— No sentido de sair da proteção desse carro e empurrar? — pergunta Chris.

— É, isso mesmo. Vai ficar tudo bem. — Seven sai do carro.

— Foi o que você disse antes — murmura Chris, mas sai do carro também.

DeVante diz:

— Eu também posso empurrar.

— Não, cara. Você precisa descansar — diz Seven. — Relaxe aí. Starr vai para o volante.

É a primeira vez que ele deixa outra pessoa dirigir o "amorzinho" dele. Ele me manda colocar o carro no ponto morto e guiar com o volante. Ele empurra do meu lado. Chris empurra do lado do passageiro. Ele olha para trás toda hora.

As sirenes ficam mais altas, a fumaça fica mais densa. Seven e Chris tossem e cobrem o nariz com a camisa. Uma picape cheia de colchões e pessoas passa em disparada.

Quando chegamos em um leve declive, Seven e Chris correm para acompanhar o caro.

— Vá mais devagar, vá mais devagar! — grita Seven. Eu aperto o freio. O carro para no fim do declive.

Seven tosse na camiseta.

— Espere. Preciso de um minuto.

Eu puxo o freio. Chris se inclina e tenta recuperar o fôlego.

— Essa fumaça está acabando comigo — diz ele.

Seven ergue o corpo e solta o ar pela boca.

— Merda. A gente chega ao posto mais rápido se deixar o carro. Nós dois não vamos conseguir empurrar até lá.

Como é? Eu estou sentada bem aqui.

— Eu posso empurrar.

— Sei disso, Starr. Mesmo que você ajudasse, nós ainda iríamos mais rápido sem o carro. Mas, droga, não quero deixar ele aqui.

— E se a gente se separar? — pergunta Chris. — Dois ficam aqui, dois vão buscar gasolina... e isso é aquela coisa de gente branca sobre a qual vocês estavam falando, não é?

— É — dizemos.

— Eu falei — diz DeVante.

Seven cruza as mãos e apoia no alto dos dreads.

— Droga, droga, droga. A gente vai ter que deixar o carro.

Eu pego a chave de Seven, e ele tira um galão de gasolina do porta-malas. Ele acaricia o carro e sussurra alguma coisa. Acho que diz que o ama e promete voltar. Deus.

Nós quatro seguimos pela calçada e colocamos a camisa por cima da boca e do nariz. DeVante manca, mas jura que está bem.

Uma voz ao longe diz alguma coisa. Não consigo entender, e tem uma resposta trovejante, como de uma multidão.

Chris e eu vamos atrás de Seven e DeVante. Ele relaxa as mãos perto do corpo e encosta na minha, o jeito sorrateiro de tentar segurar minha mão. Eu permito.

— Então você morava aqui? — pergunta ele.

Esqueço que é a primeira vez dele em Garden Heights.

— É. Bom, não deste lado do bairro. Eu sou do lado oeste.

— Lado oeeeeste! — diz Seven, e DeVante faz um O. — O melhor laaaaado!

— Juro pela minha mãe! — acrescenta DeVante.

Eu reviro os olhos. As pessoas vão longe demais com essa coisa de "de que lado do bairro você é".

— Você reparou naquele conjunto habitacional grande pelo qual passamos? É onde eu morei quando era pequena.

Chris faz que sim com a cabeça.

— Aquele lugar onde a gente estacionou... era o Taco Bell onde seu pai levou você e Seven?

— É. Abriram um novo mais perto da via expressa alguns anos atrás.

— A gente podia ir lá um dia desses — sugere ele.

— Mano — intromete-se DeVante. — Me diga que não está pensando em levar sua garota para um encontro no Taco Bell. *No Taco Bell?*

Seven cai na gargalhada.

— Com licença, alguém estava falando com vocês? — pergunto.

— Ei, você é minha amiga, estou tentando ajudar — diz DeVante.
— Seu namorado não tem malandragem.

— Tenho, sim! — diz Chris. — Estou mostrando pra minha garota que fico feliz de ir a qualquer lugar com ela, independentemente do bairro. Se ela estiver presente, eu fico bem.

Ele sorri para mim sem mostrar os dentes. Eu também.

— Psh! Ainda é um Taco Bell — diz DeVante. — No final da noite, ainda vai ser um Taco Bell, mas com a barriga cheia de gases.

A voz está um pouco mais alta agora. Ainda não está clara. Um homem e uma mulher passam correndo pela calçada, empurrando dois carrinhos de mercado com TVs de tela plana dentro.

— Estão enlouquecendo aqui — diz DeVante com uma risada, mas leva a mão à lateral do corpo.

— King chutou você, não foi? — pergunta Seven. — Com aqueles Timberland enormes, né?

DeVante assobia. E assente.

— É, ele fez isso uma vez com a minha mãe. Quebrou boa parte das costelas dela.

Um rottweiler de coleira em um quintal cercado late e tenta vir atrás de nós. Eu bato o pé para ele. Ele geme e recua.

— Ela deve estar bem — diz Seven, como se estivesse tentando convencer a si mesmo. — É. Ela vai ficar bem.

A um quarteirão, as pessoas estão de pé em um cruzamento de quatro pistas, vendo alguma coisa em uma das ruas.

— Vocês precisam sair da rua — anuncia uma voz por um alto-falante. — Estão bloqueando o trânsito ilicitamente.

— Escova de cabelo não é arma! Escova de cabelo não é arma! — cantarola uma voz em outro alto-falante. A voz é ecoada pela multidão.

Nós chegamos ao cruzamento. Há um ônibus escolar vermelho, verde e amarelo estacionado na rua à direita. Está escrito Just Us for Justice na lateral. Uma multidão se reúne na rua à nossa esquerda e aponta escovas de cabelo pretas para o alto.

Os manifestantes estão na Carnation. Onde aconteceu.

Não volto aqui desde aquela noite. Saber que foi aqui que Khalil... Eu olho com intensidade demais, a multidão desaparece, e eu o vejo caído na rua. A coisa toda se repete na frente dos meus olhos como um filme de terror em repetição constante. Ele olha para mim pela última vez e...

— Escova de cabelo não é arma!

A voz me tira do torpor.

À frente da multidão, uma moça de trancinhas está em cima de uma viatura da polícia, segurando um megafone. Ela se vira para nós, o punho cerrado no gesto característico dos black powers. Khalil está sorrindo na camiseta dela.

— Não é a sua advogada, Starr? — pergunta Seven.

— É. — Eu sabia que a Sra. Ofrah curtia essa vida radical, mas quando a gente pensa "advogada", não pensa numa "pessoa em cima de uma viatura da polícia com um megafone", sabe?

— Dispersar imediatamente — repete o policial. Não consigo vê-lo na multidão.

A Sra. Ofrah puxa os gritos de protesto novamente.

— Escova de cabelo não é arma! Escova de cabelo não é arma!

É contagiante e ecoa à nossa volta. Seven, DeVante e Chris se unem aos gritos.

— Escova de cabelo não é arma — murmuro.

*Khalil guarda a escova na porta.*

— Escova de cabelo não é arma.

*Ele abre a porta para perguntar se eu estou bem.*

*E pow pow...*

— Escova de cabelo não é arma! — grito o mais alto que consigo, o punho no ar, lágrimas nos olhos.

— Vou convidar a irmã Freeman para falar sobre a injustiça que aconteceu esta noite — diz a Sra. Ofrah.

Ela passa o megafone para uma mulher que também está usando uma camiseta de Khalil e pula da viatura. A multidão a deixa passar, e a Sra. Ofrah segue na direção de um colega parado perto do ônibus, no cruzamento. Ela me vê e olha com mais atenção.

— Starr? — diz ela, se aproximando. — O que você está fazendo aqui?

— Nós... eu... Quando anunciaram a decisão, eu quis fazer alguma coisa. Então a gente veio para o bairro.

Ela olha para o machucado DeVante.

— Ah, meu Deus, você foi pego no meio do tumulto?

DeVante toca no rosto.

— Caramba, estou tão mal assim?

— Não é por isso que ele está desse jeito — digo para ela. — Mas ficamos no meio do tumulto na Magnolia. Foi uma loucura. Saqueadores apareceram.

A Sra. Ofrah aperta os lábios.

— É. Nós soubemos.

— O Just Us for Justice estava intocado quando saímos de lá — diz Seven.

— Mesmo que não fique, tudo bem — diz a Sra. Ofrah. — Dá para destruir madeira e tijolo, mas não dá para destruir um movimento. Starr, sua mãe sabe que você está aqui?

— Sabe. — Não pareço convincente nem aos meus próprios ouvidos.

— De verdade?

— Tá, não. Não conte pra ela.

— Eu tenho que contar — diz ela. — Como sua advogada, tenho que fazer o que é melhor para você. Sua mãe saber que você está aqui é o melhor para você.

Não é, porque ela vai me matar.

— Mas você é *minha* advogada. Não dela. Isso não pode ser uma daquelas coisas de sigilo do cliente?

— Starr...

— Por favor. Durante os outros protestos, eu só olhei. E falei. Agora, eu quero fazer alguma coisa.

— Quem disse que falar não é fazer alguma coisa? — pergunta ela. — É mais produtivo do que o silêncio. Lembra o que eu disse sobre sua voz?

— Você disse que é minha maior arma.

— E estava falando sério. — Ela me olha por um segundo e suspira pelo nariz. — Você quer lutar contra o sistema hoje?

Eu faço que sim.

— Então, vamos.

A Sra. Ofrah segura minha mão e me puxa pela multidão.

— Me demita — diz ela.

— Hã?

— Me diga que não quer mais que eu te represente.

— Eu não quero mais que você me represente? — pergunto.

— Que bom. A partir de agora, não sou sua advogada. Assim, se seus pais descobrirem sobre isso, eu não fiz como sua advogada, mas como ativista. Você viu aquele ônibus perto do cruzamento?

— Vi.

— Se os policiais reagirem, corra direto para lá. Entendeu?

— Mas o que...

Ela me leva até a viatura e faz um sinal para a colega. A mulher desce do carro e entrega o megafone para a Sra. Ofrah e ela o entrega para mim.

— Use sua arma — diz ela.

Outro colega me levanta e me coloca em cima da viatura da polícia.

A uns 3 metros, fizeram um templo para Khalil no meio da rua: velas acesas, ursinhos de pelúcia, fotos em porta-retratos e balões. Separa os manifestantes de um bando de policiais usando equipamento da tropa de choque. Não tem tantos policiais quanto na Magnolia, mas, mesmo assim... eles são policiais.

Eu me viro para a multidão. Eles me olham com expectativa.

O megafone pesa como uma arma. É irônico, pois a Sra. Ofrah disse para eu usar minha arma. Sinto uma dificuldade enorme em levantá-lo. Merda, não tenho ideia do que dizer. Eu o levo para perto da boca e aperto o botão.

— Meu... — O megafone faz um ruído alto de romper o tímpano.

— Não tenha medo! — grita alguém na multidão. — Fale!

— Vocês precisam sair das ruas imediatamente — diz o policial.

Quer saber? Que se foda.

— Meu nome é Starr. Eu vi o que aconteceu com Khalil — digo no megafone. — E não foi certo.

Recebo vários "isso aí" e "amém" da multidão.

— Não estávamos fazendo nada de errado. Além do policial Cruise ter suposto que estávamos fazendo besteira, ele supôs que éramos criminosos. Bom, o criminoso aqui é o policial Cruise.

A multidão grita e aplaude. A Sra. Ofrah diz:

— Fale!

Isso me dá energia.

Eu me viro para os policiais.

— Estou cansada disso! Assim como vocês acham que somos todos ruins por causa de alguns, nós pensamos o mesmo de vocês. Até vocês nos darem motivo para pensar diferente, nós vamos continuar protestando.

Mais gritos, e não posso mentir, isso me anima. Esqueçam a alegria de atirar, a alegria de falar é mais a minha praia.

— Todo mundo quer falar sobre como Khalil morreu — digo. — Mas a questão aqui não é como Khalil morreu. É que ele estava vivo. A vida dele era importante. Khalil estava vivo! — Eu olho para os policiais de novo. — Estão me ouvindo? Khalil estava vivo!

— Vamos contar até três para vocês se dispersarem — diz o policial no alto-falante.

— Khalil estava vivo! — nós gritamos.

— Um.

— Khalil estava vivo!

— Dois.

— Khalil estava vivo!

— Três.

— Khalil estava vivo!

A lata de gás lacrimogênio jogada pelos policiais voa na nossa direção. Cai ao lado da viatura.

Eu salto e pego a lata. Sai fumaça da ponta. A qualquer minuto, vai entrar em combustão.

Grito o mais alto possível, torcendo para Khalil me ouvir, e a jogo na direção dos policiais. A lata explode e os envolve em uma nuvem de gás lacrimogênio.

E aí, o caos se instaura.

Os policiais pisoteiam o santuário em homenagem a Khalil, a multidão corre. Alguém segura meu braço. A Sra. Ofrah.

— Vá para o ônibus! — diz ela.

Chego à metade do caminho quando Chris e Seven me alcançam.

— Vem! — diz Seven, e eles me puxam.

Eu tento contar sobre o ônibus, mas há explosões, e nuvens densas de fumaça branca nos envolvem. Meu nariz e minha garganta ardem como se eu tivesse engolido fogo. Meus olhos parecem estar sendo lambidos por chamas.

Uma coisa zumbe por cima da minha cabeça, e uma explosão soa na nossa frente. Mais fumaça.

— DeVante! — grita Chris, olhando ao redor. — DeVante!

Nós o encontramos encostado em um poste de luz tremeluzente. Ele tosse e ofega. Seven me solta e o segura pelo braço.

— Merda, cara! Meus olhos! Não estou conseguindo respirar!

Nós corremos. Chris segura minha mão com a mesma força que seguro a dele. Gritos e estalos altos soam em todas as direções. Não consigo ver nada na fumaça, nem o ônibus do Just Us.

— Não consigo correr. Está doendo! — diz DeVante. — Merda!

— Vem, cara — diz Seven, puxando-o. — Continue!

Luzes fortes surgem na rua pela fumaça. É uma picape cinza com pneus enormes. Para ao nosso lado, a janela é aberta, e meu coração para, esperando a arma aparecer, cortesia de um King Lord.

Mas Goon, o King Lord de Cedar Grove de marias-chiquinhas, olha para nós do banco do motorista, uma bandana cinza por cima do nariz e da boca.

— Subam na caçamba! — diz ele.

Dois homens e uma garota mais ou menos da nossa idade, com bandanas brancas no rosto, nos ajudam a subir. É um convite aberto, e outras pessoas sobem, como um branco de camisa e gravata e um latino com uma câmera no ombro. O homem branco parece estranhamente familiar. Goon sai dirigindo.

DeVante se deita na caçamba da picape. Coloca as mãos nos olhos e rola de dor.

— Merda, cara! Merda!

— Bri, pega leite pra ele — diz Goon pela janela de trás.

*Leite?*

— Acabou, tio — diz a garota de bandana.

— Porra! — sibila Goon. — Aguenta aí, Vante.

Lágrimas e catarro escorrem pelo meu rosto. Meus olhos estão praticamente formigando de ardência.

A picape vai mais devagar.

— Peguem o pequeno — diz Goon.

Os dois rapazes de bandana no rosto pegam um garoto na rua pelo braço e o colocam na picape. O garoto parece ter uns 13 anos. A camisa está coberta de fuligem, e ele tosse e ofega.

Eu tenho um ataque de tosse. Fungar é como engolir carvão quente. O homem de camisa e gravata me entrega seu lenço molhado.

— Vai ajudar um pouco — diz ele. — Coloque no nariz e respire.

Inspiro uma pequena quantidade de ar limpo. Passo para Chris, ele faz o mesmo e passa para Seven, ao lado. Seven usa o lenço e passa para outra pessoa.

— Como você pode ver, Jim — diz o homem para alguém que nenhum de nós está vendo —, tem muitos jovens protestando hoje, negros e brancos.

— Eu sou a cota, é? — murmura Chris para mim antes de tossir. Eu riria se não doesse.

— E tem gente como esse cavalheiro, andando pelo bairro e ajudando onde pode — diz o homem branco. — Motorista, qual é seu nome?

O latino vira a câmera para Goon.

— Suaco — diz Goon.

— Obrigado, Suaco, por nos dar carona.

Uauuu. Percebo por que ele me parece familiar. Ele é um âncora de notícias nacional, Brian alguma coisa.

— Essa jovem aqui fez uma declaração poderosa mais cedo — diz ele, e a câmera se vira para mim. — Você é mesmo a testemunha?

Eu faço que sim. Não faz mais sentido me esconder.

— Nós filmamos o que você disse lá. Tem mais alguma coisa que queira acrescentar para nossos espectadores?

— Tem. Nada disso faz sentido.

Eu começo a tossir de novo. Ele me deixa em paz.

Quando meus olhos não estão fechados, vejo no que meu bairro se transformou. Mais tanques, mais policiais da tropa de choque, mais fumaça. Lojas saqueadas. Postes de luz apagados e incêndios impedindo que a escuridão total se espalhe. Pessoas saem correndo do Walmart carregando mercadorias nos braços, parecendo formigas fugindo de um formigueiro. As lojas intocadas estão com vitrines cobertas de madeira e pichações que dizem "donos negros".

Acabamos entrando na Marigold Avenue, e mesmo com o fogo nos pulmões, eu respiro fundo. Nosso mercado está inteiro. As janelas estão cobertas por tábuas com a mesma pichação de "donos negros", como se fosse sangue de carneiro protegendo a loja da praga da morte. A rua está bem silenciosa. A Top Shelf Wine and Spirits é o único negócio com janelas quebradas. E não tem pichação de "donos negros".

Goon para à porta do nosso mercado. Sai do carro, vai até a caçamba da picape e ajuda todo mundo a sair.

— Starr, Sev, vocês têm a chave?

Procuro nos bolsos as chaves de Seven e jogo para Goon. Ele experimenta cada chave até uma destrancar a porta.

— Aqui, pessoal — diz ele.

Todo mundo, inclusive o câmera e o repórter, entram no mercado. Goon e um dos caras de bandana pegam DeVante e o carregam para dentro. Não há sinal de papai.

Eu engatinho no chão e me deito de bruços, piscando rápido. Meus olhos ardem e se enchem de lágrimas.

Goon coloca DeVante no banco dos velhinhos e vai correndo até a geladeira.

Volta correndo com uma garrafa e derrama no rosto de DeVante. O leite o deixa branco por um momento. DeVante tosse e cospe. Goon derrama mais.

— Para! — diz DeVante. — Você vai me afogar!

— Mas aposto que seus olhos não estão mais doendo — responde Goon.

Eu meio que engatinho e meio que corro até a geladeira e pego uma garrafa. Derramo no rosto. O alívio vem em segundos.

As pessoas derramam leite no rosto enquanto o câmera grava tudo. Uma mulher mais velha bebe. Tem leite empoçado no chão, e um sujeito com idade de universitário se deita de cara e ofega para respirar.

Quando as pessoas conseguem o alívio de que precisam, vão embora. Goon pega várias caixas de leite e pergunta:

— Ei, podemos levar para o caso de alguém precisar na rua?

Seven assente e bebe leite.

— Obrigado, amigo. Se eu encontrar seu pai de novo, aviso que vocês estão aqui.

— Você viu nosso... — Eu tusso e bebo leite, apagando as chamas nos pulmões. — Você viu nosso pai?

— Vi um tempo atrás. Ele estava procurando vocês.

Ah, merda.

— Senhor — diz o repórter para Goon —, podemos ir junto? Nós gostaríamos de ver mais o bairro.

— Tá tranquilo, amigo. Sobe aí atrás. — Ele se vira para a câmera e gira os dedos para que fiquem parecidos com um K e um L.

— Kings de Cedar Groves, galera! Coroa na veia! Addi-o! — Ele dá o grito de um King Lord. Só Goon para fazer sinais de gangue na TV.

Eles nos deixam sozinhos na loja. Seven, Chris e eu estamos na poça de leite, os joelhos no peito. Os braços e pernas de DeVante estão caídos pelas laterais do banco dos velhinhos. Ele toma mais leite.

Seven tira o celular do bolso.

— Droga. Meu celular está sem bateria. Starr, está com o seu?

— Estou. — Tenho mensagens de voz e de texto demais, a maioria da mamãe.

Ouço as de voz primeiro. Começam tranquilas, com mamãe dizendo: *"Starr, amorzinho, me ligue assim que ouvir essa mensagem, tá?"*

Mas logo passam a: *"Starr Amara, sei que você está recebendo essas mensagens. Me ligue. Não estou de brincadeira."*

E progridem para: *"Você já foi longe demais com isso. Carlos e eu estamos saindo pela porta agora, e é melhor você rezar a Deus para nós não te encontrarmos!"*

Na última mensagem, deixada alguns minutos atrás, mamãe diz: *"Ah, você não pode retornar minhas ligações, mas pode liderar protestos, é? Mamãe me disse que viu você ao vivo na TV, fazendo discurso e jogando gás lacrimogênio na polícia! Eu juro que vou acabar com a sua vida se você não me ligar!"*

— A gente está na merda, cara — diz DeVante. — Muita merda.

Seven olha para o relógio.

— Merda. A gente sumiu tem umas quatro horas.

— Muita merda — repete DeVante.

— Será que nós quatro conseguimos um lugar pra morar no México? — pergunta Chris

Eu balanço a cabeça.

— Não é longe o bastante para nossa mãe.

Seven passa a mão no rosto. O leite secou e formou uma casca.

— Tudo bem, a gente precisa acalmar todo mundo. Se ligarmos do telefone do escritório, mamãe vai ver no identificador de chamadas e saber que não estamos mentindo quando dissermos que estamos aqui. Isso vai ajudar, né?

— Estamos atrasados pelo menos três horas para qualquer coisa ajudar — digo.

Seven me levanta e dá a mão para ajudar Chris e a mim a nos levantar. Ele ajuda DeVante a se levantar do banco.

— Venham. Tratem de parecer cheios de remorso, tá?

Nós seguimos para o escritório do papai.

A porta da frente range. Uma coisa cai no chão.

Eu me viro.

Uma garrafa de vidro com um pano em chamas...

*Whoomf!* A loja fica iluminada de laranja de repente. Uma onda de calor nos atinge, como se o sol tivesse caído do céu. Chamas lambem o teto e bloqueiam a porta.

## VINTE E CINCO

Um corredor inteiro já foi engolido pelo fogo.

— A porta dos fundos — diz Seven, sufocando. — A porta dos fundos!

Chris e DeVante nos seguem pelo corredor estreito perto da sala do papai. Leva ao banheiro e à porta dos fundos, por onde chegam as entregas. Já tem fumaça no corredor.

Seven empurra a porta. Nem se mexe. Ele e Chris batem com o ombro nela, mas é à prova de balas, à prova de ombros, à prova de tudo. E a grade contra ladrões não vai mesmo deixar a gente sair.

— Starr, minhas chaves — grita Seven.

Eu balanço a cabeça. Dei as chaves para Goon e, da última vez que vi, ele as tinha deixado à porta da frente.

DeVante tosse. Está ficando mais difícil respirar com toda a fumaça.

— Cara, a gente não pode morrer aqui. Eu não quero morrer.

— Cala a boca! — diz Chris. — A gente não vai morrer.

Eu tusso na dobra do braço.

— Papai talvez tenha uma cópia — digo, a voz fraca. — Na sala dele.

Corremos de volta, mas a porta do escritório também está trancada.

— Porra! — grita Seven.

O Sr. Lewis manca pelo meio da rua. Está segurando um taco de beisebol em cada mão. Olha ao redor, como se estivesse tentando descobrir de onde está vindo toda a fumaça. Com as tábuas nas janelas, ele não consegue ver o inferno dentro da loja se não olhar pela porta da frente.

— Sr. Lewis! — grito o mais alto que consigo.

Os meninos se juntam a mim. A fumaça sufoca nossa voz. As chamas dançam a metros de nós, mas juro que é como se eu estivesse no meio delas.

O Sr. Lewis manca na direção da loja, apertando os olhos. Mas ele logo os arregala quando olha pela porta, direto para nós do outro lado das chamas.

— Ah, Deus!

Ele manca pela rua o mais rápido do que já o vi se mover.

— Socorro! Tem jovens presos ali dentro! Socorro!

Ouvimos um estalo alto à nossa direita. O fogo ocupa outra prateleira.

O sobrinho do Sr. Reuben, Tim, corre até o mercado e abre a porta da frente, mas as chamas estão intensas demais.

— Vão para a porta dos fundos! — grita ele para nós.

Tim quase chega antes de nós. Ele puxa a porta com força, e o vidro treme. Pelo jeito como está puxando, a porta vai acabar se soltando. Mas não temos muito tempo para esperar.

Pneus cantam do lado de fora.

Momentos depois, papai corre até a porta dos fundos.

— Cuidado — diz ele para Tim, tirando-o do caminho.

Papai remexe nas chaves e enfia várias na fechadura enquanto murmura:

— Por favor, Deus. Por favor.

Mal consigo ver Seven, Chris e DeVante de tanta fumaça, e eles estão tossindo e ofegando ao meu lado.

Um clique. A fechadura gira. A porta se abre. Nós saímos correndo. Ar fresco enche meus pulmões.

Papai puxa a mim e Seven pelo corredor, até a esquina e para o outro lado da rua, para o Reuben's. Tim leva DeVante e Chris. Eles nos fazem sentar na calçada.

Outro cantar de pneus, e mamãe diz:

— Ah, meu Deus!

Ela se aproxima correndo, tio Carlos logo atrás. Ela segura meus ombros e me ajuda a deitar na calçada.

— Respire, amorzinho — diz ela. — Respire.

Mas eu tenho que ver. Eu me sento.

Papai tenta entrar no mercado, Deus sabe para quê. As chamas o fazem recuar. Tim sai correndo com um balde de água do restaurante do tio. Entra correndo na loja e joga no fogo, mas também é obrigado a recuar.

Pessoas surgem na rua, e mais baldes de água são jogados na loja. A Sra. Yvette carrega um do salão de beleza. Tim joga a água no fogo. Chamas consomem o telhado, e fumaça sobe pelas janelas da barbearia ao lado.

— Minha loja! — grita o Sr. Lewis. O Sr. Reuben o impede de correr até ela. — Minha loja!

Papai fica parado no meio da rua, respirando com dificuldade, parecendo derrotado. Uma multidão se juntou, e as pessoas olham com a mão na boca.

Um barulho baixo soa ali por perto. Papai vira a cabeça lentamente.

O BMW cinza está estacionado no cruzamento perto da loja de bebidas. King está encostado nele. Outros King Lords estão ao lado dele ou sentados no capô do carro. Eles riem e apontam.

King olha diretamente para papai e pega o isqueiro. Ele acende uma chama.

Iesha disse que King ia foder com *a gente* porque eu o dedurei. Ela estava falando da minha família toda.

Foi ele quem fez isso.

— Seu filho da puta! — Papai anda na direção de King, e os garotos de King avançam na direção de papai. Tio Carlos o segura. Os

King Lords pegam as armas e provocam para que papai vá para cima deles. King ri como se fosse um programa de comédia.

— Você acha essa merda engraçada? — grita papai. — Seu covarde, sempre escondido atrás dos seus garotos.

King para de rir.

— É, isso mesmo! Não tenho medo de você! Você não é merda suficiente para me dar medo! Tentar incendiar adolescentes, seu covarde do caralho.

— Ah, hã-hã!

Mamãe vai para cima de King, e tio Carlos tem que trabalhar dobrado para também segurá-la.

— Ele botou fogo no mercado de Maverick! — anuncia o Sr. Lewis para todo mundo, caso nós não tivéssemos ouvido. — King botou fogo no mercado de Maverick!

As palavras transbordam pela multidão, e olhos apertados pousam em King.

É claro que é nessa hora que a polícia e os carros de bombeiro decidem aparecer. Claro. Porque é assim que as coisas funcionam em Garden Heights.

Tio Carlos convence meus pais a recuarem. King leva o charuto aos lábios, os olhos brilhando. Tenho vontade de pegar um dos tacos de beisebol do Sr. Lewis e acertar a cabeça dele.

Os bombeiros começam a trabalhar. A polícia manda as pessoas se afastarem. King e seus garotos estão se divertindo a valer agora. Merda, parece que a polícia os está ajudando.

— Vocês precisam pegar eles! — diz o Sr. Lewis. — Foram eles que começaram o incêndio!

— Aquele velho não sabe o que fala — diz King. — Toda essa fumaça o afetou.

O Sr. Lewis parte para cima de King, e um policial precisa segurá-lo.

— Eu não sou maluco! Você começou o incêndio! Todo mundo sabe!

O rosto de King se retorce.

— É melhor você tomar cuidado, mentindo assim.

Papai olha para mim, e vejo uma expressão no rosto dele que nunca vi antes. Ele se vira para o policial que está segurando o Sr. Lewis e diz:

— Ele não está mentindo. Foi King quem começou o incêndio, policial.

Pu-ta merda.

Papai dedurou.

— O mercado é meu — diz ele. — Sei que foi ele quem começou o incêndio.

— Você o viu botar fogo no mercado? — pergunta o policial.

Não. Esse é o problema. Nós sabemos que foi King, mas, se ninguém viu...

— Eu vi — diz o Sr. Reuben. — Foi ele.

— Eu também vi — diz Tim.

— Eu também — acrescenta a Sra. Yvette.

E, merda, agora a multidão está ecoando a mesma coisa, apontando para King e seus garotos. Todo mundo está dedurando. As regras não se aplicam mais.

King estica a mão para a porta do carro, mas alguns policiais puxam a arma e mandam que ele e seus garotos se deitem no chão.

Uma ambulância chega. Mamãe fala sobre a inalação de fumaça. Eu deduro e conto sobre DeVante, embora o olho roxo deixe óbvio que ele precisa de ajuda. Nos deixam sentados no meio-fio e distribuem máscaras de oxigênio em nós. Eu achei que as coisas não estivessem mais tão ruins assim, mas esqueci como ar puro é bom. Estou respirando fumaça desde que cheguei a Garden Heights.

Eles examinam a lateral do corpo de DeVante. Está roxa, e disseram que ele vai precisar fazer raios X. Ele não quer entrar na ambulância, e mamãe garante aos paramédicos que ela mesma vai levá-lo.

Apoio a cabeça no ombro de Chris e ficamos de mãos dadas, os dois com máscaras de oxigênio. Não vou mentir e dizer que a noite foi melhor porque ele estava junto; sinceramente, foi uma noite toda errada, nada poderia torná-la melhor. Mas não foi ruim termos passado por tudo isso juntos.

Meus pais vêm em nossa direção. Os lábios de papai estão apertados, e ele murmura alguma coisa para mamãe. Ela o cutuca e diz:

— Seja gentil.

Ela se senta entre Chris e Seven. Papai para na minha frente e de Chris primeiro, como se estivesse esperando que abríssemos espaço para ele.

— Maverick — diz mamãe.

— Tudo bem, tudo bem. — Ele se senta do meu outro lado.

Ficamos olhando os bombeiros apagarem o fogo. Mas não adianta. Eles só estão salvando a casca do mercado.

Papai suspira e esfrega a cabeça careca.

— Droga, cara.

Meu coração dói. Estamos perdendo um membro da família. De verdade. Passei a maior parte da minha vida naquele mercado. Levanto a cabeça do ombro de Chris e apoio no de papai. Ele coloca o braço no meu ombro e beija meu cabelo. Não deixo de notar a expressão arrogante que surge no rosto dele. Que mesquinho.

— Esperem um minuto. — Ele se afasta de mim. — Por onde vocês andaram?

— É o que eu quero saber — diz mamãe. — Agindo como se não pudesse responder minhas mensagens e ligações.

É sério? Seven e eu quase morremos em um incêndio, e eles estão com raiva porque não ligamos para eles? Eu levanto a máscara e digo:

— Foi uma noite longa.

— Ah, tenho certeza de que foi — diz mamãe. — Porque a gente tem uma radicalzinha em casa, Maverick. Apareceu na televisão, jogando gás lacrimogênio na polícia.

— Depois que eles jogaram em nós — observo.

— Como ééé? — diz papai, parecendo surpreso. Mamãe olha para ele de lado, e ele diz em um tom mais severo: — Quer dizer, como é que é? Por que você fez isso?

— Eu estava com raiva. — Eu cruzo os braços em cima dos joelhos e olho para os tênis pela abertura. — Não foi a decisão certa.

Papai passa o braço nos meus ombros de novo e encosta a cabeça na minha. Um aconchego de pai.

— Não — diz ele. — Não foi.

— Ei. — Mamãe faz sinal para eu olhar para ela. — A decisão pode não ter sido certa, mas não foi culpa sua. Lembra o que eu falei? Às vezes, as coisas dão errado...

— Mas o importante é continuar fazendo o certo. — Meus olhos vão até meus tênis de novo. — Khalil merecia mais do que isso.

— É. — A voz dela fica rouca. — Merecia.

Papai olha para o meu namorado.

— Então... Chris sem graça.

Seven ri, DeVante segura uma risadinha. Mamãe diz:

— Maverick!

E eu digo:

— *Papai*!

— Pelo menos não é garoto branco — diz Chris.

— Exatamente — diz papai. — Já é um pouco melhor. Você precisa conquistar minha tolerância aos poucos se quer namorar minha filha.

— Senhor! — Mamãe revira os olhos. — Chris, amor, você ficou *aqui* a noite toda?

Pelo jeito que ela fala, não consigo segurar uma gargalhada. Ela basicamente está perguntando: "Você se deu conta de que está no gueto, né?"

— Sim, senhora — diz Chris. — A noite toda.

Papai resmunga:

— Talvez você tenha um pouco de coragem, então.

Meu queixo cai, e mamãe diz:

— Maverick Carter! — Seven e DeVante caem na gargalhada.

Mas Chris? Ele diz:

— Sim, senhor, eu gosto de pensar que tenho.

— Caraaaamba — diz Seven. Ele estica a mão para dar um soquinho na mão de Chris, mas papai faz cara feia e puxa a mão de volta.

— Tudo bem, Chris sem graça — diz papai. — Academia de boxe, sábado que vem, você e eu.

Chris levanta a máscara de oxigênio muito rápido.

— Me desculpe, eu não devia ter dito...

— Calma, não vou brigar com você — diz papai. — Nós vamos treinar. Nos conhecer. Você está há um tempo com a minha filha. Eu tenho que conhecer você, e dá para aprender muito sobre um homem em uma academia de boxe.

— Ah... — Chris relaxa os ombros. — Tudo bem. — Ele põe a máscara de volta.

Papai sorri. É um sorriso irônico demais para o meu gosto. Ele vai matar meu pobre namorado.

Os policiais colocam King e os garotos nas viaturas, e a multidão aplaude e grita. Finalmente, algo a comemorar hoje.

Tio Carlos se aproxima. Está com uma camiseta regata cavada e um short, tão incomum para o tio Carlos, mas alguma coisa nele ainda tem aspecto de detetive. Ele está em modo policial desde que os colegas chegaram.

Tio Carlos dá um resmungo de velho quando se senta na calçada ao lado de DeVante. Ele segura a nuca de DeVante do mesmo jeito que papai segura a de Seven. Eu chamo de abraço de homem.

— Fico feliz por estar bem, garoto — diz ele. — Mesmo parecendo que foi atropelado duas vezes por um caminhão.

— Você não está com raiva por eu ter saído sem avisar?

— Claro que estou. Estou puto da vida. Mas estou mais feliz ainda por você estar bem. Agora, minha mãe e Pam são uma história totalmente diferente. Não posso salvá-lo da fúria delas.

— Você vai me botar pra fora de casa?

— Não. Você está de castigo, provavelmente pelo resto da vida, mas só porque a gente ama você.

DeVante abre um sorriso.

Tio Carlos bate nos joelhos.

— Então... graças a tantas testemunhas, a gente deve conseguir prender King por incêndio criminoso.

— Ah, sério? — pergunta papai.

— É. É um começo, mas não é o suficiente. Ele vai estar na rua até o final da semana.

E de volta à mesma merda de sempre. Com alvos desta vez.

— Se vocês soubessem onde fica o estoque de King — diz DeVante —, isso ajudaria?

Tio Carlos diz

— Provavelmente.

— Se alguém aceitasse dedurar tudo dele, isso ajudaria?

Tio Carlos se vira totalmente para ele.

— Você está dizendo que quer virar testemunha?

— Quer dizer... — DeVante faz uma pausa. — Vai ajudar Kenya, a mãe e a irmã dela?

— Se King fosse preso? — diz Seven. — Sim. Muito.

— Vai ajudar o bairro todo, na verdade — diz papai.

— Eu teria proteção? — pergunta DeVante ao tio Carlos.

— Sem dúvida. Eu prometo.

— E tio Carlos sempre cumpre as promessas dele — digo.

DeVante assente por um momento.

— Então acho que vou virar testemunha.

Pu-ta merda de novo.

— Tem certeza disso? — pergunto.

— Tenho. Depois de ver você enfrentar aqueles policiais hoje, não sei, cara. Aquilo me afetou de alguma forma — diz ele. — E aquela moça disse que nossas vozes são armas. Eu devia usar a minha, né?

— Então você está disposto a virar dedo-duro — diz Chris.

— De King — acrescenta Seven.

DeVante dá de ombros.

— Já estou todo machucado, precisando de um monte de pontos. Nem vai fazer diferença.

# VINTE E SEIS

São umas 11 horas da manhã seguinte e eu ainda estou na cama. Depois da noite mais longa do mundo, tive que reatar os laços com meu travesseiro.

Mamãe acende a luz do meu novo quarto; Senhor, tem luzes demais aqui.

— Starr, sua cúmplice no crime está no telefone — diz ela.

— Quem? — pergunto.

— Sua cúmplice de protesto. Mamãe me disse que a viu entregar aquele megafone para você na TV. Que colocou você em perigo daquele jeito.

— Mas ela não queria me colocar em...

— Ah, já me acertei com ela, não se preocupe. Tome. Ela quer pedir desculpas pra você.

A Sra. Ofrah pede desculpas por me botar em uma situação de perigo e pelo resultado de tudo relacionado a Khalil, mas diz que sente orgulho de mim.

Ela também diz que acha que tenho futuro no ativismo.

Mamãe sai com o telefone, e eu me viro de lado. Tupac me olha de um pôster, um sorrisinho na cara. A tatuagem Thug Life na barriga parece mais escura do que o resto da foto. Foi a primeira coisa que coloquei no meu quarto novo. É um jeito de ter Khalil comigo.

Ele disse que Thug Life era sigla de *The Hate U Give Little Infants Fucks Everybody*, "o ódio que você passa pras criancinhas fode com todo mundo". Nós fizemos tudo aquilo ontem à noite porque estávamos furiosos, e aquilo fodeu com todos nós. O mercado já era. Garden Heights foi quase todo destruído. Agora, temos que conseguir desfoder com todo mundo.

Eu me sento e pego o celular na mesa de cabeceira. Tem mensagens de texto de Maya, que me viu no noticiário e acha que sou a personificação de uma pessoa foda, e de Chris. Os pais dele o deixaram de castigo, mas ele diz que valeu a pena. Valeu mesmo.

Tem outra mensagem. E logo de Hailey. Duas palavras simples:
Sinto muito.

Não é o que eu esperava. Não que eu esperasse receber *qualquer coisa* dela; não que eu queira ter que lidar com ela. É a primeira vez que ela fala comigo desde a nossa briga. Não estou reclamando. Ela também não existe mais para mim. Mas respondo mesmo assim.

Sente pelo quê?

Não estou sendo mesquinha. Mesquinharia seria dizer "esse número é novo, quem é?" Tem uma lista praticamente infindável de coisas pelas quais ela poderia estar pedindo desculpas.

Pela decisão, diz ela.
E por você estar chateada comigo.
Eu não ando sendo eu mesma ultimamente.
Só queria que tudo voltasse a ser como era.

A empatia pelo caso é legal, mas ela sente muito por eu estar chateada? Não é a mesma coisa que pedir desculpas pelas ações dela e pelo lixo que ela disse. Ela sente muito por eu ter reagido como eu reagi.

Estranhamente, eu precisava saber disso.

É como minha mãe disse: se o lado bom prevalece ao ruim, eu devia manter a amizade de Hailey. Tem uma tonelada de coisas ruins agora, uma *sobrecarga*. Odeio admitir que uma parte pequenininha de mim torcia para que Hailey visse como ela estava errada, mas ela não viu. Talvez nunca veja.

E, quer saber? Tudo bem. Tá, talvez não *tudo bem*, porque isso faz dela uma pessoa horrível, mas não preciso ficar esperando que ela mude. Eu posso seguir em frente. Eu respondo:

As coisas nunca mais vão ser como eram.

Aperto o botão de enviar, espero que a mensagem seja transmitida e apago a conversa. Também apago o número de Hailey do meu celular.

Eu me espreguiço e bocejo enquanto sigo pelo corredor. A disposição da nossa nova casa é bem diferente da antiga, mas acho que consigo me acostumar.

Papai corta rosas na bancada da cozinha. Ao lado dele, Sekani engole um sanduíche, e Tijolão, com as patas no colo dele, fica olhando para o sanduíche do mesmo jeito que olharia um esquilo.

Mamãe aperta interruptores na parede. Um faz um barulho de triturador na pia e o outro acende e apaga a luz.

— Tem interruptores demais — murmura ela, e repara em mim.

— Ah, olha, Maverick. É nossa pequena revolucionária.

Tijolão se aproxima de mim e pula nas minhas pernas, balançando o rabo.

— Bom dia — digo para ele, e coço atrás das orelhas. Ele volta para o chão e volta para Sekani e o sanduíche.

— Me faz um favor, Starr — diz Seven, remexendo em uma caixa que tem "coisas de cozinha" escrito com minha letra. — Da próxima vez, seja mais específica sobre que tipo de coisa de cozinha tem na caixa. Já revirei três tentando encontrar pratos.

Eu me sento em um banco em frente à bancada.

— Seu preguiçoso, não é para isso que servem toalhas de papel?

Seven aperta os olhos.

— Ei, pai, adivinha onde peguei Starr ont...

— Os pratos estão no fundo daquela caixa — digo.

— Foi o que pensei.

Meu dedo do meio quer tanto se esticar.

Papai diz:

— Só sei que é melhor que você não estivesse na casa daquele garoto.

Eu forço um sorriso.

— Não. Claro que não.

Vou matar Seven.

Papai suga os dentes.

— Aham.

Ele volta a mexer nas rosas. Tem um arbusto inteiro na bancada. As rosas estão secas, e algumas das pétalas caíram. Papai coloca o arbusto em um vaso de argila e joga terra sobre as raízes.

— As rosas vão ficar bem? — pergunto.

— Vão. Estão um pouco danificadas, mas vivas. Vou tentar uma coisa diferente com elas. Colocar em terra nova pode ser como apertar um botão de reiniciar.

— Starr — diz Sekani, a boca cheia de pão e carne. Nojento. — Você está no jornal.

— Pare de falar com a boca cheia, menino! — repreende mamãe.

Papai indica o jornal na bancada.

— É. Dá uma olhada, Panterinha Negra.

Estou na primeira página. O fotógrafo me pegou no meio do lançamento. A lata de gás lacrimogênio solta fumaça na minha mão. A manchete diz "Testemunha reage".

Mamãe apoia o queixo no meu ombro.

— Falaram de você em todos os noticiários da manhã. Sua avó liga a cada cinco minutos, nos dizendo um novo canal para assistirmos. — Ela beija minha bochecha. — Só sei que é melhor você não me assustar assim de novo.

— Não vou. O que estão dizendo no noticiário?

— Estão chamando você de corajosa — diz papai. — Mas você sabe, sempre tem um canal para reclamar e dizer que você colocou os policiais em perigo.

— Eu não tive problema nenhum com os policiais. Tive com a lata de gás lacrimogênio, e eles jogaram primeiro.

— Eu sei, amorzinho. Não se estresse. Aquele canal todo pode tomar no...

— Um dólar, papai. — Sekani sorri para ele.

— Coelho. Eles podem tomar no coelho. — Ele passa terra no nariz de Sekani. — Você não vai tirar mais nenhum dólar de mim.

— Ele sabe — diz Seven, fazendo cara feia para Sekani, que faz olhos de cachorrinho culpado que poderiam ser uma concorrência séria aos de Tijolão.

Mamãe tira o queixo do meu ombro.

— Tá. O que foi isso?

— Nada. Eu falei para Sekani que temos que ser mais cuidadosos com o dinheiro agora.

— E disse que a gente pode ter que voltar para Garden Heights! — dedura Sekani. — A gente vai?

— Não, claro que não — diz mamãe. — Pessoal, a gente vai resolver isso.

— Exatamente — diz papai. — Se eu tiver que vender laranjas na rua como os Nation Brothers, eu vendo.

— Mas vocês acham certo termos saído? — pergunto. — O bairro está destruído. O que as pessoas vão pensar de nós por termos saído em vez de ajudar a reconstruí-lo?

Eu nunca pensei que diria uma coisa assim, mas a noite de ontem me fez pensar nisso de forma tão diferente, sobre mim de forma tão diferente. Sobre Garden Heights de forma tão diferente.

— Ainda podemos ajudar a reconstruir — diz papai.

— Certo. Vou fazer turnos extras na clínica — diz mamãe.

— E vou pensar em alguma coisa para fazer no mercado até a reforma — diz papai. — Nós não temos que morar lá para mudar as coisas, amorzinho. Só precisamos nos importar. Certo?

— Certo.

Mamãe beija minha bochecha e passa a mão no meu cabelo.

— Olhe para você. Toda preocupada com a comunidade de repente. Maverick, que horas a vistoria disse que ia lá?

Papai fecha os olhos e aperta o espaço entre eles.

— Em duas horas. Eu nem quero ver.

— Tudo bem, papai — diz Sekani, a boca cheia de sanduíche. — Você não precisa ir sozinho. Nós vamos com você.

E vamos mesmo. Duas viaturas da polícia bloqueiam a entrada de Garden Heights. Papai mostra a identidade e explica por que precisamos entrar. Consigo respirar durante toda a conversa, e eles nos deixam passar.

Droga, estou vendo por que não estão deixando as pessoas passarem. A fumaça assumiu residência permanente, e vidro e todo tipo de lixo cobrem as ruas. Passamos por tantas carcaças pretas do que antes eram lojas.

O mercado é o mais difícil de ver. O telhado queimado está dobrado sobre si mesmo, como se o mais leve vento fosse derrubá-lo. Os tijolos e grades protegem o lixo queimado.

O Sr. Lewis varre a calçada na frente da barbearia. Não está tão destruído quanto o mercado, mas uma vassoura e uma pá não vão resolver.

Papai estaciona na frente do mercado, e nós saímos do carro. Mamãe aperta os ombros do papai.

— Starr — sussurra Sekani, e ele olha para mim. — O mercado...

Os olhos dele estão cheios de lágrimas, e os meus também. Passo os braços nos ombros dele e o abraço forte.

— Eu sei, cara.

Um chiado alto se aproxima e alguém assobia uma canção. Garrafinha empurra o carrinho de compras pela calçada. Mesmo quente como está, ele usa um casaco camuflado.

Ele para de repente na frente do mercado, como se tivesse acabado de perceber.

— Caramba, Maverick — diz ele, do jeito rápido de Garrafinha, em que tudo soa como uma palavra só. — O que foi que aconteceu?

— Cara, você estava apagado ontem à noite? — pergunta papai.

— Tacaram fogo no meu mercado.

— Eu estava do outro lado da rodovia. Não podia ficar aqui. Ah, nããão, eu sabia que aquela gente ia surtar. Você tem seguro? Espero que tenha. Eu tenho seguro.

— De quê? — pergunto, afinal, é sério?

— De vida! — diz ele, como se fosse óbvio. — Você vai reconstruir, Maverick?

— Não sei, cara. Tenho que pensar no assunto.

— Tem mesmo, porque agora não vamos ter mais mercado. Todo mundo vai embora e nunca mais vai voltar.

— Eu vou pensar.

— Tudo bem. Se precisar de qualquer coisa, me avise. — E ele empurra o carrinho pela calçada, mas para abruptamente de novo. — A loja de bebidas também já era? Ah, nããão!

Eu dou uma risadinha. Só Garrafinha mesmo.

O Sr. Lewis se aproxima, mancando com a vassoura.

— Aquele tolo tem razão. As pessoas vão precisar de um mercado aqui. Todo mundo vai embora.

— Eu sei — diz papai. — É que... é muita coisa, Sr. Lewis.

— Eu sei que é. Mas você consegue resolver. Eu contei a Clarence o que aconteceu — diz ele, falando do Sr. Wyatt, o amigo dele que era dono do mercado. — Ele acha que você tem que ficar. E a gente estava conversando, e acho que está na hora de eu fazer como ele. Me sentar em um banco, ficar olhando as moças bonitas.

— Você vai fechar a barbearia? — pergunta Seven.

— Quem vai cortar meu cabelo? — acrescenta Sekani.

O Sr. Lewis olha para ele.

— Não é problema meu. Como o seu vai ser o único mercado aqui, Maverick, você vai precisar de mais espaço quando reconstruir. Quero dar minha loja pra você.

— O quê? — pergunta mamãe.

— Opa, opa, espere um minuto aí, Sr. Lewis — diz papai.

— Espere nada. Eu tenho seguro, e vou receber mais do que o suficiente. Não posso fazer nada com uma loja queimada. Você pode construir um mercado legal, dar ao povo algo de que sentir orgulho.

Só peço que você bote algumas fotos do Dr. King ao lado das do seu Newey sei-lá-quem.

Papai ri.

— Huey Newton.

— É. Ele. Sei que vocês estão se mudando, e fico feliz, mas o bairro ainda precisa de mais homens como você. Mesmo que seja apenas como dono de um mercado.

O seguro chega um pouco depois, e papai leva o vistoriador para ver o que sobrou. Mamãe pega luvas e sacos de lixo na caçamba da picape, passa para mim e meus irmãos e nos diz para começarmos o trabalho. É meio difícil com as pessoas passando e buzinando. Elas gritam coisas como "Mantenham a cabeça erguida!" e "Contem com a gente!"

Algumas vão ajudar, como a Sra. Rooks e Tim. O Sr. Reuben leva garrafas geladas de água, porque o sol não está para brincadeira. Eu me sento no meio-fio, suada, cansada e cem por cento pronta para descansar. Não chegamos nem perto do final.

Uma sombra surge acima de mim, e alguém diz:

— Oi.

Eu protejo os olhos quando levanto o rosto. Kenya está usando uma camiseta larga e um short de basquete. Parece ser de Seven.

— Oi.

Ela se senta ao meu lado e puxa os joelhos para o peito.

— Eu vi você na TV — diz ela. — Eu falei pra você falar, mas, caramba, Starr. Você foi meio longe demais.

— Mas fez as pessoas falarem, não fez?

— Fez. Sinto muito pelo mercado. Eu soube que foi meu pai.

— Foi. — Não adianta negar, caramba. — Como está sua mãe?

Kenya puxa os joelhos ainda mais.

— Ele bateu nela. Ela foi parar no hospital e teve que passar a noite. Ela teve uma concussão e um monte de outras coisas, mas vai ficar bem. A gente a viu um tempo atrás. A polícia chegou e a gente teve que sair.

— É mesmo?

— É. Revistaram nossa casa mais cedo e queriam fazer perguntas a ela. Eu e Lyric temos que ficar com a vovó agora.

A atitude de DeVante já está surtindo efeito.

— Tudo bem por você?

— Fico aliviada, na verdade. Louco, né?

— Na verdade, não.

Ela coça uma das trancinhas, o que faz todas se moverem da mesma forma.

— Me desculpe por chamar Seven de meu irmão e não seu.

— Ah. — Eu tinha me esquecido disso. Parece uma coisa pequena depois de tudo que aconteceu. — Tudo bem.

— Acho que eu o chamava de meu irmão porque... dava a sensação de que ele era mesmo meu irmão, sabe?

— Hã, ele é seu irmão, Kenya. Eu tenho ciúmes do quanto ele quer estar com você e com Lyric.

— Porque ele acha que tem que ficar — diz ela. — Ele quer ficar com vocês. Eu entendo o motivo. Ele e meu pai não se entendem. Mas eu queria que ele quisesse ser meu irmão às vezes em vez de achar que tem que ser. Ele tem vergonha de nós. Por causa da nossa mãe e do meu pai.

— Não tem, não.

— Tem, sim. Você também tem vergonha de mim.

— Eu nunca disse isso.

— Não precisou, Starr — diz ela. — Você nunca me convidou para estar com você e aquelas meninas. Elas nunca estavam na sua casa quando eu estava. Era como se você não quisesse que elas soubessem que eu também era sua amiga. Você tinha vergonha de mim, de Khalil, até do Garden, e você sabe.

Eu fico em silêncio. Preciso encarar a verdade, por mais feia que seja, ela está certa. Eu tinha vergonha de Garden Heights e de tudo de lá. Mas parece idiotice agora. Não posso mudar o lugar de onde venho nem o que passei, então por que devia ter vergonha do que me faz ser quem sou? É como sentir vergonha de mim mesma.

Não. Foda-se isso.

— Talvez eu tivesse vergonha — admito. — Mas não tenho mais. E Seven não tem vergonha de você, da sua mãe nem de Lyric. Ele ama vocês todas, Kenya. Então, como eu falei, *nosso* irmão. Não só meu. Acredite, fico mais do que feliz de compartilhar se isso significar tirar ele do meu pé.

— Ele sabe ser um saco, né?

— Menina, sabe mesmo.

Nós rimos juntas. Por mais que eu tenha perdido, eu também ganhei coisas boas. Como Kenya.

— Tá, tudo bem — diz ela. — Acho que a gente pode compartilhar ele.

— Anda logo, Starr — chama mamãe, batendo palmas, como se isso fosse me fazer ir mais rápido. Ainda em ditadura, eu juro. — Temos trabalho a fazer. Kenya, tem um saco de lixo e luvas com seu nome se você quiser ajudar.

Kenya se vira para mim como quem diz *Sério?*

— Eu também posso compartilhar ela — digo. — Na verdade, pode levar.

Nós rimos e nos levantamos. Kenya olha para os destroços. Mais vizinhos se juntaram no mutirão de limpeza e formam uma fila que retira lixo da loja e coloca nas latas na calçada.

— O que vocês vão fazer agora? — pergunta Kenya. — Em relação ao mercado?

Um carro buzina para nós, e o motorista grita para dizer que podemos contar com ele. A resposta vem fácil.

— A gente vai reconstruir.

Era uma vez um garoto de olhos castanhos e covinhas. Eu o chamava de Khalil. O mundo o chamava de bandido.

Ele viveu, mas não por tempo suficiente, e, pelo resto da minha vida, vou me lembrar de como ele morreu.

Conto de fadas? Não. Mas não vou desistir de um final melhor.

Seria fácil desistir se fossemos só eu, Khalil, aquela noite e aquele policial. Mas tem muitos outros envolvidos. Tem Seven. Sekani. Kenya. DeVante.

Tem também Oscar.

Aiyana.

Trayvon.

Rekia.

Michael.

Eric.

Tamir.

John.

Ezell.

Sandra.

Freddie.

Alton.

Philando.

Tem até aquele garotinho de 1955 que ninguém reconheceu de primeira: Emmett.

A pior parte? Tem muito mais gente.

Mas acho que vai mudar um dia. Como? Não sei. Quando? Não sei mesmo. Por quê? Porque sempre vai existir alguém para lutar. Talvez seja a minha vez.

Tem outros lutando também, até no Garden, onde às vezes parece que não tem muita coisa pela qual valha a pena lutar. As pessoas estão percebendo e gritando e marchando e exigindo. Não estão esquecendo. Acho que essa é a parte mais importante.

Khalil, eu nunca vou esquecer.

Nunca vou desistir.

Nunca vou ficar calada.

Prometo.

# AGRADECIMENTOS

Há uma chance de isto parecer um discurso de rapper em premiação, então, com o verdadeiro espírito rapper, primeiro tenho que agradecer ao meu Senhor e Salvador, Jesus Cristo. Não sou digna de tudo que você fez por mim. Obrigada por todas as pessoas que você botou na minha vida e que fizeram este livro ser possível:

Brooks Sherman, agente extraordinária e super-heroína, amiga e a maior "membro de gangue de suéter de gola V". Desde o primeiro dia, você é minha maior líder de torcida e psicóloga de vez em quando, e bancou a membro de gangue em minha defesa quando necessário. Só uma verdadeira G poderia lidar com um leilão entre 13 editoras como você fez. Você é a mais Irada com I maiúsculo. Starr tem sorte de ter você como treinadora, e eu mais ainda.

Donna Bray, quando as pessoas pesquisarem a definição de "foda", sua imagem devia aparecer ao lado. Também devia aparecer ao lado de "gênio" e de "brilhante". Este livro é muito mais forte por sua causa. Fico honrada em ter uma editora que não só acredita em Starr e na história dela como você, mas que também acredita em mim. Obrigada por "entender".

A equipe fenomenal da Bent Agency, inclusive Jenny Bent, Victoria Cappello, Charlee Hoffman, John Bowers e todos os coagentes internacionais, principalmente Molly Ker Hawn, agente extraordinária do Reino Unido — Cookie Lyon queria ser você. Se eu pudesse, daria todos os bolos de caramelo do mundo para você e um milhão de obrigadas.

Um ENORME agradecimento a todo mundo na Balzer + Bray/Harper Collins pelo trabalho duro e entusiasmo por este livro. Vocês são a equipe dos sonhos. Um agradecimento especial a Alessandra Balzer, Viana Siniscalchi, Caroline Sun, Jill Amack, Bethany Reis, Jenna Stempel, Alison Donalty, Nellie Kutzman, Bess Braswell e Patty Rosati. Debra Cartwright, obrigada pela arte incrível. Você ajudou muito a dar mais vida a Starr e Khalil.

Mary Pender-Coplan, a melhor agente de filmes do planeta. Devo a você meu primogênito e minha gratidão eterna. Nancy Tayler, melhor assistente de agente de filmes e todo mundo da UTA.

Christy Garner, obrigada por ser a luz na escuridão e por sempre ver o bom das minhas histórias (e em mim) mesmo quando estão (e eu também) uma confusão. Sua amizade é uma bênção.

Team Double Stuf: Becky Albertalli, Stefani Sloma e Nic Stone. Vocês podem ter gosto duvidoso no que diz respeito a Oreo, mas não há dúvida de que eu amo vocês. É uma honra chamá-las de amigas.

Todos os meus irmãos B-Team, com vivas especiais para Sarah Cannon, parceiros no crime do Golden Oreo Adam Silvera, Lianne Oelke, Heidi Schulz, Jessica Clues, Brad McLelland, Rita Meade e Mercy Brown.

Toda a equipe do We Need Diverse Books, principalmente o Walter Dean Myers Committee. Ellen Oh, você é uma pérola da literatura infantil e uma pérola na minha vida.

Tupac Shakur, eu não conheci você, mas sua sabedoria e suas palavras me inspiram diariamente. Esteja você em "Thugz Mansion" ou escondido em algum lugar de Cuba, eu espero que esta história faça justiça à sua mensagem.

Minha família de Belhaven: Dr. Roger Parrot, Dr. Randy Smith (o professor mais engraçado e o melhor de escrita criativa da história), Sra. Rose Mary Foncree, Dra. Tracy Ford, Sra. Sheila Lyons. Dr. Don Hubele, você é da família e está sempre no meu coração. Obrigada por me mostrar o amor de Cristo e não só falar sobre ele.

"Tio" Howard Bahr, sei que você não e fã de agradecimentos, mas não tinha como eu deixar este livro ser publicado sem agradecê-lo. Ele existe por sua causa. Você me ajudou a encontrar minha voz e me ajudou a perceber que, mesmo em bairros como o meu, há histórias que precisam ser contadas. Obrigada.

Joe Maxwell, obrigada por sua orientação e seu amor. Muitas, muitas, MUITAS bênçãos para você.

Meus fenomenais parceiros de crítica, leitores beta e amigos: Michelle Hulse, Chris Owens, Lana Wood Johnson, Linda Jackson, Dede Nesbitt, Katherine Webber, S.C., Ki-Wing Merlin, Melyssa Mercado, Bronwyn Deaver, Jeni Chappelle, Marty Mayberry (também conhecidas como as primeiras pessoas a lerem a proposta deste livro), Jeff Zentner (Hov!), todos os meus seguidores do Twitter e todo mundo do Sub It Club, do Absolute Write e do Kidlit AOC. Peço desculpas se não citei todo mundo. Amo todos vocês.

Minhas moças Wakanda: Camryn Garrett, L. L. McKinney e Adrianne Russell. Vocês são a magia da garota negra em pessoa.

June Hardwick, obrigada pelas dicas, pela sabedoria e por ser você. Você me inspira mais do que imagina.

Christyl Rosewater e Laura Silverman, obrigada por apoiarem a mim e ao movimento. Vocês são prova de que um ato simples pode provocar mudanças!

Minha família Swanky Seventeen, seu encorajamento me faz seguir em frente. Pessoal, nós temos livros!

Team Coffehouse Queens: Brenda Drake, Nikki Roberti e Kimberly Chase. Vocês estavam entre as primeiras pessoas fora do círculo de amigos e família que se apaixonaram pelas minhas palavras. Devo tanto a vocês. Brenda, obrigada em particular por ser um pilar da comunidade de escritores.

Gangue #ownvoices (já que, vocês sabem, dizem que somos uma gangue). Continuem lutando, continuem escrevendo e continuem em frente. Suas vozes importam.

Minha equipe #WordSmiths, vocês arrasam!

Stephanie Dayton e Lisa "Left Eye" Lopes, com um pequeno gesto vocês mudaram a vida da Angie de 14 anos e, de algum modo, a salvaram. Obrigada.

Bispo Crudup e família New Horizon, obrigada pelas orações, apoio e amor.

Minha família: Gazel, LuSheila e Frank, tia Claudette, Bennie e Mae, Eric e Angie, Kiara, Joanna, Claudette, Greg, Susan, Sandra, Ronnie, Keisha, Joyce, Xavier, Tanya, família Roberts, Kim, Shelly, Juana, Robin, prima Linda, tio Johnny, Audrey e Willie, família Murriel e todos os meus entes queridos. Apesar de não temos laços "de sangue", temos "de amor". Sei que me esqueci de alguns nomes, mas não foi por intenção. Basicamente, obrigada a todos.

Tio Charles, por todas aquelas notas de 5 dólares. Eu queria que o mundo pudesse ter lido suas palavras e que você pudesse ler as minhas. Isto é para você.

Para meu pai, Charles R. Orr. Sinto sua presença todos os dias. Eu te perdoo e te amo. Espero que sinta orgulho de mim.

À minha maior campeã, mãe/mamãe/mãezinha Julia Thomas: você é a maior luz na escuridão, uma verdadeira "Starr". Sou abençoada por você ser minha mãe e espero ser metade da mulher que você é. Quando a Dra. Maya Angelou descreveu uma "Mulher Fenomenal", ela descreveu você. Obrigada por me amar como eu sou.

E a todos os adolescentes de Georgetown e de todos os "the Gardens" do mundo: suas vozes importam, seus sonhos importam, suas vidas importam. Sejam rosas que crescem no concreto.

Este livro foi composto na tipologia Sabon LT Std,
em corpo 11/16, e impresso em papel off white,
no Sistema Cameron da Divisão Gráfica
da Distribuidora Record.